ECCLESIA REGINENSIS

STUDIA PATRISTICA ET LITURGICA

quae edidit Institutum Liturgicum Ratisbonense

Fasc. 8

KLAUS GAMBER

ECCLESIA REGINENSIS

Studien zur Geschichte und Liturgie der
Regensburger Kirche im Mittelalter

mit zahlreichen Abbildungen

KOMMISSIONSVERLAG
FRIEDRICH PUSTET

Mit kirchlicher Druckerlaubnis

Gedruckt mit Unterstützung des Bischöflichen
Stuhles von Regensburg

© 1979 by Friedrich Pustet Regensburg
Gesamtherstellung Friedrich Pustet
Printed in Germany
ISBN 3–7917–0336–6 (Gesamtreihe)
ISBN 3–7917–0583–0

Seiner Exzellenz
dem Hochwürdigsten Herrn
D^r D^r h. c. Rudolf Graber
Bischof von Regensburg
in Dankbarkeit
zum 75. Geburtstag

Vorwort

Zuerst zum Titel des Buches »Ecclesia Reginensis«. Vor genau 1800 Jahren, nämlich 179, wurde der Bau der Römerfestung *Castra Regina*, in unmittelbarer Nähe der alten Keltensiedlung Radaspona an der nördlichsten Stelle der Donau gelegen, fertig gestellt. Dieses Datum ergibt sich aus dem Text der steinernen Gründungsurkunde im Stadtmuseum.

In der Spätantike begegnet uns für diese rätische Metropole die Bezeichnung *Reginum* (oder *Regino*), was dem frühmittelalterlichen Wort *Reganespurc*, d. h. Burg am Regen, entspricht. Doch wird auch der alte keltische Name *Radaspona* weiterhin gebraucht. Als Hauptstadt des Herzogtums Baiern hat Regensburg die Metropole Augsburg (Augusta Vindelicorum) an Bedeutung überflügelt. Im 9. Jahrhundert, als die Karolingerkönige hier residierten, wurde Reganespurc »königliche Stadt« (civitas regia) genannt.

Die Kirche (d. h. die Diözese) von Regensburg trägt seit dem 8. Jahrhundert den Namen *Reganesburgensis* (oder seltener *Radasponensis) ecclesia*. In den beiden Schreiben des Papstes Leo III. an die bairischen Bischöfe von 798 und 800 wird dagegen noch die offizielle lateinische, von Reginum abgeleitete Form *Reginensis ecclesia* gebraucht, wie sie auch gelegentlich in Urkunden vorkommt (vgl. Widemann Nr. 74).

Das vorliegende Buch will keine vollständige Darstellung der Geschichte der Ecclesia Reginensis sein – eine solche haben bereits F. Janner und J. Staber geschrieben –, es soll vielmehr versucht werden, durch Detailuntersuchungen neue Erkenntnisse auch für die Gesamtentwicklung zu gewinnen. Dabei wird besonders auf die bis jetzt wenig beachtete Liturgiegeschichte der Stadt Wert gelegt. Über die ältesten Liturgiebücher Regensburgs wurde bereits in Faszikel 12 der »Textus patristici et liturgici« zum Dom-Jubiläum 1976 ausführlich gehandelt.

Die im folgenden veröffentlichten Studien sind zum Teil bereits anderswo erschienen; sie wurden jedoch alle vollständig umgearbeitet und aufeinander abgestimmt. Der Verfasser hofft, damit einen kleinen Beitrag zum Jubiläum der Stadt Regensburg in diesem Jahr zu liefern.

Klaus Gamber

7

Inhalt

Die ersten Bischöfe von Regensburg
und ihre Funktion als Äbte von St. Emmeram

Im Jahr 974 holte Bischof Wolfgang von Regensburg (972–994) seinen Freund Ramwold, der mit ihm einst Kaplan beim Erzbischof Heinrich von Trier und damals Propst des Klosters St. Maximin in Trier war, zu sich nach Regensburg und setzte ihn als Propst von St. Emmeram ein, damit er hier die von ihm angestrebte Klosterreform durchführe. Bereits im nächsten Jahr ernannte Wolfgang ihn zum Abt und trennte bei dieser Gelegenheit die Güter des Klosters von denen des Hochstifts[1].

»Darüber waren«, wie Propst Arnold von St. Emmeram um das Jahr 1036 schreibt, »einige seiner Mitpriester und Ratgeber ungehalten; sie sagten: Warum entziehst du dir und deinen Priestern die Güter, die zu St. Emmeram gehören? Viele sind deines Lobes voll, doch darin loben sie dich nicht, sondern tadeln dich. Mache Gebrauch von dem Amte des Bischofs und des Abtes, wie es deine Vorgänger zu tun gewohnt waren bis auf den heutigen Tag, damit ihnen der Nutzen gewisser Erträge nicht entgehe[2].«

Während demnach die Kanoniker des Domes St. Peter in erster Linie an den Verlust der Einkünfte aus den reichen Besitzungen von St. Emmeram dachten, standen bei Wolfgang seelsorgerische Erwägungen im Vordergrund. Er begründete seinen Entschluß mit den Worten: »Es ist eine schwere Aufgabe für einen Bischof, mit aller Wachsamkeit sein Hirtenamt zu verwalten, aber auch für einen Abt ist es nicht leicht . . . für das Heil der Mönche zu sorgen und in jeder Hinsicht die Geschäfte seines Klosters gut zu verwalten[3].«

---

[1] Vgl. F. Janner, Geschichte der Bischöfe von Regensburg, Band I (Regensburg 1883) 361 f. (im folgenden »Janner, Bischöfe« abgekürzt); J. Staber, Kirchengeschichte des Bistums Regensburg (Regensburg 1966) 25; G. Schwaiger, Der heilige Bischof Wolfgang von Regensburg, in: Beiträge zur Geschichte des Bistums Regensburg 6 (1972) 39–60, hier 47 f.

[2] Vgl. Arnold, De s. Emmeramo II, 10 (MGH Scr. IV, 559): »Ut quid tibi et sacerdotibus tuis perdis bona ad sanctum Emmeramum pertinentia? Laudant te multi, sed in hoc non laudant, immo vituperant. Utere ergo pontificis ac abbatis officio, sicut antecessores tui facere consueverunt usque modo, ne carerent quarundam rerum emolumento.«

[3] Vgl. Arnold, ebd.: »Sufficit enim episcopo, ut summa vigilantia insistat pastorali officio, et abbati satis laboriosum, quamvis multum fructuosum, providere fratrum saluti, et per omnia bene procurare res monasterii sui.«

I.

Unsere Frage geht dahin: Wie kam es zu dieser Verbindung zwischen dem Amt des Bischofs und dem des Abtes von St. Emmeram und wie zeigte sich diese Personalunion in der Praxis? Zuvor ist es jedoch notwendig kurz zu untersuchen, wann es die ersten Bischöfe in Regensburg gegeben hat[4]. Seit den Zeiten des Kaisers Konstantin hatte jede (größere) Stadt, in der Christen lebten, einen eigenen Oberhirten (»episcopus«)[5]. Solange Regensburg Legionslager (»castra«) und keine Stadt im eigentlichen Sinn (»civitas«) war, dürfen wir einen Bischof innerhalb der Mauern mit einiger Sicherheit ausschließen. Erst als in der 2. Hälfte des 4. Jahrhunderts die 3. Italische Legion (»Legio III Italica«) von hier nach Vallatum (Manching bei Ingolstadt) verlegt und in die Mauern des Lagers neben einer zurückgebliebenen Lagerbesatzung auch Zivilbevölkerung aufgenommen worden war, kann man von einer »civitas« sprechen. Auch der Name ändert sich: »Castra Regina« wird nun – so auf der Tabula Peutingeriana – »Regino« (»Reginum«) genannt[5a] Neben dem von starken Mauern umgebenen ehemaligen Legionslager bestand wohl von Anfang an die alte Keltensiedlung Radasbona weiter. Sie lag westlich davon an der alten Straße (»Via Augustana«), die über den heutigen Arnulfsplatz zur Donau an den sich hier befindlichen Hafen (»Portus saluber«) und zu einer Fähre über die Donau führte[6]. Radasbona bildete in der Römerzeit das »Suburbium« (»Canabae«) und war durch den Vitusbach vom Lager getrennt.

In dieser Zivilstadt – sie wird vom Mönch Otloh von St. Emmeram im

---

[4] Hier zu erwähnen sind das »Chronicon episcoporum Ratisponensium« des Andreas von Regensburg v. J. 1446 (in: A. F. Oefele, Rerum Boicarum scriptores I, Augsburg 1763, 32 ff.) sowie »Episcoporum Ratisponensium catalogi« des Laurentius Hochwart v. J. 1542 (ebd. 159 ff.); M. Hansiz, Prodromus (= Germania sacra III, Viennae 1755). Ferner aus neuerer Zeit: Fr. X. Mayer, Tiburnia oder Regensburg und die ältesten Bischöfe in Bayern aus römischer und agilolfingischer Zeit (Regensburg 1833) und vor allem Janner, Bischöfe (oben Anm. 1); P. Stockmeier, Die spätantike Kirchen-Organisation des Alpen-Donauraumes im Licht der literarischen und archäologischen Zeugnisse, in: Beiträge zur altbayerischen Kirchengeschichte 23 (1963) 40–76 (mit weiterer Literatur).

[5] Vgl. Synode von Sardica (v. J. 343), can. 6: ». . . si qua talis aut tam populosa sit civitas vel locus, qui mereatur habere pontificem . . .« (Mansi, Conc. III,24 bzw. 33).

[5a] Vgl. Paulys Realencyclopädie der class. Alterumswiss. III,2 (1899) 1771; K. Schwarz, in: Jahresbericht der Bayer. Denkmalpflege 13/14 (1972/73) 49–51.

[6] Vgl. G. Steinmetz, Regensburg in der vorgeschichtlichen und römischen Zeit, in: VO 76 (1926) 15–19. Die neuesten Ausgrabungen am Bismarckplatz haben diese Annahme bestätigt. Ein Bericht darüber steht noch aus.

11. Jahrhundert »Civitas nova« genannt[7] – wohnten die Handwerker und Händler sowie die Veteranen mit ihren Familien. Wann Radasbona und das Legionslager durch eine gemeinsame Mauer miteinander verbunden wurden, wissen wir nicht; jedenfalls kaum, wie bisher angenommen wurde, erst im 10. Jahrhundert[8].

Von der Westbefestigung des Lagers ist bis jetzt kein Stein »in situ« gefunden worden. Daraus kann man schließen, daß die Verlegung der Westmauer systematisch erfolgte und schon früh stattgefunden hat, noch bevor diese, wie in den Ostpartien des Lagers, später in die Häuser eingebaut wurde[9].

Vielleicht geschah die Einbeziehung der Zivilstadt Radasbona schon in spätrömischer Zeit. Bischof Arbeo von Freising († 783) nennt jedenfalls Regensburg als Ganzes »urbs Radaspona« und bezeichnet sie als die Hauptstadt (»metropolis«) von Baiern. In den Urkunden des 8. und 9. Jahrhunderts finden wir die Bezeichnung »Reganesburc« und (seltener) »Regina civitas« (statt »Regino«)[10].

In der ehemaligen Keltenstadt könnte bereits seit dem 3./4. Jahrhundert ein Bischof gewirkt haben, zum mindesten muß es hier schon früh eine geordnete Seelsorge unter der Zivilbevölkerung und den römischen Veteranen gegeben haben. Als Gemeindekirche diente wohl die im Süden von Radasbona gelegene spätere Emmeramskirche. Doch darüber im 3. Kapitel!

Die Christen haben ihre Toten im konstantinischen Leichenfeld an der Via Augustana (im heutigen Bahngelände) beigesetzt – vielleicht bestand hier sogar eine eigene Friedhofskapelle –: doch hörten die Bestattungen unter oder kurz nach Kaiser Honorius († 423) auf. Die Mehrzahl der Gläubigen wurde nun in unmittelbarer Nähe von St. Emmeram zur letzten Ruhe gebettet[11].

[7] Vgl. Anonymi Ratisbonensis (Otloh von St. Emmeram), Translatio s. Dionysii Areopagitae, Ep. (MGH Scriptores XI, 353): »Et haec est urbs nova dicta Ratispona«.

[8] Damals hat Herzog Arnulf lediglich das Kloster St. Emmeram »quod prius extra fuerat« in den Mauerring der Stadt einbezogen; vgl. Arnoldus I,7 (MGH IV, 552). Nach Otloh (siehe oben Anm. 7) erfolgte diese Einbeziehung »pro honore et reverentia huius loci protectoris sancti Emmerami martyris«. Von einer Erweiterung der Stadtmauer unter Einbeziehung der Neustadt (Radasbona) wird bei Arnold nicht gesprochen.

[9] Von einem Mauerbau auf Befehl König Karls ist auch in den Ann. Ratisb. (MGH Scriptores XVII, 588) die Rede. Vielleicht hat es sich auch nur um Ausbesserungsarbeiten gehandelt, vgl. Janner, Bischöfe 125; jedoch ebd. 288, Anm. 1

[10] Vgl. Arbeo, Vita Haimbrammi episcopi c. 4 und 6 (ed. Krusch 32 und 35); A. Kraus, Civitas Regia. Das Bild Regensburgs in der deutschen Geschichtsschreibung des Mittelalters (Kallmünz 1972) 7,49. Die Adjektivform von »Regino« bzw. »Regina civitas« lautet »Reginensis« (vgl. das Vorwort).

[11] Vgl. H. Lamprecht, Aufdeckung eines römischen Friedhofes in Regensburg 1872–1874 (Regensburg 1904); ders., Der große römische Friedhof in Regensburg mit

Daß der kleine Hügel, auf dem dieses Gotteshaus steht, mit einiger Übertreibung im Mittelalter »mons martyrum« genannt wurde, kann zusammen mit der Inschrift auf der Grabplatte der Sarmannina aus dem 4. Jahrhundert, wo von der Verstorbenen gesagt wird, sie sei »martyribus sociata« (den Märtyrern beigesellt), auf einen Kult Regensburger Blutzeugen wohl aus diokletianischer Zeit hinweisen[12].

Auch das ursprüngliche Georgs-Patrozinium dieses Gotteshauses könnte damit in Zusammenhang stehen, da Georg in der Ostkirche, wo er schon früh verehrt worden ist, als »Großmärtyrer« (μεγαλομάρτυς) und allgemein als Symbolfigur der Blutzeugen Christi gilt. Man muß jedoch auch die andere Möglichkeit sehen: da Georg ebenso als Patron der Soldaten gegolten hat, könnte sein Kult durch Angehörige der hier lagernden römischen Legion eingeführt worden sein[13]. Jedenfalls ist ein Georgs-Patrozinium im Westen während des Frühmittelalters ziemlich selten[14].

In einer Schenkung des Jahres 792 ist die Rede von der »sacrosanctae ecclesiae dei, quae constructa est in honore sanctorum, beati scilicet Emmerami et sancti Georgii ceterumque sanctorum in loco qui dicitur Reganesburc«[15]. Ob

Besprechung seiner Gefäße und Fibeln, in: VO 58 (1907) 1–88; Janner, Bischöfe 26–28; zur vermutlichen Friedhofkapelle ebd. 27. – Hinsichtlich neuer Gräber im Bereich des Alten Rathauses vgl. U. Osterhaus, Beobachtungen zum römischen und frühmittelalterlichen Regensburg, in VO 112 (1972) 7–17, hier. 15.

[12] Vgl. Janner, Bischöfe 23; Staber, Kirchengeschichte 1; R. Bauerreiß, Kirchengeschichte Bayerns I (²St. Ottilien 1974) 21, wo hinsichtlich der Wendung »martyribus sociatae« auf den Meßkanon: »societatem donare digneris cum tuis sanctis« verwiesen wird.

[13] Vgl. Bauerreiß, Kirchengeschichte Bayerns (oben Anm. 12) 16–18, mit Hinweis auf die Tagesoration im Prager Sakramentar, wo es heißt: »Deus qui beato martyre tuo Georgio aeternam in caelis *coronam victoriae* contulisti . . .«; dazu K. Baus, Der Kranz in Antike und Christentum (1940) Kap. VII,7 (Der Soldatenkranz nach christlicher Auffassung).

[14] Vgl. E. Klebel, Zur Geschichte des Christentums in Bayern vor Bonifatius, in: Sankt Bonifatius (Fulda 1954) 399; M. Maier, Früher Georgskult im altbayerischen Raum (1965). – Eine Georgskirche findet sich schon früh (um 500) in Ravenna und zwar, ähnlich wie in Regensburg, außerhalb der Stadt im »Campus Coriandri«; sie war von den (gotischen) Arianern errichtet worden; vgl. Agnellus, Liber pontificalis: ». . . in episcopio ecclesiae beati Georgii, quod Arianorum temporibus aedificatum est« (PL 106, 604/5); F. W. Deichmann, Ravenna – Hauptstadt des spätantiken Abendlandes II,1 (Wiesbaden 1974) 243.

[15] Vgl. Th. Ried, Codex chronologico-diplomaticus Episcopatus Ratisbonensis I (Ratisbonae 1816) 7, im folgenden »Ried« abgekürzt; J. Widemann, Die Traditionen des Hochstifts Regensburg und des Klosters St. Emmeram (= Quellen und Erörterungen zur bayerischen Geschichte, NF 8. Bd., München 1943) Nr. 7 S. 6, im folgenden »Widemann« abgekürzt.

unter diesen nicht namentlich genannten »übrigen Heiligen« die vermuteten Regensburger Märtyrer gemeint sind[16]?

In der 2. Hälfte des 5. Jahrhunderts hatten sich die Alemannen nach Abzug der römischen Besatzung der meisten Kastelle an der oberen Donau bemächtigt. Wie wir aufgrund der Angaben in der Vita des heiligen Severin († 482) durch Eugippius schließen können, befanden sich von diesen nur noch Quintanis (Künzing) und Patavium (Passau) in römischer Hand; anderenfalls hätte Severin sicher auch die weiter westlich davon liegenden Städte besucht[12].

M. Heuwieser hat wohl richtig vermutet, daß der Alemannenkönig Gibuld damals in Regensburg residiert hat[18]. Die stark befestigte Stadt, die anscheinend unzerstört in seine Hand gefallen war, eignete sich vorzüglich als Königsresidenz. Gibuld hatte große Hochachtung vor Severin. Nach einem Treffen vor den Toren von Passau, schickte Severin zum König zuerst den Diakon Amantius, dann den Priester Lucullus, um die Rückgabe von Gefangenen zu erbitten; was schließlich auch gelang[19].

Die Donauprovinzen (Raetia II, Noricum Ripense und Noricum Mediterraneum) waren im 5. Jahrhundert weitgehend dem christlichen Glauben erschlossen, wenn es auch sicher noch, vor allem auf dem Land, Heiden gab. In den Metropolen der einzelnen Provinzen wirkten Bischöfe, in den Kastellen Priester, jeweils mit mehreren Klerikern. Es gab auch »virgines sacratae«. Außerhalb der Siedlungen lebten Mönche in kleinen Gemeinschaften zusammmen[20].

Die Vita des heiligen Severin spricht von einem Abtbischof Valentin, der »Raetiarum episcopus« war[21]. Er dürfte in den Jahren zwischen 440 und 460 in Rätien gewirkt haben. Wir wissen nicht, ob er in diesen unruhigen Zeiten einen festen Bischofssitz innegehabt hat. Jedenfalls stellt er den ersten für un-

---

[16] Eigenartig ist, daß diese volle Formel später nicht mehr erscheint.

[17] Vgl. R. Noll, Eugippius. Das Leben des heiligen Severin. Lateinisch und Deutsch (= Schriften und Quellen zur Alten Welt, Bd. 11, Berlin 1963) 25–27.

[18] M. Heuwieser, Die Entwicklung der Stadt Regensburg im Frühmittelalter, in: VO 76 (1926) 75–188, hier 77f.: »Nach Lage der Dinge darf es als sicher gelten, daß die ersten germanischen Erben der Römer und Herren in Regensburg die Alemannen waren, und als in hohem Grade wahrscheinlich, daß die Stadt vorübergehend das Hauptquartier der Alemannen, insbesondere die Residenz des Königs Gibuld war.«

[19] Vgl. Vita s. Severini 19 (ed. Noll 85).

[20] Vgl. Noll, Eugippius (oben Anm. 17) 9–12; K. Gamber, Liturgisches Leben in Norikum zur Zeit des hl. Severin, in: Heiliger Dienst 26 (1972) 22–32; Liturgie und Kirchenbau (unten Anm. 27) 55–71.

[21] Vgl. Vita s. Severini 41,1 (ed. Noll 107). Vermutlich ist zu ergänzen: »(secundarum) Raetiarum episcopus«; vgl. c. 15,1: »secundarum municipium Raetiarum«.

ser Gebiet namentlich genannten »episcopus« dar, wobei bemerkenswert ist, daß er zugleich als »abbas« bezeichnet wird[22].

Es wurde mit Recht schon die Vermutung geäußert, daß Valentin vor allem in Regensburg, der damals nach Augsburg (Augusta Vindelicorum) bedeutendsten Stadt von Raetia II, gewirkt hat[23]. Vielleicht hatte er sogar hier seinen eigentlichen Bischoffsitz. Auch Passau wird als solcher angesehen; doch gab es im 5. Jahrhundert mit einiger Wahrscheinlichkeit noch kein Bistum Passau[24].

In spätrömischer Zeit hatte, allem Anschein nach, die Provinz Raetia II nur zwei Bischofssitze, Augsburg und Regensburg, wo die Legio Italica III lag. Ähnlich wird von der Provinz Noricum Ripense nur ein einziger Ort mit einem Bischof erwähnt, nämlich Lauriacum (Lorch an der Enns), wo die Legio II Italica lag. Auf der Synode von Sardica (heute Sofia) vom Jahr 343 hatte nach dem Zeugnis des Athanasius bereits ein Bischof von Norikum unterschrieben[25]. Von Rätien war niemand anwesend.

Die These ist nicht neu, daß die Baiern nicht erst im 6. Jahrhundert eingewandert, sondern mit den alten Bojern identisch sind – Eustachius zieht von Luxeuil aus »ad Boias qui nunc Baioarii vocantur« – und daß sie demnach bereits unter römischer Herrschaft in Rätien gewohnt haben[26]. Wenn dies zutrifft, dann haben die Bojer aufgrund der Verhältnisse, wie sie die Severins-

[22] Noll, Eugippius 29 bzw. 106 liest statt »abbatis sui sancti Valentini, Raetiarum quondam episcopi« mit nur wenigen Handschriften »abbati suo . . .« In diesem Fall wäre Severin der Abt und nicht Valentin. Doch wird Severin von Eugippius nie »abbas« genannt; weiterhin ist die von Noll vorgeschlagene Lesung völlig unbegründet, da keine einzige Handschrift »suo« liest und der Wegfall des Schluß-»s« von »abbatis« in einigen Codices durch das folgende »s« in »sui« bedingt ist – eine Tatsache, die uns in ähnlichen Fällen häufig begegnet. – Vielleicht ist der Mönchspriester Lucillus, der ehedem dem Abtbischof Valentin unterstand, von Severin deshalb, wie oben erwähnt, in die Residenz des Alemannenkönigs Gibuld gesandt worden, weil dieser sich in der betreffenden Stadt (Regensburg?) auskannte, da er mit Bischof Valentin einst dort geweilt hat.

[23] Vgl. A. Huber, Geschichte der Einführung und Verbreitung des Christentums in Südostdeutschland, 1. Bd. (Salzburg 1874) 321–329.

[24] Es sei denn man nimmt als Hinweis auf eine Kathedrale das in der Severins-Vita c. 22,3 (ed. Noll 89) erwähnte »baptisterium«. Passau wurde erst zu Beginn des 8. Jahrhunderts Bischofssitz, als Bischof Vivilo wegen der Nähe zu den Awaren aus Lorch fliehen mußte; vgl. M. Hansiz, Germaniae sacrae Tom. I.: Metropolis Lauriacensis cum episcopatu Pataviensi (Augsburg 1727) 120.

[25] Vgl. Athanasius, Apol. c. Arianos c. 1 und 36 (PG 25, 249 A und 311 A), Hist. mon. c. 28 (PG 25,725 A/B); Hefele, Conciliengeschichte I[2], 543; E. Tomek, Kirchengeschichte Österreichs I (Innsbruck 1935) 44.

[26] Vgl. A. Buchner, Geschichte von Baiern I (Regensburg 1820) 1 ff.; R. Reiser, Agilolf oder die Herkunft der Bayern (München 1977).

Vita schildert, schon im 5. Jahrhundert in der Mehrzahl den christlichen Glauben angenommen. In diesem Fall hätte es, auch nach dem Abzug vieler Romanen im Jahr 488 nach Italien, stets zahlreiche Christen katholischen Bekenntnisses im bairischen Raum gegeben, vor allem natürlich in den größeren Siedlungen und weniger auf dem flachen Land. Doch muß es auch hier vielerorts Kirchen gegeben haben, wie die Holzkirche in Staubing (bei Weltenburg) beweist, deren Reste vor einiger Zeit ausgegraben wurden und die aus der Zeit nach 600 stammt[27].

Es entspricht deshalb nicht ganz den Tatsachen, wenn Arbeo von Freising in seiner Emmerams-Vita schreibt, die Einwohner von Regensburg seien damals Neubekehrte (»neophyti«) gewesen. Richtig dürfte jedoch sein, daß nicht wenige den alten heidnischen Bräuchen anhingen und, wie es in der Vita heißt, »sowohl den Kelch Christi als auch den der Dämonen getrunken haben«[28]. Im 6./7. Jahrhundert scheint jedenfalls der christliche Glaube im bairischen Gebiet stark mit heidnischen Vorstellungen durchsetzt gewesen zu sein.

Aus der vorangegangenen Zeit relativer Blüte des Christentums im Raum der oberen Donau stammt vermutlich eine liturgische Liste für die Episteln des Jahres. Diese dürfte, wie aus verschiedenen Beobachtungen geschlossen werden kann, aus Oberitalien nach Baiern gekommen sein. Die Leseliste ist als solche verloren gegangen, doch sind deren Perikopenangaben als Randnotizen in zwei Paulushandschriften, die im bairischen Raum im 8. Jahrhundert abgeschrieben worden sind, erhalten geblieben[29].

Wie in einer eigenen Untersuchung gezeigt werden konnte, sprechen für die Zeit Severins, also für das 5. Jahrhundert, die geringe Zahl an Festen – es finden sich nur die um 400 oder kurz danach gebräuchlichen – sowie die Thema-

---

[27] Vgl. H. Frei – K. Schwarz, Ein altbaierischer Kirchhof (= Aus der archäologischen Denkmalpflege in Bayern 1973/2); K. Gamber, Liturgie und Kirchenbau (= Studia patristica et liturgica 6, Regensburg 1976) 105 f. (mit Abbildung 19).

[28] Vgl. Arbeo. Vita Haimhrammi episcopi c. 7 (ed. Krusch 36): »Sed habitatores eius neoffiti; eo namque in tempore idolatriam radicitus ex se non extirpaverunt, quia ut patres calicem Christi commune et demoniorum suisque prolibus propinaverunt.« Eine besondere Bedeutung dürfte der heidnische Totenkult gehabt haben, weil noch das Schreiben des Papstes Gregor III. des Jahres 738 an die bairischen Bischöfe die Mahnung enthält, »et a sacrificiis mortuorum omnino devitetis« (MGH Ep. I,7 . Dieses Totenopfer war mit dem Fest der Cathedra S. Petri (22. Februar) verbunden; vgl. K. Gamber, in: Heiliger Dienst 31 (1977) 11.

[29] Vgl. B. Bischoff, Gallikanische Epistelperikopen, in: Studien und Mitteilungen OSB 50 (1932) 516–519; ders., Die südostdeutschen Schreibschulen und Bibliotheken in der Karolingerzeit Teil I (²Wiesbaden 1960) 30 Anm. 1.

tik der Perikopen. Diese wenden sich zum großen Teil an Neugetaufte[30].
Wenn aber die z. T. recht langen Lesungen überhaupt einen Sinn gehabt haben sollen, müssen die Zuhörer Latein verstanden haben, was bekanntlich
vom 6. Jahrhundert an nicht mehr allgemein zutrifft.

Als ein Bischof von Regensburg wird im 5. Jahrhundert Lupus, ein Romane,
genannt. Er wurde nach der Überlieferung von heidnischen Baiern gegen 490
ermordet[31]. Wie gezeigt werden wird, ist es durchaus möglich, daß sich sein
Grab mit einem Confessio-Altar in der St. Stephanskapelle, dem »Alten
Dom«, befindet. Links von diesem wurde ein weiteres (Bischofs-?)Grab gefunden[32]. Auch in der Umgebung der Kirche ließen sich frühe Begräbnisstät-
ten feststellen[33].

Nach der Zeit des Bischofs Lupus wird es wieder dunkel in der Geschichte
der Regensburger Kirche. Für das 6. Jahrhundert liegen so gut wie keine
Nachrichten vor. Das bairische Herzogtum scheint damals als Missionsgebiet
gegolten zu haben. Es kam in kirchlicher Hinsicht unter die Oberhoheit des
Patriarchen von Aquileja und dürfte von dort regelmäßig Priester und Kleriker erhalten haben. Dies beweisen nicht zuletzt die Liturgiebücher, die bis
in die Zeit um 800 aus dieser Metropole nach Baiern gelangt sind[34].

Als Bischof wirkte während des 6. Jahrhunderts in diesem Raum ein gewisser
Marcianus († 588). Dieser hat, wie seine Grabinschrift im Dom zu Grado (bei

---

[30] Vgl. K. Gamber, Eine liturgische Leseordnung aus der Frühzeit der bayrischen
Kirche, in: Heiliger Dienst 31 (1977) 8–17.

[31] Als Quelle gibt Hochwart, Episcoporum Ratisponensium catalogi (oben Anm. 4)
161 einen alten (heute verlorenen) Katalog der Passauer Bischöfe an, aus dem er sich
folgendes Exzerpt gemacht habe: »Tempore Zenonis imperatoris (474–491) archiepiscopus Pataviae Theodorus et Ratisponensis Lupus, natione Romani, ab infidelibus
Bavaris caesi sunt, sub Theodone Bavarorum duce primo«. In meinem Aufsatz: Der
Kastenaltar im »Alten Dom« zu Regensburg, in: Beiträge zur Geschichte des Bistums
Regensburg 10 (1976) 55–67 wollte ich statt »bavaris«: »barbaris« lesen und sah die
Zeitangabe am Schluß »sub Theodone Bavarorum duce primo« aus zeitlichen Gründen
als unwahrscheinlich an, da ein Baiernherzog Theodo fast 200 Jahre später gelebt hat
als Kaiser Zeno (S. 60 Anm. 28); doch gab es nach E. Mayer, Übersehene Quellen zur
bayerischen Geschichte des 6.–8. Jahrhunderts, in: Zeitschrift für bayerische Landesgeschichte 4 (1931) 1–36 um 500 tatsächlich einen Baiernherzog Theodo; vgl. auch
M. Spindler, Handbuch der bayerischen Geschichte I (München 1971) 75. – Einen Bischof Lupus kennt ebenso Arnold (MGH, Scriptores IV, 564): »Igitur sicut ecclesiasticarum testantur scripta donationum et traditionum, haec sedes habuit episcopos, pri-
mum Lupum . . .«; hinsichtlich eines Bischofs Paulinus bzw. Primus vgl. Janner,
Bischöfe von Regensburg 30.

[32] Vgl. unten S. 56.

[33] Vgl. Janner, Bischöfe 44; Reiser, Agilolf (Anm. 26) 26.

[34] Vgl. K. Gamber, Sakramentarstudien (= Studia patristica et liturgica 7, Regensburg 1978) 162–168.

Aquileja) aussagt, 43 Jahre im Bischofsamt gelebt, davon 40 Jahre als Missionsbischof (»peregrinatus est pro causa fidei«)[35]. Wenn auch die Provinz, in der Marcianus gewirkt hat, nicht eigens genannt wird, so ist doch vor allem an Raetia II zu denken[36].

Ende des 6. Jahrhunderts beschweren sich die Oberhirten der zum Metropolitanverband (»concilium«) von Aquileja gehörenden Diözesen in einem Schreiben an den Kaiser Mauritius vom Jahr 591, daß immer mehr fränkische Oberhirten die Bischofssitze in den nördlichen Gebieten des Patriarchates einnehmen. Mitunterzeichner dieses Briefes war Bischof Ingenuinus von Sabiona (Säben), der sich, ähnlich wie Valentin, hier »episcopus secundae Raetiae« nennt[37].

Wahrscheinlich war als Folge der Wirren der Völkerwanderungszeit zu Beginn des 6. Jahrhunderts der rätische Bischofssitz von Regensburg nach Säben, eine auf einem hohen Felsen liegende römische Fliehburg im Eisacktal, verlegt worden[38]. Entsprechend könnte das Inselkloster Neuburg im Staffelsee die Fluchtkirche des Bischofs von Augsburg gebildet haben. Wie Säben war Neuburg später ein eigenes Bistum, wurde jedoch um 800 mit Augsburg (wieder) vereint[39].

Mit dieser zeitweisen Verlegung des Bischofssitzes von Regensburg nach Säben dürfte das in der Donaustadt früh bezeugte Cassians-Patrozinium zusammenhängen[40]. Der heilige Cassian ist bekanntlich der Patron von Säben.

[35] Der Text der Inschrift lautet: »Hic requiescit in pace Christi sanctae memoriae Marcianus Epis(copus). Qui vivit in episcopatu annos XLIII et peregrinatus est pro causa fidei annos XL. Depositus est autem in hoc sepulchro VIII Kal(endas) Maias indict(ione) undecima« (Mitteilung von Prof. G. Brusin, Aquileia).

[36] Vgl. K. Gamber, das Kassians- und Zeno-Patrozinium in Regensburg. Ein Beitrag zu den Beziehungen zwischen Bayern und Oberitalien im Frühmittelalter, in: Deutsche Gaue 49 (1957) 17–27; Reiser, Agilolf (oben Anm. 26) 26 f.

[37] Vgl. R. Egger, Die Ecclesia secundae Raetiae, in: Reinecke-Festschrift (Mainz 1950) 51–60; Gamber, das Kassians- und Zeno-Patrozinium (Anm. 36) 17 f.; Spindler, Handbuch der bayerischen Geschichte I,141.

[38] Allgemein: A. Sparber, Das Bistum Sabiona in seiner geschichtlichen Entwicklung (Brixen 1942); vgl. K. Reindel, in: M. Spindler, Handbuch der bayerischen Geschichte I (München 1971) 140: »In den Alpen hielt sich die römische Herrschaft und damit auch die Kirchenorganisation besser.«

[39] Vgl. R. Bauerreiss, Das frühmittelalterliche Bistum Neuburg im Staffelsee, in: Studien und Mitteilungen OSB 60 (1946) 377–438.

[40] Vgl. J. Sydow, Fragen um die St. Kassianskirche in Regensburg. Ein Beitrag zur Geschichte des Bistums Säben, in: Der Schlern 29 (1955). Nach alter Regensburger Tradition besteht die Kirche seit dem 7. Jahrhundert; vgl. J. Resch, Annales ecclesiae Sabionensis, Tom. I (Augsburg 1740) 80 f. – Bis jetzt noch kaum beachtet ist die weitgehende Übereinstimmung des (ursprünglichen) Grundrisses der Regensburger Kassianskirche mit dem der Säbener Heilig-Kreuz-Kirche. Letztere war ehedem (lt. Ur-

Für das hohe Alter der Regensburger St. Cassians-Kirche spricht nicht zuletzt der im vorigen Jahrhundert aufgedeckte frühmittelalterliche Friedhof, der unmittelbar neben diesem Gotteshaus lag[41].

Soviel zur Geschichte der Regensburger Bischöfe in der Zeit der Spätantike und des Frühmittelalters. Es ist, wie wir sehen, in hohem Maße wahrscheinlich, daß die stark befestigte Donaustadt als bedeutendes Zentrum (»metropolis«) neben Augsburg bereits gegen Ende des 4. Jahrhunderts Sitz eines »Raetiarum episcopus« war. Bemerkenswert ist, daß der in der Severins-Vita genannte rätische Bischof Valentin zugleich »abbas« genannt wird.

II

Im folgenden stellen wir uns die Frage: Welches waren die Voraussetzungen für eine Neuordnung der kirchlichen Verhältnisse in Baiern durch Bonifatius und wie sah diese Reform im einzelnen aus?

Das bairische Herzogshaus gehörte mindestens seit der 2. Hälfte des 6. Jahrhunderts, der Zeit nämlich des Herzogs (Königs) Gaubald, des Vaters der Langobardenkönigin Theodolinde, dem katholischen Glauben an[42]. Dies mag in erster Linie von den verwandtschaftlichen Beziehungen zu den Merowingerkönigen herrühren[43], wie Baiern damals auch in politischer Abhängigkeit vom Frankenreich stand, aus der sich Herzog Tassilo II (748–788) bekanntlich zu lösen versucht hat[44].

Das Christusbekenntnis der früheren Herzöge war sicher kein rein äußerliches; anderenfalls wäre es unverständlich, daß Theodolinde es als Katholikin

kunde des Kaisers Ludwig von 845) dem heiligen Kassian geweiht; sie stammt nach der Überlieferung aus der Zeit um 600; vgl. E. Scheiber, Bestrebungen zur Restaurierung bzw. Reantikisierung der Heilig-Kreuz-Kirche auf Säben, in: Der Schlern 51 (1977) 61–67 (mit Grundriß). Aus dem 6. Jahrhundert stammt ein weiteres Sanktuarium des gleichen Typus, nämlich das des heiligen Justus in Triest; vgl. M. M. Roberti, Il sacello di San Giusto a Trieste, in: Karolingische und Ottonische Kunst (Wiesbaden 1957) 193–209, bes. Abb. 66 S. 196.

[41] Vgl. Janner, Bischöfe 35 Anm. 2.

[42] Vgl. Heuwieser, Die Entwicklung der Stadt Regensburg (oben Anm. 18) 104; A. Bigelmair, Die Anfänge des Christentums in Bayern, in: Festgabe A. Knöpfler (München 1907) 18;

[43] Zur Frage: Barton, Frühzeit des Christentums (oben Anm. 42) 174; W. Goetz, Über die Anfänge der Agilulfinger, in: Jahrbuch zur fränkischen Landesforschung 34/35 (1975) 145–162; Reiser, Agilolf (oben Anm. 26) 44–47.

[44] Vgl. Spindler, Handbuch der bayer. Geschichte I (Anm. 31) 127–133.

und bairische Herzogstochter fertig gebracht hat, sich als Königin im arianischen Langobardenreich durchzusetzen und für die Einführung des Katholi-
zismus einzutreten. Bekanntlich hat Papst Gregor d. Gr. († 604) diese Arbeit
der Theodolinde sehr geschätzt und ihr Briefe und Geschenke übermittelt[45].
Wie die vor der Mitte des 7. Jahrhunderts unter merowingischem Einfluß ab-
geschlossene Fassung der »Lex Baiwariorum« (vgl. Abb. 1)[46] vermuten läßt,
hat damals das Gebiet des Herzogtums kirchenpolitisch eine einzige Diözese
(»parochia«) gebildet. Der Sitz des Bischofs war allem Anschein nach dort,
wo auch der Herzog residierte, nämlich in Regensburg.

Das Gesetzbuch bezieht sich in I, 10 auf den »episcopum quem constituit rex

Abb. 1   Titelseite (obere Hälfte) der „Lex Baiwariorum" nach
dem „Codex Ingolstadensis" (um 800)

[45] Vgl. unten S. 105 f.
[46] Meist »Baiuvariorum« geschrieben. Herausgegeben von E. Schwind (= MGH
Leges III, 183–449): ältere Ausgabe (mit deutscher Übersetzung) von J. N. Mederer,
Leges Baiuuariorum (Ingolstadt 1793); K. Bayerle, Lex Bajuvariorum (München
1926). Gegen die Spätdatierung von B. Krusch, Die Lex Bajuvariorum (Berlin 1924):
Fr. Beyerle, Die süddeutschen Leges und die merowingische Gesetzgebung, in: Zeit-
schrift der Savigny-Stiftung für Rechtsgeschichte. Germ. Abt. 49 (1929) 264–432;
K. Hohenlohe, Das Kirchenrecht der Lex Bajuvariorum (Wien 1932). Zum »Codex
Ingolstadensis« vgl. B. Bischoff, Die südostdeutschen Schreibschulen I (Wiesbaden
1960) 249.

vel populus elegit sibi pontificem«. Es kennt weiterhin »ministros ecclesiae«, nämlich Subdiakone, Kleriker und Mönche (I,8), sowie Diakone und Priester, die der Bischof »in parochia ordinavit vel . . . plebs sibi recepit« (I,9)[47].

Daneben residierten in Lauriacum (Lorch), einem bis in die Römerzeit zurückgehenden Bistum, jetzt an der Grenze zu den Awaren gelegen, sowie in Säben, im äußersten Süden des Herzogtums, weiterhin Bischöfe. Im Gegensatz dazu gehörte Augsburg nicht mehr zur »provincia« des Baiernherzogs, sondern zu Alemannien. Als die Herzogsburgen Freising, Salzburg und Passau unter Herzog Theodo II (680/90 bis um 716), nach der Teilung des Landes unter sich und seine drei Söhne in vier Gebiete zu Beginn des 8. Jahrhunderts, eine größere Bedeutung gewonnen hatten, wurden auch sie bald Bischofssitze[48].

Aus dem Frankenreich war in der gleichen Zeit Abtbischof Korbinian († 725) nach Baiern gekommen. Auf Drängen der Herzöge Theodo und Grimoald zog er schließlich in die Herzogsburg Freising. Hier errichtete er das Kloster St. Stephan und bestimmte die Marienkapelle bei der herzoglichen Burg als seine Bischofskirche[49].

Vermutlich aus Worms kam damals Abtbischof Rupert nach Regensburg und zwar mit dem festen Ziel, als Missionar zu den Awaren zu ziehen. Nachdem er einige Zeit in der Donaustadt geweilt und hier auch gepredigt hatte, konnte er dem Herzog Theodo und vielen anderen die Taufe spenden[50].

[47] Vgl. Hohenlohe, Das Kirchenrecht der Lex Bajuvariorum (oben Anm. 46) 42–48. Klebel will aus dem alten bairischen Gesetz Beziehungen zum Arianismus herauslesen (Zur Geschichte des Christentums in Bayern vor Bonifatius S. 406), doch dürfte der Arianismus im Herzogtum nie stärker in Erscheinung getreten sein.

[48] Vgl. Arbeo, Vita s. Corbiniani c. 15 (ed. Krusch 202): »Tunc namque in tempore devotissimus dux Theoto insignis potentiae et virium virtute cum filiis decorus et satrapum alacritate praecipuus, . . . provinciam quadrifarie sibi et sobolis dividens partibus . . .«; Janner, Bischöfe 38. – Herzog Theodo zog im Jahr 715 nach Rom, um dort die Neuordnung der bairischen Kirche zu besprechen. Daraufhin schickte Papst Gregor II eine Kommission nach Baiern (vgl. MGH Leges III, 451), ohne daß diese anscheinend viel ausrichten konnte; vgl. K. Reindel, in: Spindler, Handbuch der bayerischen Geschichte I (oben Anm. 31) 164f.

[49] Vgl. Zibermayr (unten Anm. 63) 155f.; Bauerreiss, Kirchengeschichte Bayerns I (oben Anm. 12) 46f.; anders H. Nottarp, Die Bistumserrichtung in Deutschland im 8. Jahrhundert (= Kirchenrechtliche Abhandlungen 96, 1920) 53 Anm. 3.

[50] Vgl. Janner, Bischöfe 38–41; K. Reindel, in: Spindler, Handbuch der bayerischen Geschichte I (oben Anm. 31) 149f. – Der Herzog wurde durch Rupert nicht erst zum Christentum bekehrt; er hat sich vielmehr auf die Predigt des Bischofs hin als Erwachsener taufen lassen, was damals keine Seltenheit war. Hinsichtlich der Tradition vgl. J. Schmid, Die Geschichte des Kollegiatstiftes U. L. Frau zur Alten Kapelle in Regensburg (Regensburg 1922) 2f.

Weiterhin gilt Rupert als Gründer des Klosters bei der Kirche St. Emmeram[51]. Vermutlich hat dieser aber nur eine bereits bestehende Mönchsgemeinde, die bis auf den Abtbischof Valentin zurückreichen könnte, neu belebt. Schließlich zog Rupert über Lauriacum (Lorch) nach Salzburg weiter und richtete hier ebenfalls ein Kloster (St. Peter) ein[52], dem er bis zu seinem Tod im Jahr 707 (oder 718) als Abt und Bischof (»episcopus et abbas«) vorstand[53].

Schon vor Korbinian und Rupert waren aus dem Frankenreich als »episcopi adventitii« Amandus (um 630) und Emmeram nach Baiern gekommen. Letzterer wurde nach einigen Jahren seelsorgerischer Tätigkeit vom Sohn des Herzogs Theodo I (ab 640/50) grausam ermordet (nach traditioneller Ansicht im Jahr 652); er fand in der Regensburger St. Georgs-Kirche seine letzte Ruhestätte[54].

Die Ankunft dieser fränkischen Missionsbischöfe schließt nicht aus, daß damals reguläre Oberhirten in der Donaustadt residiert haben. Bezeichnend ist nämlich, daß Herzog Theodo den Bischof Emmeram nach seiner Ankunft gefragt hat, ob er als »pontifex« wirken oder Abt eines der bairischen Klöster (»abbas huius provinciae cenubiis«) werden wolle[55].

---

[51] Nach der Klostertradition von St. Emmeram im Jahr 697; vgl. Janner, Bischöfe 43.

[52] Vgl. M. Hansiz, Germaniae Sacrae Tom II: Archiepiscopatus Salisburgensis (Augsburg 1729) 33–65; Prinz (unten Anm. 55) 326ff.

[53] Vgl. MGH, Necrologia II, 18 Spalte 41. – Zur Rupertusfrage: C. Siegert, Grundlagen zur ältesten Geschichte des bayerischen Hauptvolksstammes und seiner Fürsten (München 1854) 256–276; B. Sepp, Die Berechnung des Todesjahres des hl. Rupert (1896); Janner, Bischöfe 38; I. Zibermayer, Die Rupertlegende, in: Mitteilungen der Gesellschaft für Österr. Geschichtsforschung 62 (1954).

[54] Vgl. Janner, Bischöfe 46–52. Der Ansicht, daß Emmeram erst nach Rupert in Regensburg gewirkt haben soll, kann ich mich nicht anschließen, sie wird schon früh u. a. von A. Huber, Geschichte der Einführung und Verbreitung des Christentums in Südostdeutschland II (Salzburg 1874) vertreten.

[55] Vgl. Arbeo, Vita s. Haimhrammi c. 5 (ed. Krusch 34): »... ita ut eorum pontifex esse debuisset, et si ita dedignaret, vel pro humilitatis studio abbas huius provintiae cenubiis normali studio fecunditer proles cupare non recusaret«; vgl. R. Budde, Die rechtliche Stellung des Klosters St. Emmeram zu den öffentlichen und kirchlichen Gewalten vom 9. bis zum 14. Jahrhundert, in: Archiv für Urkundenforschung 5 (1914) 153–238, hier 155; F. Prinz, Frühes Mönchtum im Frankenreich (München-Wien 1965) 380–388. – Zu den Abt-Bischöfen: H. Frank, Die Klosterbischöfe des Frankenreichs (= Beiträge zur Geschichte des alten Mönchtums und des Benediktinerordens 17, Münster 1932). – Der Ausdruck »coenobium« (κοινόβιον) für ein Kloster ist griechischen Ursprungs; er findet sich u. a. bei Cassian, Collat. 18,10 (PL 49, 1111 A) und einmal in der Regula s. Benedicti 5,6 (sonst »monasterium«); vgl. auch unten Anm. 91 und 131 (»coenobitarum preposito«).

Daß Emmeram das Amt eines »pontifex« (Provinzbischofs)[56] angenommen hat, wird in der Vita des Arbeo nicht ausdrücklich gesagt. Vielleicht hat er auch nur als Abtbischof bzw. »chorepiscopus« (s. u.) das Land durchzogen und das immer noch wuchernde Heidentum auszurotten versucht. Rupert hingegen könnte deshalb Regensburg wieder verlassen haben und nach Salzburg gezogen sein, weil damals in der Donaustadt bereits ein Bischof residiert hat.

Die sog. irische Mission – auch das muß in diesem Zusammenhang einmal gesagt werden – war gegenüber den Einflüssen von Aquileja und dem Frankenreich weniger bedeutend. Die Niederlassungen der irischen Mönche bildeten in erster Linie geistige Zentren, die eine gewisse Ausstrahlungskraft auf das umliegende Land besaßen. Ein solch frühes irisches Zentrum stellt vielleicht das Kloster Weltenburg dar, das nach alter Klostertradition unter dem Frankenkönig Dagobert I (623–639) von den Mönchen Eustasius und Agilus, die Schüler des heiligen Kolumban waren, gegründet wurde[57].

Wenn es aber in Weltenburg schon früh eine Niederlassung irischer Mönche gegeben hat und die Emmerams-Vita, wie wir sahen, von mehreren bairischen »cenubia« spricht, dann ist es billig anzunehmen, daß es auch in der Hauptstadt Regensburg ein »cenubium« gegeben hat. Nach der Severins-Vita befanden sich die Mönchsniederlassungen stets außerhalb der Städte[58]. Dieser Tatbestand trifft für das spätere Kloster St. Emmeram zu, das erst im 10. Jahrhundert, wie wir sahen, in die Befestigung der Stadt einbezogen wurde.

Aus dem Beginn des 8. Jahrhunderts sind die Namen einiger Regensburger Bischöfe bekannt. Einer davon ist der heilige Erhard (um 720)[59], der wie Korbinian und Rupert aus dem Frankenreich gekommen war. Erhard hatte vielleicht gar nicht die Oberleitung der Diözese inne, sondern war lediglich »chorepiscopus« und wohnte als Hofbischof in der herzoglichen Pfalz[54a]. Er

[56] Den Titel »pontifex« trägt in der Antike der Oberpriester einer Provinz; vgl. Stockmeier, Die spätantike Kirchen-Organisation (oben Anm. 4) 67.

[57] Vgl. B. Paringer, Das alte Weltenburger Martyrologium und seine Miniaturen, in: Studien und Mitteilungen OSB 52 (1934) 146–165, hier 152f.; Prinz, Frühes Mönchtum (oben Anm. 55) 39f.; Bischoff, Schreibschulen (unten Anm. 64) 259f.

[58] Vgl. Eugippius, Vita s. Severini c. 4,6–7 (ed. Noll 63–65); »extra muros«: c. 22,1 (p. 87).

[59] P. Mai, Der heilige Bischof Erhard, in: G. Schwaiger, Bavaria, Sancta II (Regensburg 1971) 37.

[59]a So meint auch Reindel, in: Spindler, Handbuch I (Anm. 31) 149, daß Erhard zu jenen Bischöfen ohne Sprengel gehört habe, »welche missionierend vielleicht als Vorsteher einer kleinen Mönchs- oder Klerikergemeinschaft am Herzogshof« tätig gewesen waren.

hat jedenfalls in deren Kapelle, der späteren Niedermünsterkirche, sein Grab gefunden[60].

Weiterhin kennen wir den Namen eines »episcopus adventitius« (aus Oberitalien?) mit Namen Ratharius (um 730)[61], ferner den unmittelbaren Vorgänger des von Bonifatius aufgestellten Bischofs Gaubald, nämlich den aus agilolfingischem Geschlecht stammenden Wikterp (Wiggo)[62].

An ihn sowie an die anderen bairischen Bischöfe (sowie den von Augsburg) hat noch ein Jahr vor ihrer Absetzung durch Bonifatius Papst Gregor III. einen Brief gerichtet[63]. Wikterp ging später als Mönch nach St. Emmeram, wo er sich als Schreiber nützlich machte. Ein von ihm im Jahr 754 verfertigter Codex ist in der dortigen Klosterbibliothek noch lange aufbewahrt worden[64].

[60] Vgl. Die Ausgrabungen im Niedermünster zu Regensburg, in: Jahresbericht der Bayerischen Bodendenkmalpflege 13/14 (1972/73), erschienen 1977. – Daß hier die Pfalzkapelle der Agilolfinger und anfangs auch noch der Karolinger zu suchen ist, hoffe ich in: VO 115 (1975) 203–230 eingehend dargelegt zu haben (vgl. auch unten S. 73 f.), nicht zuletzt wegen des Kranzes kleiner Sanktuarien, die sich im Osten und Norden um dieses Gotteshaus befunden haben. Die Alte Kapelle wurde erst unter König Ludwig d. Deutschen als Pfalzkapelle erbaut, während Niedermünster etwa zur gleichen Zeit Stiftskirche wurde. Eine letzte Sicherheit fehlt, wie so oft in dieser frühen Zeit; deshalb hat K. Schwarz, in: Beiträge zur Geschichte des Bistums Regensburg 10 (1976) 53 sicher recht, wenn er Anm. 136 meint: »Eine weitere Diskussion dieser These hat erst nach einer gründlichen Kenntnis der archäologischen Quellenlage bei U. L. Frau zur Alten Kapelle Aussicht auf Erfolg.«

[61] Während seiner Regierung gab Herzog Hugibert »beato Georgio et sancto Emmeramo« den Hof Pürkwang (bei Kehlheim); vgl. Arnold, De s. Emmeramo prol. (MGH, Scriptores IV, 549). – Der Name Ratharius könnte langobardischen Ursprungs sein; vgl. Janner, Bischöfe 245, wo ebenfalls von einem Ratharius die Rede ist, der in einer Urkunde unter Bischof Ambricho genannt wird.

[62] Vgl. Janner, Bischöfe 60. Er ist durch den Poeta annonymus Ende des 9. Jahrhunderts als Bischof von Regensburg bezeugt (ebd. 60), wird jedoch eigenartigerweise von Arnold nicht erwähnt.

[63] Ausführlich zur Frage und m. E. überzeugend I. Zibermayr, Noricum – Baiern und Österreich ([3]Horn 1972) 170–175; vgl. auch K. Reindel, in: Spindler, Handbuch I (Anm. 31) 166. Das päpstliche Schreiben gilt den »episcopis in provincia Baioariorum et Alamannia constitutis: Viggo (= Wikterp), Liudoni (= Liuti), Rydolto et Phyphylo (= Vivilo) seu Addae« (MGH Ep. I,70). Der gleiche Papst hat ein Jahr später in einem Brief an Bonifatius dessen Vorgehen gebilligt: »tres alios ordinasses episcopos, et in quattuor partes provinciam illam divisisti, id est quattuor parrochias, ut unusquisque episcopus suum habeat parrochium« (ebd. 72). Daraus kann man schließen, daß die Provinz (= Baiern) ursprünglich nur einen einzigen Bischof (in Regensburg) aufgewiesen hat, sonst wäre nicht von einem Teilen dieses Gebietes die Rede. Die Diözese Augsburg wurde nicht zur »provincia Baioariorum«, sondern zu Alemannien gerechnet.

[64] Vgl. B. Bischoff, Ein wiedergefundener Papyrus und die ältesten Handschriften der Schule von Tours, in: Archiv für Kulturgeschichte 29,1 (1931) 36 f.; ders., Die süddeutschen Schreibschulen und Bibliotheken in der Karolingerzeit I ([2]Wiesbaden 1960)

Er beendete als Abtbischof sein Leben in einem fränkischen Kloster (St. Martin in Tours), bis ins hohe Alter mit dem Abschreiben von Büchern beschäftigt[65]. Vom abgesetzten Bischof von Salzburg, Liuti, wissen wir, daß er später als »vacans episcopus«, bei der Maximilianszelle in Bischofshofen eine Kirche eingeweiht hat[66].

Es ist sicher nicht richtig, wenn man in Bonifatius den Gründer des Bistums Regensburg sieht. Auf ihn geht die territoriale Abgrenzung der bairischen Ur-Diözese gegenüber den neuen Bistümern von Freising, Salzburg und Passau zurück. Außerdem hat Bonifatius neue Bischöfe (»tres alios episcopos«) geweiht, nachdem er drei von den bisherigen vier Oberhirten des Herzogtums abgesetzt hatte[67]. Anscheinend bestanden bei ihm Zweifel, ob diese rechtmäßig geweiht waren.

Diese Zweifel könnten mit der Wirksamkeit der (irischen und) fränkischen Abtbischöfe, die in Baiern Weihen erteilt haben, zusammenhängen; wahrscheinlich aber auch mit dem Schisma, in dem sich das Patriarchat von Aquileja bis zum Jahr 700 mit dem Papst befand[68]. Der Bischof von Passau hingegen, Vivilo, der die Weihe in Rom empfangen hatte, wurde in seinem Amt

172: »Ein frühes, durch die genaue Datierung besonders wertvolles Denkmal bayerischer Schrift könnte der verschollene Codex des Bischofs Wicterp vom Jahre 754 gewesen sein. W. stammte aus agilolfingischem Geschlecht; später war er Klosterbischof von St. Martin in Tours . . . Darüber, wann der Codex verloren ging, vermutet die ›Ratisbona monastica‹ . . ., daß Aventin ihn entführt haben könnte«; anders K. Reindl, in: Spindler, Handbuch I (oben Anm. 31) 148f.

[65] Vgl. Annales Petaviani ad annum 756: ». . . obiit Wicterbus episcopus et abba sancti Martini. Fuit autem Baugoarius, genere Heilovingus; senex et plus quam octogenarius usque ad id tempus sedebat propria manu scribens libros« (MGH, Scriptores I, 18; nur im Codex Masciacensis); weitere Literatur zu Bischof Wikterp: K. Schmid, Bischof Wikterp in Epfach. Eine Studie über Bischof und Bischofssitz im 8. Jahrhundert, in: J. Werner, Studien zu Abodiacum-Epfach (= Veröffentlichungen der Kommission zur archäologischen Erforschung der spätrömischen Raetien 1, 1964) 106ff.; K. Reindel, in: Archivalische Zeitschrift 63 (1967) 224ff.; J. Semmler, Zu den bayrisch-westfränkischen Beziehungen in Karolingischer Zeit, in: Zeitschrift für bayer. Landesgeschichte 29 (1966) 349–372, vor allem 353: »Wir dürfen daher Wikterp doch als den letzten der vorbonifatianischen Bischöfe Regensburgs festhalten.«

[66] Vgl. das Salzburger Urkundenbuch 2, A 9: ». . . et unum vacantem episcopum nomine Liuti ibidem advocavit« bei Zibermayr, Noricum (oben Anm. 63) 173; Reindel, in: Spindler, Handbuch der bayerischen Geschichte I (oben Anm. 38) 150; anders Bauerreiss, Kirchengeschichte Bayerns I, 3 f. – Bedeutungsvoll ist, daß Liuti als »episcopus vacans« (im Ruhestand) und nicht »vagans« (herumziehend) bezeichnet wird.

[67] Vgl. das oben Anm. 63 zitierte Schreiben Gregors III vom Jahr 739.

[68] Vgl. Klebel, Zur Geschichte des Christentums in Bayern vorBonifatius (oben Anm. 14) 408f.; anders R. Hindinger, Das Quellgebiet der bayerischen Kirchenorganisation, in: Wissenschaftliche Festgabe zum 1200-jährigen Jubiläum des hl. Korbinian (München 1924) 19–21.

belassen. Er hatte einige Jahre zuvor wegen der Nähe zu den Awaren seinen bisherigen Bischofssitz Lorch verlassen müssen und war nach Passau übergesiedelt[68a].

Eigenartig ist, daß Bonifatius damals keinen Erzbischof für die bairischen Diözesen aufgestellt hat. Der Grund dürfte weniger darin zu suchen sein, daß dieser selbst die Oberleitung der bairischen Kirche in seiner Hand behalten wollte, sondern eher in der Tatsache, daß immer noch der Patriarch von Aquileja als Metropolit der ehemaligen römischen Provinz Raetia II gegolten hat[69].

Der neue Bischof von Regensburg hieß Gaubald (Gawibald)[70]. Während Staber meint, er sei »wie die meisten übrigen Bischöfe ein angelsächsischer Landsmann des Apostels der Deutschen« gewesen[71], vermutet Janner, daß Gaubald vorher Abt von St. Emmeram war[72]. Im letzteren Fall hätte Bonifatius einen Brauch aufgegriffen, der in seiner angelsächsischen Heimat weithin geübt wurde, nämlich die Bischöfe aus dem Mönchsstand zu wählen[73], wie es bekanntlich heute noch in der Ostkirche üblich ist.

Auch für den Fall, daß Gaubald in seiner neuen Stellung Abt des Klosters blieb, darf aus dieser Personalunion nicht gefolgert werden, wie Janner meint, daß die St. Emmeramskirche zugleich die Kathedrale für den neuen Oberhirten wurde[74]. Eine solche muß es vielmehr schon vor Bonifatius gegeben haben, da bereits damals, wie wir sahen, Bischöfe in Regensburg tätig waren. Wir werden auf diese Frage später noch eingehen.

Dagegen bildete St. Emmeram bis in die Zeit des heiligen Wolfgang und noch etwas danach die bevorzugte Begräbnisstätte der Regensburger Oberhirten. Ihre Leiber ruhen im vorderen rechten Seitenschiff, der alten St. Georgskapelle[75]. Als erster Bischof ist nachweisbar der heilige Emmeram hier beige-

---

[68a] Vgl. K. Schrödl, Passavia sacra. Geschichte des Bistums Passau (Passau 1879) 43.

[69] Der römische Stuhl hat vermutlich damals einen erneuten Streit mit dem Patriarchen vermeiden wollen, nachdem er, wie gesagt, erst 40 Jahre zuvor, ein lang dauerndes Schisma beilegen konnte, vgl. auch R. Schieffer, Zur Beurteilung des norditalienischen Dreikapitel-Schismas, in: Zeitschrift für Kirchengeschichte 87 (1976) 167–201.

[70] Vgl. MGH, Scriptores II,346: »Gaibald qui ecclesiae civitatis Reginae pastorale excubitoris subiit magisterium.« Zur Bezeichnung »civitas Regina« vgl. oben Anm. 10.

[71] Staber, Kirchengeschichte des Bistums Regensburg (Anm. 1) 9.

[72] Janner, Bischöfe 75.

[73] Vgl. Hansiz, Prodromus (oben Anm. 4) 28ff.

[74] Janner, Bischöfe 76.

[75] Vgl. Bericht von den heiligen Leibern und Reliquien, welche in dem Fürstlichen Reichs-Gottes-Haus S. Emmerami . . . aufbehalten werden (Regensburg 1762) 84–86, 98f.; K. Hausberger, Die Grablegen der Bischöfe von Regensburg, in: Beiträge zur Geschichte des Bistums Regensburg 10 (1976) 365–383.

setzt worden[76]. Als das Kloster seit Bischof Wolfgang eigene Äbte aufwies, blieben dennoch die Pontifikalrechte der Regensburger Oberhirten an der Basilika weiterhin ungeschmälert[77].

Propst Arnold schreibt, daß die Bischöfe nach Gaubald abwechselnd aus den Reihen der Mönche und der Kanoniker gewählt worden sind, »so daß wenn der Vorgänger ein Kanoniker war, ein Mönch folgte und umgekehrt auf diesen wieder ein Kanoniker«[78]. Ich weiß nicht, ob man dies jedoch so allgemein sagen kann.

Aus der Personalunion zwischen dem Amt des Bischof und dem des Abtes darf man weiterhin nicht schließen, daß die Regensburger Oberhirten Abtbischöfe im eigentlichen Sinn waren, etwa wie früher Valentin und Rupert. So nennen sich diese, im Gegensatz zu Salzburg[79], in den Urkunden des 8./9. Jahrhunderts nicht »abbas et episcopus«, sondern nur »episcopus«[80]. Man sollte deshalb die entsprechenden Verhältnisse in Salzburg (oder Freising) nicht einfach mit denen in Regensburg vergleichen.

In der Praxis dürften die Regensburger Bischöfe jedenfalls nur Kommendataräbte von St. Emmeram gewesen sein. Eine Kommende ist bekanntlich ein kirchliches Amt, dessen Inhaber in erster Linie die Pfründeeinkünfte genießt, jedoch eine beschränkte Jurisdiktion (oder überhaupt keine) ausübt[81]. Aus diesem Grund klagt Propst Arnold: »Es war eine alte Sitte in der Regensburger Kirche, daß die Bischöfe auch Äbte waren. Dies waren sie jedoch nur dem . Namen nach wegen der zeitlichen Vorteile, ohne auch deren Pflichten auszuüben[82].«

Wie Arnold weiterhin sagt, »regierten ein Propst und ein Dekan das Kloster«

[76] Vgl. Arbeo, Vita s. Haimhrammi c. 34 (ed. Kursch 77): »Tunc collecto corpore per manus sacerdotum in beati Georgii ecclesiam deferentes, et ibi ut erat dignus sub humo in honore sepelierunt.«

[77] Vgl. Janner, Bischöfe 370.

[78] Arnold (MGH, Scriptores IV, 559): »vicissim sibi succedebant in huius episcopatu monachi atque canonici, ita ut si antecessor esset canonicus, fieret successor monachus et iterum huic antecessori succederet canonicus.«

[79] Vgl. Hansiz, Germania sacra II (oben Anm. 52) 87. Salzburg ist, wie Freising, wo wir ähnliche Verhältnisse vorfinden, gegenüber Regensburg ein junges Bistum, das von einem Abtbischof gegründet worden ist. Man darf deshalb nicht, wie Janner, Bischöfe 123 es tut, einfach die Verhältnisse in beiden Diözesen miteinander vergleichen.

[80] Ausnahmen sind ganz selten; so wird in der Urkunde Nr. 17 vom Jahr 820/1 von Baturich als »episcopo et abbate loci eiusdem« gesprochen (Widemann 20).

[81] Vgl. auch das kirchliche Rechtsbuch (CIC), can. 1412 n. 5.

[82] Arnold (MGH, Scriptores IV, 559): »Fuit prisca consuetudo in Ratisbonensi ecclesia, ut qui antistites iidem essent et abbates. Quorum nomina quidem ob temporalia commoda tenebant, non officia«; vgl. Budde, Die rechtliche Stellung (oben Anm. 55) 157.

und zwar »post episcopum«[83], d. h. in dessen Auftrag. Die beiden Ämter sind bereits in der Regel des heiligen Benedikt vorgesehen[84]; es gab sie auch an der Domkirche (»praepositus« oder »propositus« und »decanus«)[85]. Den Bischöfen zur Seite standen weltliche Vögte »advocatus«, »vocatus«, auch »vicarius« oder »vicedomnus« genannt. Es handelt sich um eine römische Einrichtung, die von den Kaisern auf Anregung der Konzilien des 4. und 5. Jahrhunderts getroffen worden war. Dadurch sollte die Kirche von weltlichen Aufgaben entlastet werden. In den Urkunden erscheint daher regelmäßig neben dem Namen des Bischofs der eines Vogtes[86].

Die geistlichen Aufgaben des Hirtenamtes wurden im 8./9. Jahrhundert zum großen Teil von Weihbischöfen – »chorepiscopi« (Landbischöfe) genannt – erfüllt[87]. Dies war notwendig, da die Leiter der Diözesen zahlreiche andere Obliegenheiten, nicht zuletzt als Beamte (»missi«) des Königs, innehatten[88]. Ein solcher Chorbischof – er trägt den Namen Wolfgang – hat in einer Urkunde des Jahres 814 unmittelbar nach dem Bischof Adalwin unterschrieben[89]; außerdem ein »archipresbyter Paturich«, der spätere Bischof[90], und ein »archidiaconus Richelmus«. Die beiden letzteren hatten wichtige Ämter in der Domkirche inne.

Die Bischöfe nach Gaubald dürften, wie gesagt, aus der Tatsache, daß sie zugleich Äbte (»rectores monasterii«)[91] von St. Emmeram waren, vor allem fi-

---

[83] Arnold (MGH, Scriptores IV, 559): »Prepositus et decanus monasterium regebant post episcopum.«

[84] Über die Pröpste handelt das Kap. 65, über die Dekane das Kap. 21; letztere wurden nur in größeren Gemeinschaften gewählt (»Si maior fuerit congregatio«).

[85] Vgl. Janner, Bischöfe 238. – Es ist daher nicht immer leicht zu entscheiden, ob in den Urkunden unter den Zeugen die entsprechenden Inhaber der Ämter Mönche oder Kanoniker sind; vgl. auch unten Anm. 131.

[86] Vgl. Staber, Kirchengeschichte des Bistums Regensburg (oben Anm. 1) 15.

[87] Zu den »chorepiscopi« vgl. Fr. Gillmann, Das Institut der Chorbischöfe im Orient (München 1903); Hansiz, Germania sacra II (Anm. 4) 693; Janner, Bischöfe 101 f., wo auf die Synode von Regensburg des Jahres 768 verwiesen wird (bei Mansi, Conc. Suppl. I,625), die sich mit den Funktionen der Chorbischöfe befaßt hat. Obwohl sie die Bischofsweihe empfangen hatten, durften sie keine Diakone und Priester, sondern nur niedere Kleriker weihen; vgl. Concilia Germaniae Tom. I (Köln 1759) 268.

[88] Vgl. Janner, Bischöfe 144–147.

[89] Vgl. Widemann Nr. 13, S. 12: »Signum Wolfgangi chorepiscopi. Signum Wicram preposti . . .« Da sein Name unmittelbar den Unterschriften der Mönche vorangeht, könnte Wolfgang im Kloster gelebt haben.

[90] Daß Baturich hier als »archipresbyter« auftritt, schließt m. E. gegen Janner 163 aus, daß dieser vor seiner Bischofsernennung Mönch war. Er ist allem Anschein nach in der Klosterschule in Fulda lediglich ausgebildet worden, ohne als Mönch einzutreten.

[91] So in einer Urkunde des Jahres 794, die eine Schenkung König Karls an das Klo-

nanziellen Nutzen gezogen haben, indem sie an den reichen Einkünften des Klosters teilhatten. Sie konnten »de rebus sancti Emmerami«, wie es in einer Urkunde aus der Zeit um 885 heißt[97], verfügen. Deshalb auch der Unmut der Kanoniker, als Bischof Wolfgang seinerzeit die Gütertrennung vornahm. Bis dahin hat der Besitz beider Kirchen eine einzige Vermögensmasse gebildet[93]. Diese gehörte der »casa quae constructa est in honore sancti Petri et sancti Emmerami«, wie es in einer frühen Urkunde vom Jahr 778 und ähnlich in späteren Zeugnissen heißt[94]. Unter »casa« verstand man damals das Gotteshaus (»casa dei«), aber auch das Vermögen die Güter einer Kirche[95].

Die Heiligen, denen eine Kirche oder ein Kloster geweiht waren, also die Patrone, wurden bei Schenkungen als Rechtssubjekt betrachtet. Ihnen gehörte die Kirche und deren Besitz[96]. Nach der Lex Baiwariorum waren die Bischöfe verpflichtet, diesen Besitz zu erhalten und zu verteidigen[97].

Von den Niederschriften über die Dotationen, die an die Domkirche St. Peter allein gerichtet waren, sowie von den entsprechenden Tauschurkunden, wurde jeweils eine Kopie im Archiv des Domstifts hinterlegt (»ut . . . aliam [copiam] ipse pastor habuisset«)[98], die andere erhielt derjenige, der die Schenkung bzw. den Tausch vornahm.

Leider sind uns aus früher Zeit, außer einem einzigen Fragmentblatt mit Traditionen des 11. und 12. Jahrhunderts[99], keine Traditionsbücher des Domstifts erhalten geblieben, sondern nur einzelne Urkunden. In einer solchen

ster darstellt (Ried p. 8): »Praecipientes ergo iubemus, ut (Adaluuinus episcopus, rector eiusdem cenobii) suique successores, qui fuerint rectores antedicti monasterii . . .« Das in Klammern Gesetzte ist in der Urkunde ausradiert und dafür »Apollonius abbas et rector eiusdem cenobii« gesetzt; vgl. Janner, Bischöfe 134.

[92] Vgl. Widemann Nr. 101, S. 90; vgl. Nr. 74, S. 69 (»ex rebus s. Emmerami«), Nr. 75, S. 70.

[93] Vgl. Heuwieser, Die Entwicklung der Stadt Regensburg im Mittelalter (Anm. 18) 168–173.

[94] Vgl. Widemann Nr. 5, S. 5; spätere Zeugnisse: Urkunde von 826/40 (Widemann Nr. 23 S. 29): »sanctae Reginesburgensis ecclesiae . . . quae est constructa in honore sancti Petri principis apostolorum et sancti Emmerami martyris, ubi ipse praetiosus sanctus corpus requiescit«; ähnlich die Urkunde von 830 (Ried p. 28); vgl. Janner Bischöfe 180f.

[95] Vgl. C. du Fresne – Du Cange, Clossarium ad scriptores mediae et infimae latinitatis (Frankfurt 1710) I,955, wo auf Paulinus, Epist. 21 (eigentlich 12) verwiesen wird: »Ut in casa ecclesiae terrulam, qua victum suum procuret, accipiat« (PL 61, 206 D).

[96] Vgl. J. A. Jungmann, Vom Patrozinium zum Weiheakt, in: Jungmann, Liturgisches Erbe und pastorale Gegenwart (Innsbruck 1960) 390–413, hier 392.

[97] »Apud episcopum defendantur res aeclesiae quiquid apud christianos ad aeclesiam dei datum fuerit« (I,1).

[98] Vgl. Widemann Nr. 13, S. 12.

[99] Vgl. Widemann p. VI.

vom Jahr 863 heißt es zum Schluß: »Actum est in Regina civitate iuxta altare sancti Petri«[100]. Da der Apostel Petrus nicht im Dom zu Regensburg begraben lag und sicher keine Reliquien von ihm (sondern nur »brandea«) vorhanden waren[101], wurde der Altar seiner Kirche, anstelle seines Grabes, als Rechtssubjekt betrachtet.

Die Niederschriften über die Schenkungen, die in den ältesten Zeiten »ad sanctum Georgium et sanctum Emmeramum«, dann »ad sanctum Emmeramum« allein gemacht worden sind, wurden »sub cripta sancti Emmerami«[102] ausgestellt und im Klosterarchiv aufbewahrt, wahrscheinlich auch die »ad sanctum Petrum et sanctum Emmeramum« ausgefertigten[103].

In einer Urkunde des Jahres 879, in der es sich um eine Schenkung »ad sanctum dei martyrem Emmeramum« handelt, heißt es eigens, daß sie in zweifacher Ausfertigung geschrieben worden sei, von denen die eine« in bibliothecam sancti martyris« hinterlegt werden soll[104]. Die betreffenden Urkunden des Klosterarchivs sind in großer Zahl (wenn auch nicht vollständig), meist in Abschriften, auf uns gekommen; jedoch erst vom Jahr 760 an, die ältesten fehlen ganz[105].

Die Bischöfe von Regensburg hatten neben dem Kloster St. Emmeram weitere Klöster – oft nur zeitweise – in Besitz; doch war die Bindung zu diesen nie so eng wie zu St. Emmeram. So wird in einer Urkunde, die um 800 ausgestellt ist, das Salvator-Kloster an der Rezat (Spalt) »monasterium Adaluuini

[100] Vgl. Ried Nr. XLVII S. 50; Widemann Nr. 39 S. 45; Janner, Bischöfe 121. Ähnlich die Urkunde Nr. 81, S. 75 aus der Zeit um 880, wo der Priester Engilmar Leibeigene »ad sanctum Petrum« schenkt und es am Schluß heißt: »Factum est in ecclesia sancti Petri«.

[101] So bitten die päpstlichen Legaten in einem Schreiben an Papst Hormisdas vom Jahr 519 für Kaiser Justinian, »wie es Brauch ist«, um Reliquien (»sanctuaria« bzw. »brandea«, das sind Tücher, die auf dem Grab der betreffenden heiligen niedergelegt worden waren) für dessen Basilika der heiligen Apostel Petrus und Paulus in Konstantinopel: »Unde si beatitudini vestrae videtur, sanctuaria beatorum apostolorum Petri et Pauli secundum morem ei largiri praecipite, et si fieri potest, ad secundam cataractam ipsa sanctuaria deponere«; nach F. X. Kraus, Real-Encyklopädie der christlichen Altertümer I (Freiburg 1882) 326. – Hier drängt sich die Frage auf, ob das aus Rom stammende Goldglas des 4./5. Jahrhunderts mit der Darstellung der Apostelfürsten Petrus und Paulus, dessen Bodenfragment im Jahr 1688 von Weihbischof Graf Wartenberg im Keller seines Kanonikalhofes gefunden wurde, mit dem Regensburger Dompatrozinium in Verbindung zu setzen ist; vgl. H. Schnell, Bayerische Frömmigkeit (München-Zürich 1965) 24 mit Abb. T 18.

[102] Vgl. oben Anm. 61 bzw. Widemann Nr. 6, S. 5.

[103] So in den Urkunden bei Widemann Nr. 33 (»tradidit ad sanctum Petrum apostolum et sanctum dei martyrem Emmeramum«), ähnlich Nr. 40 und 41.

[104] Vgl. Widemann Nr. 92, S. 83.

[105] Vgl. Widemann p. VI–XX.

episcopi« genannt[106]. Außerdem kam, wie wir ebenfalls durch eine Urkunde wissen, das Kloster Mondsee unter Bischof Baturich im Jahr 831 »ad sanctum Petrum . . . et ad sanctum Emmeramum« und zwar im Tausch gegen das Stift Obermünster[107]. Der jeweilige Regensburger Oberhirte war hier jedoch nicht zugleich Abt; er hatte lediglich das Ernennungsrecht[108].

III

Es wird nun zu zeigen sein, daß die auf Gaubald folgenden Bischöfe nicht, wie vielfach zu lesen ist, im Kloster St. Emmeram, sondern in einem eigenen »Bischofshof« (»aula pontificis«, »episcopium«) residiert haben. In diesem Zusammenhang ist es vor allem wichtig zu untersuchen, seit wann es eine Kathedrale St. Peter gegeben hat, sowie die Frage, ob von Anfang an getrennte Bibliotheken und Schreibschulen bestanden haben oder ob diese in der Abtei zusammengefaßt waren[109]. Die Archive waren jedenfalls, wie oben zu zeigen versucht wurde, getrennt.

Zuerst gilt es aber neues Licht in die Frühgeschichte der St. Emmeramskirche zu bringen. Während sich F. Schwäbl mit der im 8. Jahrhundert neu errichteten Basilika und deren Um- und Anbauten befaßt hat[110], ging es J. Sydow um die Frage, wie das spätrömische Gotteshaus ausgesehen haben mag.

Sydow hat im Abstand von nur ein paar Jahren zwei verschiedene Lösungsversuche vorgelegt, wobei er zuerst an eine größere Basilika (ähnlich dem 2. Dombau von Aquileja) dachte[111], dann aber eine Hallenkirche annahm, die um mehr als die Hälfte kleiner war als die spätere Basilika und Anbauten aufwies, wie sie im 4./5. Jahrhundert in Rätien und Norikum weithin üblich

---

[106] Vgl. Widemann Nr. 9, S. 7.

[107] Vgl. Ried Nr. XXVII S. 29.

[108] Vgl. Janner, Bischöfe 183 f.

[109] Der letzteren Annahme folgte Bischoff, Die südostdeutschen Schreibschulen (oben Anm. 29) 171 ff., wobei er von einem »um das Jahr 700 gegründeten Kloster St. Peter und Emmeram« spricht. Daß das Kloster nie dem heiligen Petrus geweiht war, dürfte durch obige Ausführungen deutlich geworden sein. Es gab nur ein gemeinsames Kirchengut (»casa«) der Kathedrale und des Klosters.

[110] Fr. Schwäbl, Die vorkarolingische Basilika St. Emmeram in Regensburg und ihre baulichen Veränderungen im ersten Halbjahrtausend ihres Bestandes 740–1200 (Regensburg 1919).

[111] J. Sydow, Aquileia e Raetia secunda, in: Aquileia nostra 29 (1958) 74–90.

waren[112]. Ich möchte mich letzterer Lösung Sydows grundsätzlich anschließen.

Die Anfänge einer Kultstätte an der Stelle, wo heute die St. Emmeramskirche steht, dürften in ganz frühe Zeiten zurückreichen. Noch im 11. Jahrhundert weiß der Mönch Otloh von einem Hain zu berichten, der sich ehedem auf einem Hügel im Süden der Stadt befand, wo in alter Zeit (»antiquitus«) verschiedene Götterbilder verehrt worden waren[113].

Nach einer anderen Überlieferung handelte es sich näherhin um einen Hercules-Tempel, der sich an derselben Stelle befunden haben soll, wo später die Abteikirche erbaut wurde[114]. Vielleicht stellen sogar die von Schwäbl aufgedeckten zwei Pfeiler im nördlichen Seitenschiff, die wegen ihrer Bautechnik fast sicher in römische Zeit zurückreichen, Reste dieses »Hercules«-Tempels dar, und nicht, wie Sydow zuerst annahm, Reste einer frühchristlichen Pfeiler-Basilika[115].

Vermutlich ging diesem römischen Tempel wie in anderen Fällen ein noch älteres Heiligtum voraus, das zur Keltenstadt Radasbona gehörte und auf dem genannten kleinen Hügel außerhalb der Siedlung lag[115a]. Als Parallele dazu kann die vor einigen Jahren in Lauriacum (Lorch) ausgegrabene spätrömische Gemeindekirche angeführt werden, die ähnlich auf den Fundamenten eines (Juppiter-)Tempels errichtet worden war (vgl. Abb. 2)[116].

[112] Forschungsprobleme um die Kirche St. Emmeram zu Regensburg, in: Ostbairische Grenzmarken 6 (1962/63) 161–169; vgl. auch G. Uhlert, Das römische Regensburg als Forschungsproblem, in: VO 105 (1965) 7–16, hier 15–16.

[113] Vgl. Anonymi Ratisbonensis Translatio S. Dionysii Areopagitae (= MGH XI,353): »Lucus ante urbem hoc in colle fuit, ubi diversorum simulacra idolorum variis illusionum antiquitus colebantur dementiis. Tum vero superstitione sedata, vilia erant tesqua. Ibi sanctus (sc. Emmeramus) aram dei in honorem sancti Georgii consecratam . . . reperiens, ibi iuxta secretum habitaculum statuit, ubi quando a praedicando cessaret, solus solus soli de vigiliis et orationibus vacaret.«

[114] Vgl. Steinmetz, in: VO 76 (1926) 71, ohne eine Quelle anzugeben.

[115] Fr. Schwäbl, Neue Fragen zur frühen Baugeschichte der St. Emmeramskirche in Regensburg, in: VO 93 (1952) 65–88; J. Sydow. Untersuchungen über die frühen Kirchenbauten in Regensburg, in: Rivista di archeologia cristiana 31 (1955) 76ff.; M. Piendl, Probleme der frühen Baugeschichte von St. Emmeram, in: Zeitschrift für bayer. Landesgeschichte 28 (1965) 32–46. Auf die Frage dieser römischen Pfeiler geht Schwarz, Archäologische Geschichtsforschung in frühen Regensburger Kirchen (unten Anm. 117) 31 leider nicht ein.

[115a] Die Fundamente einiger gallo-römischer Umgangstempel sind ausgegraben worden; vgl. K. Schwarz, Spätkeltische Viereckschanzen, Jahresbericht der bayerischen Bodendenkmalspflege 1960 (München 1960) 7–41, hier 19 und 39 mit Abb. 30. Die spätantiken Pfeiler in der St. Emmeramskirche könnten zu dem (quadratischen) Umgang eines solchen Tempels ursprünglich gehört haben.

[116] Vgl. L. Eckhart, Die frühchristliche Märtyrerkirche von Lauriacum, in: Akten

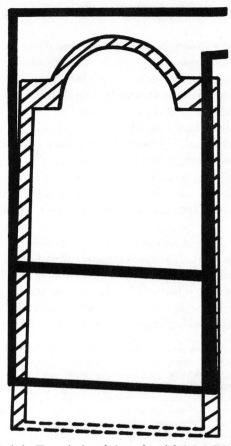

Abb. 2   Die römische Tempelanlage (schwarz) und frühchristliche Kirche
          in Lauriacum (Lorch)
          (Grafik Robert E. Dechant nach dem Grabungsbefund von L. Eckart)

Die Maße des Grundrisses dieser Saalkirche in Lorch (9,5:18 m) entsprechen
zudem weitgehend der Rekonstruktion Sydows von Ur-St. Emmeram

des VII. internationalen Kongresses für christliche Archäologie (= Studi di antichità
cristiana XXVII, 1965) 479–484. – Interessant ist auch als Beispiel die romanische Kirche von Jenning in Dänemark, die als Vorgängerin eine Stabkirche hat und die wiederum einen heidnischen Tempel; vgl. E. Dyggve, Tradition und Christentum in der
dänischen Kunst zur Zeit der Missionierung, in: Karolingische und Ottonische Kunst
(Wiesbaden 1957) 221–235.

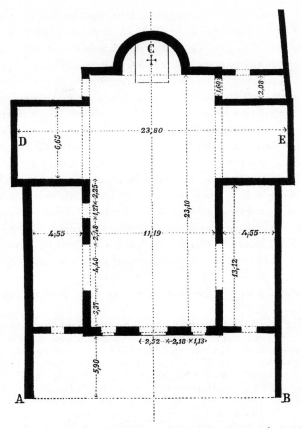

Abb. 3   Frühmittelalterliche Kirche unter S. Abondio in Como (5. Jahrhundert)

(12,5:20 m). Auch die Maße der vorkarolingischen Pfalzkapelle, wie sie unter der Niedermünsterkirche ausgegraben wurde, sind annähernd gleich (8,6:21,5 m)[117]. Es dürfte sich um die damals übliche Kirchengröße handeln, die wir auch anderswo, so in der frühmittelalterlichen (5. Jahrhundert) Kirche S. Abondio in Como finden (11,2:23,1 m). Der Grundriß dieses Gottes-

[117] Vgl. K. Schwarz, Die Ausgrabungen im Niedermünster zu Regensburg (Kallmünz 1971) 34; ders., Archäologische Geschichtsforschung in frühen Regensburger Kirchen, in: Beiträge zur Geschichte des Bistums Regensburg 10 (1976) 13–54, hier 15. Doch möchte ich das Alter der Kirche wesentlich höher ansetzen, als Schwarz es tut, nämlich nicht um 700, sondern vor 600; vgl. unten S. 76, wo diese Ansicht näher begründet wird.

hauses entspricht übrigens weitgehend dem von Ur-St. Emmeram (vgl. Abb. 3)[118]. Der vordere Teil des südlichen Seitenschiffes von St. Emmeram ist dem heiligen Georg geweiht. Es ist jedoch sicher nicht richtig, allein in dieser »Kapelle«[118a] die ursprüngliche Georgskirche zu sehen, und zwar aus folgender Überlegung heraus: Nach den Angaben in der Emmerams-Vita wurde unter Bischof Gaubald der Leib des Märtyrers aus seinem Bodengrab – unmittelbar vor dem (späteren) Kreuzaltar – erhoben und in einer neu errichteten würdigen Grabstelle beigesetzt[119]. Bei dieser handelt es sich, wie J. A. Endres gezeigt hat, um die heute noch vorhandene Ringkrypta[120].
Entscheidend in unserer Frage ist die Tatsache, daß Gaubald damals den Befehl erteilt hat, die Türen des Gotteshauses zu schließen, damit das Volk bei der Umbettung nicht anwesend sei. Diese muß demnach innerhalb der Mauern der Kirche stattgefunden haben, sonst wäre das Schließen der Türen sinnlos gewesen. Auch baut man eine Ringkrypta nicht zuerst, sondern zusammen mit einer Kirche oder fügt sie einer solchen an. Ganz zu schweigen von den beiden antiken Pfeilern, die sich anderenfalls nicht unterbringen lassen, es sei denn als römische Ruine.
Die Erweiterung der St. Emmeramskirche zu einer Basilika, wie sie im

[118] Vgl. C. Mothes, Die Baukunst des Mittelalters in Italien I (Jena 1884) 273f. mit Fig. 83 (S. 272). Interessant ist, wie auch hier der spätere Bau auf der älteren Anlage ruht. – Die Frage stellt sich, ob die alte Georgskirche in Regensburg und S. Abondio in Como etwa zur gleichen Zeit (5. Jahrhundert) errichtet worden sind und ob die weitgehende Übereinstimmung im Kirchenbau-Typus in der ursprünglichen Zugehörigkeit Gesamt-Rätiens zur Metropole Mailand ihre Ursache hat. Erst nach 500 wurde Raetia II bekanntlich der Metropole Aquileja unterstellt. – Ein später Vertreter unseres Typus scheint die Kirche zu Michelsberg in Siebenbürgen aus der Zeit der Romanik zu sein; Abbildung in: W. Lübke, Geschichte der Architektur (Leipzig 1865) 399. Wahrscheinlich gehört aber auch die frühchristliche Kirche von Silchester (England), die aus der 2. Hälfte der 4. Jahrhunderts stammt, ihrem Typus nach hierher; Abbildung in: Gamber, Liturgie und Kirchenbau 21.
[118a] Vgl. Bericht von den heiligen Leibern und Reliquien (vgl. oben Anm. 75) 60: »Der Altar des heiligen Kreutz in S. Georgii-Capellen«; Schwarz, Archäologische Geschichtsforschung in frühen Regensburger Kirchen (Anm. 117) 31.
[119] Vgl. Arbeo, Vita Haimhrammi c. 35 (ed. Krusch 77): »Post multum vero temporibus sacerdotibus visum fuerat, ut de loco corpus sancti dei martyris mutare deberentur, adductis cimentariis, qui sua arte compositione gypsi sepulchrum cum marmore construerentur. Cum autem ut erant docti structura perfecissent, eiecto populo extra meneis templi, ostium ecclesiae sacerdotes qui erant serris munierunt. Erat autem ordinator rei infra ecclesiam Gawibaldus episcopus, qui in his diebus urbis Radaspone regebat pontificatum, cum presbiteris et diaconibus . . .«
[120] J. A. Endres, Die neuentdeckte Konfessio des heiligen Emmeram zu Regensburg, in: Beiträge zur Kunst- und Kulturgeschichte des mittelalterlichen Regensburgs (Regensburg 1925) 1–35; J. Braun, Der christliche Altar I (München 1924) 576–579.

Jahr 783, vier Jahrzehnte nach dieser Erhebung der Gebeine, unter Bischof Sintbert begonnen wurde[121], hat demnach auf die vorhandene Hallenkirche mit der neuen Ringkrypta Rücksicht nehmen müssen. So kommt es, daß das spätrömische Gotteshaus heute noch, wenigstens in seinen Umrissen, zu erkennen ist.

Allem Anschein nach hat es sich, wie die beigefügte Rekonstruktion deutlich macht (Abb. 4), um eine ähnliche Anlage wie in Como (vgl. Abb. 3) sowie die »Friedhofskirche« von Teurnia[122], der Hauptstadt (»metropolis«) von Binnen-Norikum, und die Kirche von Sabiona[123] gehandelt (vgl. die Abb. 5 und 6). Ob auch in Regensburg, wie in Teurnia, ursprünglich eine Apsis gefehlt hat, wissen wir nicht. Vermutlich war jedoch eine solche, wie in Lauriacum Como und Sabiona, vorhanden. Es ist sogar anzunehmen, daß die Ringkrypta, entsprechend derjenigen in der Martins-Kirche (später S. Apollinare nuovo) in Ravenna, einfach an die bereits bestehende Apsis angebaut wurde[124].

Dieser spätrömische, dem heiligen Georg geweihte Kultbau dürfte ursprünglich die Gemeindekirche der Zivilstadt gewesen sein. Zur »Pfarrei« haben sicher auch umliegende Dörfer gehört, so das jenseits der Donau gelegene

[121] Vgl. Arnold (MGH, Scriptores IV,565): »Sintbertus . . . beato Emmeramo basilicam novam amplioribus spatiis et propensione sumptu construxit atque ornavit«; weitere Zeugnisse bei Janner, Bischöfe von Regensburg 122, Anm. 1. – Schwarz, Archäologische Geschichtsforschung in frühen Regensburger Kirchen (oben Anm. 117) 31 sieht in der Georgs-Kapelle die Nachfolgerin der frühesten Gemeindekirche und muß daher eine doppelte Translation, einmal unter Bischof Gaubald und dann unter Bischof Sintbert (nach Vollendung der Basilika), annehmen, was unmöglich ist. Die Quellen sprechen nur von einer einzigen Translation.

[122] Vgl. Barton, Frühzeit des Christentums (Anm. 42) 117f. – Dieses Gotteshaus war genauso wenig (primär) eine Friedhofskirche wie St. Emmeram. Als solche könnte hier die linke Seitenkapelle benützt worden sein; diese ist nämlich den heiligen Stephanus und Laurentius geweiht. Ein Laurentius-Patrozinium finden sich auch sonst bei Friedhofskirchen (vgl. S. Lorenzo in Rom).

[123] Vgl. A. Egger, Sabiona – die erste Heimat der Diözese, in: Der Schlern 11 (1930) 223–230; R. Egger, Die Kirchen in Sabiona-Säben und Maria Saal, in: Frühmittelalterliche Kunst in den Alpenländern (= Actes du IIIᵉ Congrès intern. pour l'étude du haut moyen âge 1951) 25–31. – Eine ganz ähnliche Kirche wurde auch in Trient ausgegraben; vgl. G. C. Menis, La basilica paleocristiana nelle regioni delle Alpi orientali (= Antichità Altoadriatiche IX, Udine 1976) 386.

[124] Vgl. F. W. Deichmann, Ravenna – Hauptstadt des spätantiken Abendlandes II,1 (Wiesbaden 1974) 129; ähnlich auch in der alten St. Peterskirche und in S. Pancrazio in Rom; vgl. Ch. Rohault de Fleury, Confessions (Paris o. J.) 92, 108ff., 125 mit Abbildungen. – Auch F. Mader ist der Ansicht, »daß die Krypta der schon bestehenden Apsis nachträglich angefügt wurde«, in: Kdm, Oberpfalz XXII,1 (München 1933) 239.

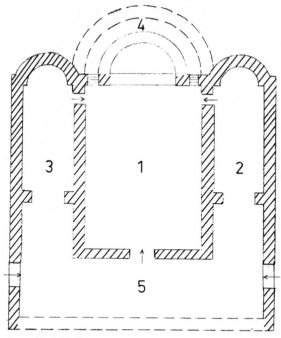

Abb. 4 Rekonstruktionsversuch der spätantiken St. Georgskirche in Regensburg
(Grafik von Robert E. Dechant)

1 = Spätantike Saalkirche (12,5 : 20 m), auf den Mauern eines Herkules (?) -Tempels
2 = Seitenkapelle, später dem heiligen Georg geweiht
3 = Seitenkapelle, später den heiligen Stephanus und Laurentius geweiht
4 = Ringkrypta (8. Jahrh.)
5 = Vorhalle (hypothetisch)
Das Quadrat 1 + 2 könnte den keltisch-römischen Umgangstempel gebildet haben
(vgl. Anm. 115 a)

Winzer (»Ad vinitores«)[125]. In der Emmerams-Vita wird nämlich berichtet,
wie ein aus thüringischer Gefangenschaft geflohener Mann gerade an einem
Sonntagmorgen das linke Donauufer erreicht, sich hier den Kirchgängern an-

[125] Vgl. E. Schwarz, Die namenkundlichen Grundlagen der Siedlungsgeschichte des
Landkreises Regensburg, in: VO 93 (1952) 25–63, hier 32. In den ältesten Urkunden
ist von einer »villa quae dicitur Uuinzara« die Rede; vgl. Widemann 56. – Nachweisbar
gehörten seit 1438 Dechbetten, Hohengebraching, Graßlfing, Harting, Isling, Matting
und Schwabelweis zur Rupertspfarrei; vgl. Matrikel der Diözese Regensburg (1916)
85.

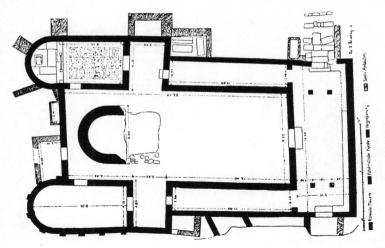

von Teurnia (nach Egger)

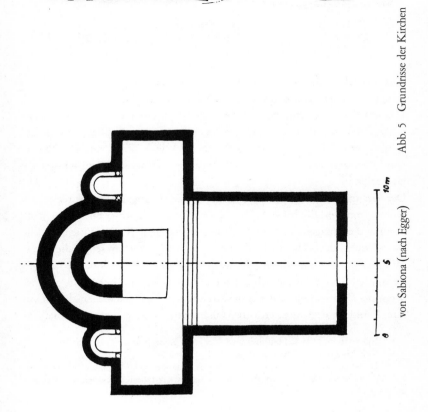

von Sabiona (nach Egger)

Abb. 5   Grundrisse der Kirchen

37

Abb. 6   Rekonstruktion der Kirche von Teurnia (nach R. Egger)
So ähnlich könnte die St. Georgskirche in Regensburg zur Zeit des heiligen
Emmeram ausgesehen haben

schließt und mit diesen auf einer Fähre über die Donau setzt. In ihrer Begleitung gelangte er dann glücklich zum Heiligtum des Märtyrers[126].

Daß mit diesem Gotteshaus seit der (Neu-)Gründung der Mönchsgemeinschaft durch Bischof Rupert ein Kloster verbunden war, schließt eine gleichzeitige Verwendung als Gemeindekirche in keiner Weise aus. Die Pfarrei wurde übrigens erst im Jahr 1266 durch Papst Clemens IV dem Kloster inkorporiert[127].

Der Sprengel von St. Emmeram (mit der Rupertskirche) und der Sprengel des Domes (mit der Ulrichskirche) blieben bezeichnenderweise bis ins 20. Jahrhundert die einzigen (Territorial-)Pfarreien der Stadt[128]. Der Vitusbach (die Bachgasse) bildet bis heute die Grenze. Bereits im Altertum schied dieser das Militärlager vom Suburbium, der alten Keltenstadt Radasbona.

Vermutlich hängt die Tatsache, daß die Regensburger Bischöfe in gleicher Weise der Dom- wie der Emmeramskirche vorgestanden haben, nicht nur mit ihrer Funktion als Äbte des Klosters zusammen, sondern auch damit, daß das

[126] Vgl. Arbeo, Vita s. Haimhrammi c. 42 (ed. Krusch 92).
[127] Vgl. Matrikel der Diözese Regensburg (1916) 85.
[128] Daneben gab es Personalpfarreien wie St. Cassian; vgl. Ph. Schneider, Konrads von Megenberg Traktat »De limitibus parochiarum civitatis Ratisbonensis« (Regensburg 1906) 69.

alte Georgsheiligtum die Gemeindekirche der »Neustadt« war und als solche zur »ecclesia« von Regensburg gehörte.

In einer Urkunde aus der Zeit um 830 wird nämlich Bischof Baturich »sanctae Reginesburgensis ecclesiae episcopus« genannt und diese Kirche wiederum bezeichnet als »constructa in honore sancti Petri principis apostolorum et sancti Emmerami martyris ubi ipse praetiosus sanctus corpus requiescit«[129], was als Hinweis auf die beiden »Pfarreien« der Stadt, St. Peter und St. Emmeram, zu verstehen ist.

Nach einer anderen Urkunde vom Jahr 837 handelt Bischof Baturich »ex ratione ecclesiae sancti Petri et sancti Emmerami«[130], und wenn in einer weiteren etwa aus der gleichen Zeit hinzugefügt wird »una cum consensu et cohibentia canonicorum et monachorum ibidem degentium«[131], dann sind damit die beiden »Kapitel« gemeint, das der Kanoniker am Dom und der Mönche von St. Emmeram, die den Bischof beraten und in seiner Arbeit unterstützt haben.

Wir kommen nun zur Bischofskirche »ad sanctum Petrum«, von der es in einer Urkunde aus der Zeit um 850 heißt, »ubi Echanfridus venerabilis episcopus dei aecclesiam regere dinoscitur«[132]. In dieser Urkunde ist auch von einem »ad sancti Petri in Ratispona urbe monasterium« die Rede, womit das Haus der in Kommunität lebenden Kanoniker gemeint ist[134].

Janner vertrat die Ansicht, daß die Domkirche St. Peter erst in den letzten Regierungsjahren des Herzogs Tassilo gebaut worden sei. Aus dieser Zeit stammt jedenfalls die früheste Nachricht von einer solchen[135]. In einer Ur-

[129] Vgl. Widemann Nr. 23, S. 29.
[130] Vgl. Widemann Nr. 28, S. 35.
[131] Vgl. Widemann Nr. 30, S. 37, in der Urkunde Nr. 136, S. 109 des Jahres 889 werden als Zeugen angeführt: »praesentibus autem monachis canonicisque quam plurimis, id est Rodolto sancti martyris Emmerami *coenobitarum preposito*, Deotperto custode sacrorum et monacho, Tutone monacho et diacono, Erimperto presbytero et *canonicorum prepositio*, Reginone diacono, Erminolto presbytero . . .«
[132] Vgl. Widemann Nr. 32, S. 40.
[133] Vgl. Ried Nr. LXX, S. 71.
[134] Vgl. J. R. Schuegraf, Geschichte des Domes von Regensburg und der dazu gehörenden Gebäude I (Regensburg 1848) 44 f. – Es findet sich dafür auch der Name »episcopium«, so in der Urkunde bei Widemann Nr. 157, S. 121: »Radasponensis e p i s c o p i i canonicorum prepositus«; ähnlich Urkunde Nr. 186, S. 139, wo von »episcopii mancipia« die Rede ist. – »Episcopium« ἐπισκοπεῖον wurde die Bischofsresidenz auch in Ravenna genannt; vgl. Agnellus, Liber pontificalis: »Habitavit autem sanctissimus vir (sc. Ursus) infra episcopium . . .« (PL 106, 506 D); F. W. Deichmann, Ravenna – Hauptstadt des spätantiken Abendlandes II,1 (Wiesbaden 1974) 193.
[135] Janner, Bischöfe 122; dagegen Staber, Kirchengeschichte des Bistums Regensburg (oben Anm. 1) 9: »Kathedrale war wohl von Anfang an . . . die alte Gemeindekir-

kunde des Jahres 778 ist, wie oben bereits dargelegt, von der »casa« die Rede, die errichtet ist zu Ehren des heiligen Petrus und des heiligen Emmeram. Während die genannte Urkunde noch unter dem Baiernherzog Tassilo ausgestellt ist, finden wir die nächste Nachricht von einer Peterskirche einige Jahre danach, nämlich 792. Damals hielt König Karl, nachdem er Tassilo im Jahr 788 abgesetzt hatte, gerade Hof in Regensburg.

Es wird berichtet, daß in der »ecclesia sancti Petri« eine Verschwörung gegen den König stattgefunden hat. Sie war von Pippin, einem der Söhne des Herrschers, angezettelt worden. Als die Verschwörer das Gotteshaus im Anschluß an die geheime Beratung nach möglichen Zeugen durchsuchten, fanden sie einen Kleriker unter dem Altar versteckt. Obwohl dieser schwören mußte, nichts von dem Gehörten zu verraten, eilte er dennoch zum König und berichtete ihm alles[136].

Den näheren Standort der Peterskirche erfahren wir aus der Nachricht über eine Synode, die im Jahr 932 in Regensburg abgehalten wurde. darin heißt es, man habe sich »in der Kirche des Apostelfürsten Petrus« versammelt, »die als Mutter der Kirchen der königlichen Stadt von altersher beim Wassertor errichtet worden war«[137]. Das mittelalterliche Wassertor (»Porta aquarum«) ist bekanntlich die römische »Porta praetoria«.

Während wir demnach die Zeit der Erbauung der ersten Regensburger Kathedrale nicht kennen und nur wissen, daß sie im Jahr 778 bereits vorhanden war und daß sie im 10. Jahrhundert als »Mutter der Kirchen« (»mater ecclesiarum«) der Stadt und als »von altersher« (»antiquitus«) bestehend bezeichnet wird, berichten mehrere Quellen fast gleichlautend von einem Erweiter-

---

che der Stadt, St. Peter«. – Schwarz, Archäologische Geschichtsforschung in frühen Regensburger Kirchen (Anm. 116) 50 ist hingegen der Meinung, Bischof Gaubald sei der erste Bauherr einer Kathedrale St. Peter gewesen, weil »kein in die vorkanonische Zeit zurückreichendes Heiligengrab eine spätmerowingische Kirchengründung« ausgelöst habe und meint, die unter dem Boden von Niedermünster ausgegrabene Kirche sei die vorbonifatianische Kathedrale gewesen. Doch ist das Vorhandensein zweier Bischofsgräber, von denen der eine (Albert) sicher nicht Bischof von Regensburg und der andere (Erhard) wahrscheinlich Hofbischof am herzoglichen Hof war (vgl. oben Anm. 59a), kein Beweis dafür. Auch hätte man sicher in diesem Fall die neue Kathedrale, wie anderswo, an der gleichen Stelle wie die alte errichtet; vgl. auch unten Anm. 137, wo St. Peter als »mater ecclesiarum« der Stadt bezeichnet und somit als die älteste Kirche Regensburgs hingestellt wird, sowie Anm. 139.

[136] Vgl. Mon. Sangall. (MGH, Scriptores II,755); Janner, Bischöfe von Regensburg 132; Heuwieser, Die Entwicklung der Stadt Regensburg im Frühmittelalter (Anm. 4) 166f.

[137] Vgl. MGH, Leges III,482: ». . . in ecclesia sancti Petri apostolorum principis, quae mater ecclesiarum Regiae civitatis iuxta portam aquarum antiquitus excreverat«.

ungsbau der Emmeramskirche, den Bischof Sintbert im Jahr 783 begonnen hat[138].

Die Frage ist naheliegend, ob zur gleichen Zeit auch der Bau der Kathedrale in Angriff genommen wurde oder diese zum mindesten eine Erweiterung erfahren hat. Dies ist wenig wahrscheinlich, da sonst die Chronisten sicher beide Baumaßnahmen zusammen erwähnt hätten. Da aber, wie gesagt, die Peterskirche schon fünf Jahre früher bezeugt und in karolingischer Zeit von keinem Erweiterungs- bzw. Neubau gesprochen wird, muß die Kathedrale älter sein als der Neubau der Emmeramskirche vom Jahr 783[139].

Möglicherweise hat man mit der Errichtung einer neuen (größeren) Kathedrale schon bald nach der Einsetzung des Bischofs Gaubald durch Bonifatius begonnen. Die Zeit des ältesten Kathedralbaues kennen wir jedenfalls nicht. Darüber haben auch die Ausgrabungen, die im Jahr 1924 im Domgarten stattgefunden haben, keinen sicheren Aufschluß gegeben, zumal diese wegen Geldmangels nicht in größerem Umfang durchgeführt werden konnten.

Karl Zahn, der die Arbeiten geleitet hat, veröffentlichte im Jahr 1931 einen exakten Bericht darüber[140]. Er war der Meinung, den romanischen Dom ausgegraben zu haben. Wie wir heute annehmen dürfen, gehören die im Jahr 1924 freigelegten Fundamente zu einer vorromanischen, vielleicht schon in der 1. Hälfte des 8. Jahrhunderts errichteten Kirche[141]. Diese hätte in letzterem Fall beim Bau der Emmerams-Basilika als Muster gedient und nicht umgekehrt.

Bei den Ausgrabungen des Jahres 1924 traten drei ältere Parallelmauern zur Südfront des Domes zutage, deren Verlauf leider nicht weiter verfolgt wurde. Ebenso im Osten ein gangartiger Raum; der Fußboden war gut erhalten, zum Teil jedoch von den Grundmauern der späteren Apsis überdeckt[142]. Diese

---

[138] Vgl. Ann. Mellic. (MGH, Scriptores IX, 537): »Sinbertus episcopus Ratisbonensis ecclesiam sancti Emmerami construxit«; weitere Quellen bei Janner, Bischöfe von Regensburg 122, Anm. 1.

[139] Auch Konrad von Megenberg verteidigt im 14. Jahrhundert die These des älteren Ursprungs der Domkirche; vgl. Ph. Schneider, Konrads von Megenberg (oben Anm. 128) 54f.

[140] K. Zahn, Die Ausgrabungen des romanischen Domes in Regensburg (München 1931).

[141] Lediglich das westliche Querhaus, die Chorstufen und vielleicht auch die Apsis gehen auf spätere Baumaßnahmen vor allem der romanischen Zeit, zurück. Hinsichtlich der Apsis vgl. Zahn, Die Ausgrabungen 56, wo vom »Estrich I«, der wohl zur ältesten Basilika gehörte, gesagt wird: »Ursprünglich reichte er bis an die Ostwand und die Sehne der Apsis heran«. Die Apsis muß demnach jünger sein.

[142] Es handelt sich um den »Estrich A« bei Zahn S. 54: »Er war im Osten und Westen von eigenartigen Mörtelwulsten begrenzt und schien bei einer Breite von 3,70 m

Mauerzüge stammen allem Anschein nach von frühmittelalterlichen Vorgängerbauten des Domes; jedenfalls zeigen sie die gleiche Orientierung wie die Grundmauern der späteren Basilika, die genau geostet war und sich daher nicht im rechten Winkel zur »Via praetoria« befand[143].

Wichtig für das Alter der zur Kathedrale gehörenden Nebenkirchen in der Karolingerzeit ist die Beobachtung von Zahn, daß die von ihm freigelegten Grundmauern des Domes die gleiche charakteristische Beschaffenheit (gelber Kalksandstein und quarzkieselreicher Kalkmörtel) aufweisen wie die der Stephanskapelle und des Baptisteriums St. Johann[144]. Daß der eine Bau erst im 10. und der andere im 11. Jahrhundert bezeugt wird, besagt demgegenüber nichts.

Das Baptisterium, das von Anfang an zum festen Bestand einer jeden Bischofskirche gehört hat, war im 11. Jahrhundert bereits seinem ursprünglichen Zweck entfremdet. Da die Taufe damals nicht mehr durch Untertauchen gespendet wurde, benötigte man nun keine Baptisterien mehr, sondern nur noch Taufsteine (in den Pfarrkirchen). In Regensburg wurde aus dem Baptisterium die Kollegiatskirche St. Johann, bis diese im 14. Jahrhundert dem Nordturm des gotischen Domes weichen mußte[145].

Aufgrund des Grabungsbefundes von Zahn dürften demnach die genannten Kirchenräume (Dom, Baptisterium, St. Stephan) zur gleichen Zeit (neu) errichtet worden sein; vielleicht wie gesagt in der 1. Hälfte des 8. Jahrhunderts. Die Stephanskapelle wiederum könnte eine Vorgängerin aus spätrömischer Zeit gehabt haben. Möglicherweise war sie – und nicht St. Peter – die älteste Gemeindekirche innerhalb der Mauern des Lagers, in unmittelbarer Nähe des Nordtores gelegen. Daher wohl die Bezeichnung »Alter Dom« (vgl.

und einer ziemlichen Längenausdehnung mehr zu einem Gang gehört zu haben.« Gegen Süden schloß er an eine Parallelmauer an.

[143] Vgl. Zahn, Skizze 4 und S. 21. – Schwarz, Archäologische Geschichtsforschung in frühen Regensburger Kirchen (Anm. 117) 47 versucht eine Rekonstruktion dieses älteren Baues (unter Einschluß des Estrichs »A«), die als weithin geglückt anzusehen ist. Doch handelt es sich m. E. nicht, wie er meint, um den Bau des 8. Jahrhunderts, sondern um eine weit ältere Anlage.

[144] Vgl. Zahn 101,113; dagegen R. Strobel, Der Domkreuzgang und seine Kapellen und Anbauten, in: Beiträge zur Geschichte des Bistums Regensburg 10 (1976) 119–134, hier 125, wo an der Datierung ins 11. Jahrhundert festgehalten und in diesem Zusammenhang auf die Untersuchungen des Bayer. Landesamts für Denkmalpflege 1962/63 hingewiesen wird. Doch wurde durch diese primär nur die Einheitlichkeit des Mauerwerks festgestellt.

[145] Vgl. Zahn 110–113; R. Bauerreiss, Fons sacer (= Abhandlungen der Bayer. Benediktiner-Akademie 6, München 1949) 36.

Abb. 7).[146] Bemerkenswert ist jedenfalls, daß bis in die Neuzeit, hier die Weihen der Kleriker vorgenommen wurden[147], wie auch Bischof Wolfgang nach seinem Tod in ihr aufgebahrt werden wollte[148].

Wie die Abbildung 8 deutlich macht, befanden sich in karolingischer Zeit Dom und Taufkirche in der gleichen Fluchtlinie[149]. Beide Gebäude waren dabei durch eine breite Straße – die »Pfaffengasse« als Nachfolgerin der »Via praetoria« – voneinander getrennt. Ein Vorhof mit Säulen, der zur Straße hin vermutlich offen war, befand sich vor dem eigentlichen Taufhaus[150].

Fast die gleiche Anlage wie in Regensburg ist noch heute in Aquileja zu sehen. Hier liegt das Baptisterium ebenfalls in einiger Entfernung vor der Westfront der Kathedrale und ist mit dieser durch einen Säulengang verbunden[151]. Mit dem älteren Dombau von Aquileja hat die vorromanische Kathedrale von Regensburg außerdem die Tatsache gemeinsam, daß die sonst in Basiliken übliche Apsis ursprünglich gefehlt hat[152]. Auch vermißt man in beiden Fällen eine Vorhalle.

Daß in Regensburg zur Bischofskirche mit ihren Nebengebäuden, wie überall in der christlichen Welt, von Anfang an ein »Bischofshof« (»Episcopium«) gehört hat, braucht hier nicht eigens bewiesen zu werden. Die Wohnung des Oberhirten und der Kanoniker, das »monasterium« der oben zitierten Urkunde, hat sich im Norden der Domkirche befunden[153]. Es ist erst in gotischer Zeit, als man den Kreuzgang erweiterte, unter Überbauung der alten

---

[146] Vgl. Zahn 104. – Hinsichtlich eines ursprünglichen Marien-Patroziniums dieses Gotteshauses vgl. unten, S. 84; weiterhin Bauerreiss, Fons sacer (Anm. 145) 90–94.

[147] Vgl. Walderdorff, Regensburg 178; weiterhin unten S.243.

[148] Arnold, De s. Emmeramo II,23 (MGH IV 564): ».. . in basilica beati Stephani protomartyris, ut vivens preceperat, pontificalibus infulis, in quibus consecratus erat, induebatur«.

[149] Darüber unten S. 125 f. mehr!

[150] Vgl. L. Joutz, Der mittelalterliche Kirchenvorhof in Deutschland (Berlin 1936) 73.

[151] Vgl. H. Leclercq, Aquilée, in: Dictionnaire d'archéologie chrétienne et de liturgie I,2 (Paris 1924) 2654–2683, hier 2663 (mit Grundriß). – Ähnlich die Kathedrale von Parenzo, ebd. II,1 (1925) 430.

[152] Vgl. J. Fink, Der Ursprung der ältesten Kirchen am Domplatz von Aquileja (= Münstersche Forschungen 7, Münster 1954) Abb. 11. Hinsichtlich des Fehlens der Apsis in Regensburg vgl. oben Anm. 141.

[153] Vgl. oben Anm. 134, ferner die Schilderung der Gebäulichkeiten von Regensburg durch Otloh von St. Emmeram (MGH XI,353): »Ergo a praedicto templo (sc. cathedrali) ultra basilicam sancti Iohannis quae baptisterium vocatur, quod ab aquilone ad austrum in longum porrectum vides ac muro cinctum, atrium pontificis Danubium vergit«; für die spätere Zeit vgl. Strobel (oben Anm. 144) 132–134.

Abb. 7   Der „Alte Dom" vor der Restaurierung Ende des 19. Jahrh.

»Via praetoria« weiter nach Westen, in den heutigen »Bischofshof«, verlagert
worden.

Die angebliche Übertragung der bischöflichen Kathedra von St. Emmeram
in den »Alten Dom« unter Karl d. Gr. im Jahr 781 beruht auf einer gefälschten Bulle des Papstes Leo III nebst einem ebenfalls gefälschten Diplom des
Königs, beide im 11. Jahrhundert von Emmeramer Mönchen verfaßt. Diese

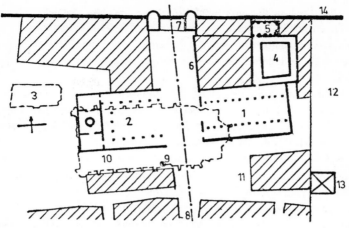

Abb. 8   Tassilonische Kathedrale mit Baptisterium (Grafik von Robert E. Dechant)

1 = Kathedrale St. Peter	8 = Pfaffengasse
2 = Baptisterium	9 = Brunnen
3 = St. Johann	10 = gotischer Dom
4 = Domkreuzgang	11 = Getreidekasten
5 = St. Stephan	12 = Herzogshof
6 = Bischofshof	13 = „Römerturm"
7 = Wassertor	14 = Römermauer

Fälschungen hängen vermutlich mit dem damaligen Streit über die Verwendung der Klostergüter zusammen[154].

An letzter Stelle ist noch auf die Frage einzugehen, ob es an der Kathedrale in Regensburg von Anfang an eine eigene Bibliothek sowie eine eigene Schreibschule gegeben hat[154a]. Die bisherige Anschauung war weithin die, daß bis zu den Zeiten des heiligen Wolfgang Bibliothek und Skriptorium des Bischofs, sowie das Archiv, im Kloster St. Emmeram ihren Platz hatten und mit den entsprechenden klösterlichen Einrichtungen verbunden waren[155]. Die Lösung dieser Frage wird durch den Umstand erschwert, daß uns wohl zahlreiche frühe Handschriften von St. Emmeram erhalten blieben, daß je-

[154] Vgl. Janner, Bischöfe 112–120.
[154a] Allgemein zu den bischöflichen Bibliotheken der frühen Zeit: F. X. Kraus, Real-Encyklopädie der christlichen Altertümer I (1882) 153f.; C. Wendel, in: RAC II (1954) 249–251.
[155] Vgl. Bischoff, Die südostdeutschen Schreibschulen (oben Anm. 64) 170–259; Ch. E. Ineichen-Eder, Mittelalterliche Bibliothekskataloge IV,1: Bistümer Passau und Regensburg (München 1977) 91–98.

doch die Bestände der alten Dombibliothek als Ganzes verloren sind. Was wir davon noch besitzen, sind kümmerliche Reste an Fragmenten – einige freilich stammen noch aus dem 8. Jahrhundert[156] – sowie Handschriften, die schon früh an andere Bibliotheken, einige nach St. Emmeram, abgegeben worden sind[157].

Zu den ältesten Fragmenten aus der Dombibliothek gehören 3 Doppelblätter eines Bonifatius-Sakramentars, über das an anderer Stelle eingehend berichtet wurde[158]. Es war im Zuge der Neubesetzung des Regensburger Bischofsstuhles durch Bonifatius bei einem seiner Aufenthalte in der Donaustadt in der Kathedrale zurückgelassen worden. Man hat es hier, wie spätere Eintragungen in das Kalendar zeigen[159], bis in die Regierungszeit Tassilos (abgesetzt 788) verwendet. Das Meßbuch kam anschließend in die Dombibliothek – bezeichnenderweise nicht in die des Klosters –, wo es sich zum Ende des 30jährigen Krieges befand und schließlich als Buchbindematerial auseinander genommen wurde[160].

Aus dem Skriptorium des Domes stammen sehr wahrscheinlich auch einige prachtvolle, in gepflegter Unziale geschriebene Evangelien-Handschriften des ausgehenden 8. Jahrhunderts, darunter der berühmte Codex Millenarius von Kremsmünster. Diese Codices machen deutlich, auf welch hohem Niveau die bischöfliche Schreibschule gestanden hat[161]. Wir werden darauf unten in einem eigenen Kapitel eingehen.

Neben dieser gab es in Regensburg allem Anschein nach auch eine herzogliche (später königliche) Schreibschule. In ihr wurde das sog. Prager Sakra

---

[156] Vgl. K. Gamber, Fragmentblätter eines Regensburger Evangeliars aus der Zeit des Herzogs Tassilo, in: VO 116 (1976) 171–174. Inzwischen wurde im Bischöflichen Zentralarchiv weitere ähnliche Fragmente gefunden. Darunter ein Fragment-Doppelblatt aus dem 10. Jahrhundert, ein längeres Gedicht beinhaltend, das buchstäblich und mystisch eine Peterskirche verherrlicht (wird in MGH, Poetae V,3 erscheinen). Es ist wahrscheinlich zur Weihe des Regensburger Domes gedichtet worden (freundl. Miteilung von Prof. B. Bischoff).

[157] So findet sich im St. Emmeramer Codex Clm 14391 am Schluß der Vermerk: »Paturicus dedit ad sanctum Emmerammum et pro remedio anime sue« (Bischoff, Schreibschulen 231; vgl. auch Nr. 77 S. 222).

[158] Vgl. K. Gamber, Das Bonifatius-Sakramentar und weitere frühe Liturgiebücher aus Regensburg (= Textus patristici et liturgici 12, Regensburg 1975).

[159] Vgl. P. Siffrin, Das Walderdorffer Kalenderfragment saec. VIII, in: Ephemerides liturgicae 47 (1933) 201–224.

[160] Vgl. Gamber, Das Bonifatius-Sakramentar (Anm. 158) 40–45.

[161] Vgl. Gamber, Bayerische Evangeliare aus der Zeit Karls d. Gr. Gab es um 800 in Regensburg ein königliches Skriptorium?, in: Münchener Theol. Zeitschrift 21 (1970) 138–141. Heute vermute ich das betreffende Skriptorium an der Kathederale.

mentar geschrieben[162]. Um 870 tauscht König Ludwig mit Bischof Ambricho Kleriker. Der Herrscher bekommt »quendam clericum nomine Gundbertum de aecclesia sancti Petri apostoli« – und zwar ausdrücklich wegen dessen besonderen Tüchtigkeit im Bücherschreiben[163] – gegen einen anderen mit Namen Elefantis. Doch muß er für diesen qualifizierten Schreiber zusätzlich Neubruchland bei Wörth abgeben[164].

Genauer unterrichtet sind wir über die Tätigkeit des bischöflichen Skriptoriums unter Baturich (817–848)[165]. Wir besitzen noch signierte Handschriften des Diakons sowie des Presbyters Engildeo[167]. Von seiner Hand sind in einer Handschrift – bald nach 800, als er noch »clericus« war – zur Sequenz »Psalle modulamina« Choral-Noten eingetragen, die zu den ältesten bekannten Neumen überhaupt gehören[168].

Während einige dieser Codices wohl schon früh an die Klosterbibliothek St. Emmeram und nach Oberaltaich abgegeben worden sind[169], ist eine an-

[162] Vgl. unten S. 65 ff.

[163] ». . . quia utilior et maioris ingenii fuit scribendi necnon et legendi« (Widemann 49).

[164] Vgl. Widemann Nr. 44, S. 49.

[165] Bischoff, Schreibschulen 177 muß gestehen: »Streng genommen stehen gerade diese Codices der Notare (des Bischofs) außerhalb der klösterlichen Schreibschule.«

[166] So den Codex Clm 9534 (zuletzt in Oberaltaich), wo am Schluß vermerkt ist: »Ellenhart scripsit domino suo Baturico episcopo iubente«; ferner Brüssel, MS lat.8216–18 (früher in Münchsmünster/Diözese Regensburg) und Clm 14437 (aus St. Emmeram), geschrieben in Frankfurt (». . . scriptus autem per Ellenhardum et Dignum . . .«).

[167] Zum Schreiber Dignus s. o. Anm. 166. Von Engyldeo (Engildeo) stammen mit Sicherheit die folgenden Codices: Clm 9543 (zuletzt in Oberaltaich), wo am Schluß vermerkt ist: »Ego in dei nomine Engyldeo clericus hunc libellum scripsi«, Clm 6327 (später in Freising), Wien, Cod. theol. 1021 sowie Clm 29055 und vermutlich eine Reihe weiterer Handschriften; vgl. Bischoff, Schreibschulen 196–204. Derselbe Engildeo wird in einer Urkunde aus dem Jahr 814 »presbyter« genannt; vgl. Widemann Nr. 13, S. 12. – Vom Schreiber Dignus stammt außerdem der St. Emmeramer Codex Clm 14727, wo am Schluß vermerkt ist: »Explicit liber Albini iussit quem presul Baturicus scribere Dignum«; vgl. Bischoff, Schreibschulen 202. – Von einem Klosterschreiber Maccho, der auch in der Urkunde Nr. 30 S. 38 bei Widemann genannt wird, stammt dagegen der Clm 14425; vgl. Bischoff, Schreibschulen 191.

[168] Vgl. Bischoff, Schreibschulen 203 f. und Tafel Vld. Die Hanschrift (Clm 9543) trägt den Vermerk: »Ego in dei nomine Engyldeo clericus hunc libellum scripsi.« Wenn »clericus« wörtlich zu nehmen ist, dann muß der Codex vor 814 geschrieben sein, denn damals war Engildeo bereits Priester (s. o. Anm. 167); vgl. unten S. 146f.

[169] Vgl. oben die Anm. 167 und 168; weiterhin den Clm 14469, wo es am Schluß heißt: »Hunc librum posteriorem beatus baturicus gratia dei episcopus scribere iussit ad servitium dei et (sancti emmerammi) et ad salutem corporis et animae eius . . .« Die eingeklammerten Worte stehen auf Rasur und stammen von einer Hand des 10. Jahrhunderts (wahrscheinlich statt: sci petri); vgl. Bischoff Schreibschulen 207 f. – Hin-

dere Handschrift, nämlich das Kollektar-Pontifikale des Bischofs Baturich in das oben erwähnte bischöfliche Eigenkloster Mondsee gelangt und so auf uns gekommen[170]. Dieses Liturgiebuch war für die bischöflichen Funktionen, aber auch, wie u. a. die regelmäßig 9 Matutin-Lesungen voraussetzenden »Benedictiones lectionum« zeigen[171], für den nicht-monastischen Chordienst, also für den Gebrauch im Dom St. Peter, bestimmt. Der monastische Ritus sieht bekanntlich 12 derartige Lesungen vor[172].

Soviel zu den einzelnen Fragen! Leider konnten zahlreiche Probleme nur angeschnitten werden. Es dürfte jedoch deutlich geworden sein: die Bindungen der Domkirche St. Peter zur frühmittelalterlichen (spätantiken) Gemeindekirche St. Georg, der späteren Klosterkirche St. Emmeram, gehen auf sehr frühe Zeiten zurück. Sie wurden verstärkt, als Bonifatius mit dem Amt des Regensburger Bischofs auch das eines Abtes von St. Emmeram verband. Seitdem hat das Vermögen beider Kirchen eine einzige Masse, die »casa . . . sancti Petri et sancti Emmerami« gebildet. So blieb es bis auf die Zeiten des Bischofs Wolfgang.

Trotz dieser engen Verbindung zwischen beiden Kirchen und der aufgezeigten Personalunion zwischen dem Amt des Bischofs mit dem des Abtes waren die Regensburger Oberhirten jedoch keine Abtbischöfe im eigentlichen Sinn, etwa wie Valentin im 5. oder Rupert und Korbinian zu Beginn des 8. Jahrhunderts. Sie haben auch nicht im Kloster St. Emmeram residiert, sondern von Anfang an in der Kathedrale St. Peter, in deren Nähe sie zusammen mit den Kanonikern und Klerikern ihre Wohnung hatten. Es gab daselbst eine eigene Dombibliothek mit einer ausgezeichneten Schreibschule, in der auch Prachthandschriften (Evangeliare) angefertigt wurden.

sichtlich weiterer Dom-Handschriften der Zeit nach 800 in Oberaltaich vgl. K. Gamber, Aus der Bibliothek von Oberaltaich. Fragmente dreier Sakramentare des 9. und 10. Jahrhunderts, in: Studien und Mitteilungen OSB 81 (1970) 471–479. Zur frühen Einführung des Sacramentarium Gregorianum in Regensburg vgl. Sacramentaria Praehadriana. Neue Zeugnisse der süddeutschen Überlieferung des vorhadrianischen Sacramentarium Gregorianum im 8./9. Jahrhundert, in: Scriptorium 27 (1973) 3–15. Auch hier dürfte es sich teilweise um Dom-Handschriften handeln.

[170] Herausgegeben von Fr. Unterkircher, Das Kollektar-Pontifikale des Bischofs Baturich von Regensburg (= Spicilegium Friburgense 8, Freiburg/Schweiz 1962).

[171] Vgl. Unterkircher, Das Kollektar-Pontifikale 80–85. Diese Texte finden sich nur hier und dürften auf einen Regensburger Kleriker zurückgehen.

[172] Im Libera nach dem Paternoster wird (neben dem heiligen Petrus) eigens der heilige Emmeram genannt; vgl. Unterkircher 97. Dadurch ist neben der Schrift, welche die typischen Merkmale der Baturisch-Schule zeigt, der Regensburger Ursprung dieses Liturgiebuches gesichert. Daß auch der heilige Emmeram im Libera genannt wird, zeigt abermals die enge Verbindung der Domkirche zu St. Emmeram.

Zwei frühmittelalterliche Altäre

Nach obigem Abriß der Geschichte der »Ecclesia Reginensis« in der Frühzeit nun zu einzelnen Teilfragen! Im Bereich des Regensburger Domkreuzgangs begegnen uns zwei vom Typus her ganz verschiedene Altäre, die alle Anzeichen höchsten Alters aufweisen. Der eine ist groß und berühmt; er befindet sich im »Alten Dom« und wurde bis in die Gegenwart liturgisch verwendet[1]; der andere, an die Ostwand des Mortuariums gelehnt, ist unscheinbar und schon seit langem unbenützt. Kaum daß er als Altar erkannt werden kann[2]. Interessant ist auch der wesentlich jüngere (romanische) Tischaltar in der Allerheiligenkapelle, der jedoch hier nur nebenbei zu erwähnen sein wird.

1. Der Kastenaltar im »Alten Dom«

Der eigentümliche Altar besteht aus einem einzigen mächtigen Kalksteinblock, der von unten auf bis zur Hälfte ausgehöhlt ist, von 2,10 m Länge, 1,38 bzw. 1,43 m Tiefe und 1,11 m Höhe. Seine Rückwand ist doppelt so stark wie die übrigen Wände. Die Vorderseite wird im unteren Teil durch acht Fensterchen (»transennae«) belebt; je eines befindet sich auch an den Schmalseiten. In der Mitte der Rückseite führt eine armdicke Öffnung in den Hohlraum; diese ist 42 cm hoch und außen 21 cm breit, verengt sich aber in der Mitte auf 13 cm. Nach unten ist der Kasten, wie gesagt, offen[3].

[1] Vgl. J. Braun, Der christliche Altar in seiner geschichtlichen Entwicklung I (München 1924) 205–207; im folgenden abgekürzt »Braun, Altar«.

[2] Vgl. Braun, Altar 150 und Tafel 14; K. Gamber, Ein germanischer Opferstein als christlicher Altar, in: Deutsche Gaue 47 (1955) 46–48; ders., Zur Mittelalterlichen Geschichte Regensburgs und der Oberpfalz. Kleine heimatkundliche und liturgiegeschichtliche Studien (Kallmünz 1968) 28–31; ders., Der Monolith-Altar im Mortuarium des Domkreuzgangs und sein Gegenstück in Naturns (Vinschgau), in: VO 116 (1976) 165–170.

[3] Vgl. H. von Walderdorff, Regensburg in seiner Vergangenheit und Gegenwart (⁴Regensburg 1896) 171–178, hier 175; Kdm Oberpfalz XXII: Regensburg I, 206–216.

Die bisherige Datierung des Altares schwankt vom 5./6. Jahrhundert – so J. R. Schuegraf[4] und A. Ebner[5] – bis zum 11. Jahrhundert. Eine genaue zeitliche Festlegung erweist sich als sehr schwierig, da nicht nur geschichtliche Nachrichten über ihn fehlen, sondern auch äußere Anhaltspunkte, die mit Sicherheit auf eine bestimmte Kunstperiode hinweisen. J. Braun meint in seinem Standartwerk »Der christliche Altar«, es dürfe wenigstens als sicher gelten, »daß der Altar nicht nach dem 11. Jahrhundert entstand«. Er fügt jedoch hinzu: »Daß er aus altchristlicher oder frühmittelalterlicher Zeit stamme, ist meines Erachtens in nichts begründet[6]«. Wollen wir sehen, ob J. Braun mit seinem späten Ansatz oder Schuegraf und Ebner mit ihrer frühen Datierung recht haben.

Unhaltbar dürfte jedenfalls die vielfach vertretene Ansicht sein, daß im Hohlraum unseres Altares der Leib eines Heiligen gelegen sei und daß man durch die Fensterchen Einblick zu den hier verwahrten Reliquien gehabt habe. Es gab und gibt auch heute noch solche Altäre, doch stammen diese durchweg aus späterer Zeit, jedenfalls nach dem 11. Jahrhundert[7].

Wie J. Braun gezeigt hat, gehört der Regensburger Kastenaltar einem älteren Typus an[8]. Dieser ist bereits Ende des 4. Jahrhunderts für die St. Paulskirche in Rom vorauszusetzen. Nach den Untersuchungen von E. Kirschbaum hat man damals beim Neubau der Grabkirche des Völkerapostels durch die drei Kaiser Valentinian, Theodosius und Arcadius einen Kastenaltar (mit Baldachin) über der Deckplatte der ursprünglichen Confessio errichtet (vgl. Abb. 9)[9]. Diese Platte ist heute noch erhalten; sie trägt den Namen des heiligen Paulus und weist eine ursprüngliche (runde) und weitere jüngere (rechteckige) Öffnungen auf.

Für das 5. Jahrhundert ist ein Kastenaltar aus der Basilika des heiligen Alexander an der Via Nomentana in Rom bezeugt (vgl. Abb. 10)[10]. Wie in St. Paul war auch hier der Kastenaltar mit einem Heiligengrab (Bodengrab) verbunden, wodurch eine »Confessio« gebildet wurde. Diese stellt einen Ersatz für eine eigene Grabkirche dar, die bei den Griechen »Martyrion«

[4] J. R. Schuegraf, Geschichte des Domes von Regensburg I (Regensburg 1848) 47–50.

[5] A. Ebner, Die ältesten Denkmale des Christentums in Regensburg, in: Römische Quartalschrift 6 (1892) 176ff. = VO 45 (1893) 177–189.

[6] Braun, Altar 207.

[7] Vgl. Braun, Altar 207–211.

[8] Braun, Altar 192–208.

[9] E. Kirschbaum, Die Gräber der Apostelfürsten (Frankfurt 1957) 189.

[10] Vgl. Braun, Altar 193; F. X. Kraus, Geschichte der christlichen Kunst I (Freiburg 1896) 304f. mit Abb. 242.

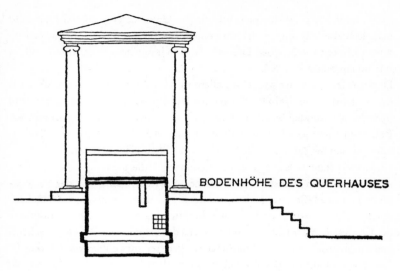

BODENHÖHE DES QUERHAUSES

Abb. 9   Confessio in St. Paul zu Rom (Ende des 4. Jahrh.)
          (Rekonstruktion von E. Kirschbaum)

Abb. 10   Kastenaltar der Basilika des hl. Alexander in Rom
           aus dem 5. Jahrhundert (nach DACL)

(μαρτύριον = confessio) genannt wird[11]. Unter einer Confessio verstand man deshalb die Kammer, die über einem Märtyrergrab angebracht war, jedoch nicht das Grab selbst. Dieses befand sich regelmäßig darunter; zu ihm reichte ein Schacht hinab.

Derartige Kastenaltäre waren vor allem in Italien verbreitet. Ein solcher aus dem 6. Jahrhundert ist in Resten in einer frühchristlichen Kirche bei Sanzeno in Südtirol gefunden worden. Hier war sogar noch das Bodengrab mit den Reliquien vorhanden[12]. Dieses Beispiel zeigt, daß die Sitte, Kastenaltäre anzulegen, schon früh auch im Alpengebiet üblich geworden ist.

Außerhalb Italiens lassen sich nur vereinzelt Fälle derartiger Altaranlagen nachweisen, so in Deutschland, abgesehen von Regensburg, nur der Kreuzaltar im Dom zu Hildesheim, der aus dem 10. Jahrhundert stammt. Doch handelt es sich hier, wie J. Braun zeigen konnte, deutlich um eine Nachbildung der Confessio in der Kirche von Pavia, aus der im Jahr 962 der Leib des heiligen Epiphanius von einem Hildesheimer Priester entwendet worden war[13].

Bevor wir darauf eingehen, welcher Heilige hier begraben liegt, für wessen Kult demnach der Regensburger Kastenaltar bestimmt war, ist eine andere Frage zu klären, ob dieser heute noch an seiner ursprünglichen Stelle steht oder ob man ihn, wie verschiedentlich angenommen wird, aus der vorromanischen (agilolfingischen) Peterskirche[14] in die Stephanskapelle gebracht hat[15]. Letztere Vermutung scheint an sich wegen der auffälligen Größe des Altares (im Verhältnis zur Kapelle bzw. zur Apsis) naheliegend zu sein (vgl. Abb. 11).

Für die Ursprünglichkeit des jetzigen Standortes sprechen folgende Überlegungen: Erstens: der Altar ist nicht wie die übrigen bekannten Kastenaltäre aus einzelnen Platten zusammengesetzt, sondern aus einem einzigen Stück, das 1,43 m breit ist, gemeißelt. Sein Transport bereitet daher außerordentliche Schwierigkeiten. Um ihn nachträglich in die Kapelle zu bringen, hätten zum mindesten die Türstöcke daraus entfernt werden müssen.

Zweitens: der Altar der agilolfingischen Peterskirche war offensichtlich kein Kastenaltar, sondern ein Tischaltar. Man konnte sich nämlich unter ihm, d. h. unter den herabhängenden Tüchern verstecken, wie dies der Kleriker Fardulf tat und so Zeuge der Verschwörung Pippins gegen König Karl wurde. Seine

---

[11] Vgl. Braun, Altar 192; Fr. Wieland, Mensa und Confessio (1906).
[12] Vgl. Archäologisch-epigraphische Mitteilungen aus Österreich V (1881) 118; Braun, Altar 198.
[13] Braun, Altar 203–205.
[14] Vgl. im vorausgehenden Kapitel S. 39 ff.
[15] Vgl. Kdm, Oberpfalz XXII Regensburg I, 216.

Abb. 11   Kastenaltar (Confessio) im „Alten Dom"

Verschwörung fand bekanntlich in der Regensburger Peterskirche statt (vgl. oben S. 40).

Mit unserem Kastenaltar hat sich neuerdings A. Hubel befaßt[16]. Er setzt diesen ins 10. Jahrhundert und sieht in ihm den Hochaltar des vorgotischen Domes und die Confessio des heiligen Florinus. Dagegen ist zu sagen: Confessio-Altäre wurden nur über Märtyrer- bzw. Confessor-Gräbern errichtet. Der heilige Florinus (9. Jahrhundert?) war aber weder Märtyrer oder Confessor im strengen Sinn, noch war er in Regensburg begraben, was Voraussetzung für eine so große Confessio-Anlage gewesen wäre. Es finden sich von ihm hier nur einige größere Reliquien; weitere werden in Chur verehrt[17]. Ernst zu nehmen ist hingegen der Hinweis, daß der Altar, so wie er jetzt in der Apsis steht, nicht leicht umgangen werden kann. Doch woher wollen wir wissen, daß der Vorgängerbau der jetzigen Stephanskapelle überhaupt eine Apsis aufgewiesen hat? Dieser könnte, wie die Mehrzahl der spätantiken bzw. frühmittelalterlichen Gotteshäuser im Alpen-Donau-Gebiet eine

---

[16] A. Hubel, Funktion und Geschichte des Hochaltars im Regensburger Dom, in: Beiträge zur Geschichte des Bistums Regensburg 10 (1976) 335–364, vor allem 348 f.
[17] Vgl. J. Stadler, Vollständiges Heiligen-Lexikon II (Augsburg 1861) 234 f., Fr. Doyé, Heilige und Selige I (Leipzig 1929) 391.

rechteckige Hallenkirche gebildet haben[18]. Vielleicht hat er sogar 1–2 m weiter nach Osten gereicht.

Die genannten frühen Gotteshäuser sind zudem ihrem Grundriß nach etwa gleich groß wie die Stephanskapelle, die jetzt im Innern eine Fläche von 13,15:6,57 m aufweist. Fast den gleichen Grundriß hat die Kirche in Abodiacum (heute Epfach) (13,5:7,5 m). Etwas kleiner ist die Grundfläche der Kirchen von Augsburg (10:5 m) und Mühltal an der Isar (10,3:6,8 m[19]. Die spätantike Bischofskirche von Lauriacum (Lorch) hatte eine Fläche von 18,2:7,3 m; sie war also um 5 m länger und etwas breiter als der »Alte Dom«[20] (vgl. oben S. 32).

Auch in Lauriacum begegnet uns eine Confessio-Anlage ähnlich der von Regensburg. Gefunden wurde von ihr eine starkwandige, quadratische Steinkiste mit 0,75:0,75 m Seitenlänge und einer Höhe von 0,65 m, die mit einem römischen Weihestein abgedeckt war. Sie enthielt Knochen, die in Tücher eingehüllt waren. Vermutlich handelt es sich um den Reliquienbehälter, der sich ehedem in der Erde befand. Etwas westlich davon lag der Blockaltar (1,10:0,90 m, Höhe nicht mehr feststellbar); er war also kleiner als der im Alten Dom[21].

Von der Regensburger Altaranlage kennen wir bis jetzt nur die eigentliche Confessio, das dazugehörige Märtyrergrab ist genauso unbekannt wie der Heilige, der darin begraben wurde. Aus der Tatsache, daß man im Mittelalter den Namen des betreffenden Märtyrers nicht mehr wußte, hat schon A. Ebner geschlossen, daß unsere Confessio bereits an der Wende von der Spätantike zum Frühmittelalter errichtet worden war[22].

Wir kommen damit zur schwierigsten Frage: Welcher Heilige liegt bzw. lag hier begraben? Die Beantwortung ist deshalb so schwierig, da von den frühen Regensburger Heiligen (Rupert, Emmeram, Erhard) die Gräber jeweils be-

---

[18] Vgl. K. Gamber, Domus ecclesiae. Die ältesten Kirchenbauten Aquilejas sowie im Alpen- und Donaugebiet bis zum Beginn des 5. Jahrhunderts (= Studia patristica et liturgica 2, Regensburg 1968); ders., Liturgie und Kirchenbau (= Studia patristica et liturgica 6, Regensburg 1976) 65–69.

[19] Vgl. Gamber, Domus ecclesiae 39 ff., 45 ff.; 59.

[20] Vgl. Eckhart, Die frühchristliche Märtyrerkirche von Lauriacum, in: Studi di antichità cristiana XXVII (Vaticano-Berlin 1965) 479–483.

[21] Vgl. L. Eckhart, Die frühchristliche Märtyrerkirche 482. – Ich halte Steinkiste und Blockaltar für gleichzeitig und zu einer Confessio gehörig, während Eckhart der Ansicht ist, daß der Steinkisten-»Altar« (Höhe 45 cm!) durch den Blockaltar ersetzt worden ist.

[22] Ebner, in: VO 45 (1893) 178 f. Auch scheint man vom Vorhandensein eines Heiligengrabes in späterer Zeit nichts mehr gewußt zu haben, weil man oben auf der Mensa nachträglich ein Sepulchrum für die Aufnahme von Reliquien angebracht hat.

kannt sind. Es muß sich deshalb um einen Märtyrer handeln, der schon in spätrömischer Zeit gelebt hat und dessen Name im Mittelalter weithin in Vergessenheit geraten war.

In Frage könnte ein Blutzeuge kommen, der in der Zeit der Christenverfolgungen von Kaiser Diocletian den Märtyrertod starb. Im Gegensatz zu Augsburg, wo damals die heilige Afra getötet wurde, ist jedoch kein diesbezüglicher Name aus Regensburg bekannt; was aber nicht heißen muß, daß hier keine Gläubigen für ihren Glauben den Tod erlitten haben. Der bekannte Grabstein der Sarmannina aus dem Ende des 4. Jahrhunderts, von dem oben (S. 12) kurz die Rede war, scheint ausdrücklich auf Märtyrer hinzuweisen (»martyribus sociata«). Doch befanden sich deren Gräber nach römischer Vorschrift damals außerhalb der Stadtmauern.

Von einem von heidnischen Baiern getöteten Bischof aus der Zeit um 500, als die genannte römische Begräbnisvorschrift nicht mehr beachtet wurde, berichtet Hochwart in seinem Katalog der Regensburger Oberhirten. Es handelt sich um den bereits im vorausgegangenen Kapitel erwähnten Lupus, der Romane war und in der Zeit des heiligen Severin († 482) oder kurz danach lebte[23].

Wie wir aus der Vita des Eugippius wissen, kam es damals zu ständigen Einfällen der jenseits der Donau wohnenden Völker (Heruler, Rugier, Thüringer) mit Plünderungen, Gefangennahmen und Totschlag. So brachten die Heruler bei einem Überfall in Joviaco (bei Passau) den Priester Maximianus um. Damals flüchteten viele Romanen aus den kleineren Orten in die befestigten Städte. Die Bewohner von Batavis (Passau) wollten ihre Stadt nicht verlassen. Severin sagte ihnen den Untergang des Ortes und die Zerstörung der Gotteshäuser voraus[24].

Leider schweigt Eugippius über die Zustände in den Orten westlich von Quintanis, vermutlich weil hier, wie wir oben S. 13 sahen, damals schon die Alemannen saßen. Als diese abzogen, dürften sich die Baiern des befestigten Regensburg bemächtigt und bei dieser Gelegenheit den Bischof der Stadt ermordet haben[25].

Die daselbst verbliebenen Christen haben, wie wir annehmen dürfen, ihrem

[23] Vgl. oben S. 16.

[24] Vgl. R. Noll, Eugippius: Das Leben des heiligen Severin (Berlin 1963) c. 24,3 (S. 91), c. 27,3 (S. 93), 22,3 (S. 89).

[25] Vgl. die von Hochwart zitierte Quelle: »Tempore Zenonis imperatoris archiepiscopus Pataviae Theodorus et Ratisponensis Lupus natione Romani ab infidelibus Bavaris caesi sunt, sub Theodone Bavarorum duce primo« (bei Oefele, Rerum Boicarum Scriptores I,161) dazu oben S. 16 Anm. 31.

früheren Oberhirten in der Gemeindekirche ein würdiges Begräbnis zuteil werden lassen und zwar vor bzw. unter dem Altar, an dem er als Hoherpriester das heilige Opfer dargebracht hat. So wurde auch in Mailand der heilige Ambrosius auf seinen Wunsch hin an der Stelle, wo er zu opfern pflegte[26], bestattet. Das gleiche gilt für die ravennatischen Bischöfe vom 4. bis zum 6. Jahrhundert, die ihre letzte Ruhestätte »subtus porfireticum lapidem ubi pontifex stat« gefunden haben[27].

Allem Anschein nach sind unter der Herrschaft des Ostgotenkönigs Theoderich (ab 493), also einige Jahre nach dem Tod des Bischofs Lupus, wieder ruhige Verhältnisse in der Provinz Raetia eingetreten – im Jahr 507 wurde ein gewisser Servatus von Theoderich zum »dux Raetiarum« ernannt[28] –, so daß die Christen von Regensburg daran denken konnten, das Grab ihres getöteten Oberhirten, den man inzwischen wie einen Märtyrer verehrte, entsprechend auszustatten, indem man nach dem Brauch anderer Kirchen Italiens eine Confessio in Form eines Kastenaltars errichtet hat. Das im vorigen Jahrhundert links daneben aufgefundene Grab[29] könnte einem auf Lupus folgenden Bischof gehört haben, den man »ad sanctum« bestattet hat[30], wenn es nicht das Märtyrergrab selbst war.

Da der »Stil« des Altares selbst, wie gesagt, keinen deutlichen Hinweis auf den Zeitpunkt seiner Entstehung gibt, müssen wir nach Gründen suchen, die eine so frühe Entstehung, nämlich um bzw. bald nach 500, wie wir im Gegensatz zu J. Braun mit Schuegraf und Ebner vermuten, möglich bzw. wahrscheinlich erscheinen zu lassen.

Für die Zeit der Wende von der Spätantike zum Frühmittelalter spricht bereits das Material, aus dem der Kastenaltar gearbeitet wurde. Es handelt sich um Dolomiten-Kalkstein, wie er von den römischen Soldaten und Handwer-

---

[26] Vgl. O. Nußbaum, Der Standort des Liturgen am christlichen Altar vor dem Jahre 1000 (= Theophaneia 18,1 Bonn 1965) 234.

[27] Vgl. F. W. Deichmann – A. Tschira, Das Mausoleum der Kaiserin Helena, in: Jahrbuch des deutschen Archäologischen Instituts 72 (1957) 44–110, hier 104f. mit Anm. 95.

[28] Vgl. Cassiodor, Varia 1,11 und 7,45; G. Steinmetz, Regensburg in der vorgeschichtlichen und römischen Zeit, in: VO 76 (1926) 47. Ob dieser »dux« freilich in Regensburg residiert hat, wie Steinmetz annimmt, ist nicht sicher, jedoch nicht ausgeschlossen.

[29] Vgl. die Notiz bei Walderdorff, Regensburg in seiner Vergangenheit und Gegenwart (oben Anm. 3) 173 f.

[30] Vgl. Kraus, Geschichte der christlichen Kunst (oben Anm. 10) 304; DACL I 479–509. – Wenn nicht überhaupt die Vorgängerin der Stephanskapelle als Begräbnisstätte der Regensburger Bischöfe gedient hat, bis seit Emmeram die Georgskirche diese Funktion übernahm: vgl. oben S. 25.

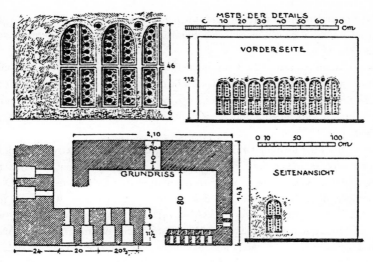

Abb. 12   Transennae des Kastenaltares in Regensburg (nach Mader)

kern in Oberndorf bei Bad Abbach gebrochen und auf dem Schiffsweg die Donau abwärts nach Regensburg befördert wurde[31]. Es wäre noch zu untersuchen, ob auch der oben genannte Grabstein der Sarmannina aus dem gleichen Steinbruch stammt[32].

Weiterhin sind die acht Fensterchen (»Transennae«) zu beachten (Abb. 12). Die Kastenaltäre vertreten, wie oben gesagt, die Stelle einer Grabkirche (»Martyrion«). Dabei besitzt die Regensburger Confessio so deutlich wie wenig andere auch die äußere Form eines Gotteshauses: mit Fenstern an der Vorder- und einem »Eingang« an der Rückseite. Diese sind in Analogie der

[31] Freundliche Mitteilung von Pfarrer Franz Dietheuer, der in seinem Brief vom 20. 11. 1975 außerdem ausführt: »(Der Altar) ist aus Dolomitkalk, dem härtesten und festesten Kalkstein. Seine Körnelung ist beachtlich fein. Steine solcher Größe und Güte aus einem Steinbruch zu brechen, ist sehr schwierig. Ich möchte nicht wissen, wieviele Versuche nicht zum Ziel geführt haben! . . . Die Maße: 2,10 m lang = 7 römische Fuß (zu 0,2957 m), 1,11 m hoch = $3^3/4$ römische Fuß, 1,38 m tief = $4^4/5$ römische Fuß, sind nach dem Goldenen Schnitt. Das edle Maß, die gute handwerkliche Ausführung mit beachtlich feinem Meißelschlag für den sehr harten Stein, all das will beachtet sein. Die Zierstücke der Fenster und Lichtaugen sind mit dem Steinbohrer vorgebohrt; sie waren vielleicht farbig ausgemalt. Die 8 Fenster sind als die 8 Seligkeiten zu verstehen. Die 7 Lichtaugen in den Zwickeln zwischen den Fensterbogen versinnbildlichen die 7 Sterne, d. h. hier die 7 Erzengel als die Wächter des Himmels.«

[32] Vgl. F. Hasselmann, Die Steinbrüche des Donaugebietes (München 1888) 6 und 23.

Fenster in den frühchristlichen Basiliken gebildet und erlauben so beim Vergleich mit erhaltenen Transennae Schlußfolgerungen auf die Entstehungszeit unseres Altares.

In den Basiliken waren die Transennae Fensterverschlüsse. Sie bestanden aus dünnen (Marmor-)Platten, die das Licht durchlassen, mit kleinen (runden) Öffnungen für die Ventilation der Luft, was in südlichen Ländern von Bedeutung ist. Noch heute finden wir deshalb Transennae in griechischen Kirchen.

Die Fenster des Kastenaltars im Alten Dom weisen Kreuzpfosten auf, ähnlich etwa wie die spätantiken Fensterverschlüsse der Kirche von Cherchel in Nordafrika, wenn sie auch nicht so reich ausgestaltet sind wie dort[33]. Den unsrigen ähnlicher sind solche der Basilika S. Lorenzo in Rom, die im 5. Jahrhundert erbaut wurde (vgl. Abb. 13)[34].

Die Öffnung an der Rückseite des Altares ist so klein, daß man nur einen Arm in das Innere hineinstecken kann. Sie diente, wie auch bei anderen Confessio-Altären, wo sich ähnliche Öffnungen meist jedoch auf der Vorderseite befinden, zum Einführen von Tüchern (»brandeae«). Die Öffnungen hießen »cataractae«. Die Tücher wurden auf der Grabplatte niedergelegt, wo man sie einige Zeit liegen ließ. Danach führten sie die Bezeichnung »Sanctuaria« (»Heiltümer«), weil sie mit dem »Sanctuarium« des Märtyrers in Berührung gekommen waren[35]. Sie galten als Reliquien (zweiten Grades) und wurden bei der Weihe eines Altares in diesen eingefügt.

In der Vita des heiligen Severin ist einigemale von solchen »Sanctuaria« die Rede, wobei es sich regelmäßig um Reliquien von Märtyrern handelt, die dem Heiligen von auswärts, so von Mailand, überbracht worden waren und die er dann in die Basiliken bringen ließ. Ihre Echtheit erkannte Severin nur »praeeunte revelatione« an[36].

Wir wissen nicht, ob unser Kastenaltar nach einer Vorlage gearbeitet worden ist, dürfen dies jedoch annehmen. Leider ist eine solche oder ein ähnlich angelegter Altar nicht auf uns gekommen. Dieser bildet sogar, das dürfen wir

---

[33] Vgl. F. X. Kraus, Real-Enzyklopädie der christlichen Altertümer II (Freiburg 1886) 910f.

[34] Vgl. St. Beißel, Bilder aus der Geschichte der altchristlichen Kunst und Liturgie in Italien (Freiburg 1899) 67.

[35] Vgl. Kraus, Real-Enzyklopädie I,326; ferner oben S. 29. – Ob sich der Altar freilich auch jetzt noch genau über dem Märtyrergrab befindet, wäre noch zu untersuchen. Nach Walderdorff, Regensburg in Vergangenheit und Gegenwart 174 ist dieser im 15. Jahrhundert höher gestellt worden. Er ruht heute auf einem Steinpodest, zu dem drei Stufen hinaufführen.

[36] Vgl. Noll, Eugippius (vgl. oben Anm. 24) c. 9,3 (S. 73), 23,1 (S. 89), 9,3 (S. 73).

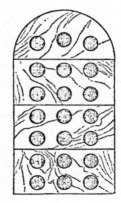

Abb. 13 Transennae von Cherchel (Nordafrika) und (rechts)
von S. Lorenzo (Rom)

ohne Übertreibung sagen, das älteste vollständig erhaltene und bis in die Gegenwart benützte Exemplar der zahlreichen als Confessio verwendeten Kastenaltäre überhaupt. Er scheint nur deshalb erhalten geblieben zu sein, weil
er, im Gegensatz zu den anderen Altären dieser Art, aus einem einzigen Stück
gearbeitet ist und es daher fast unmöglich war, ihn zu zerstören.

2. Der Monolith-Altar im Mortuarium

Nur wenige Besucher des Domkreuzgangs beachten einen eigenartigen
Steinpfosten, der beim Betreten des Mittelganges (des Mortuariums) gleich
rechts, an die Mauer gelehnt, zu finden ist. Er wird in den Kunstdenkmälern
Bayerns überhaupt nicht erwähnt.

Dieser Monolith wurde vor Jahren im Hochaltar des romanischen Kirchleins
von Schwabstetten bei Lobsing (Landkreis Riedenburg) gefunden, wo er den
Kern eines gemauerten Altares gebildet hatte. Er ist oben 62 cm breit und
50 cm tief; er verjüngt sich nach unten, bei leichter Krümmung zur Seite, bis
zu 29 bzw. 27 cm, um dann wieder an Breite und Tiefe zuzunehmen. Seine
Höhe beträgt 117 cm. Er dürfte einst mit dem unteren (verdickten) Ende etwa
20 cm tief in den Boden eingelassen gewesen sein.

Welchem Zweck diente ursprünglich dieser Steinpfosten? Auskunft darüber
gibt uns die eigenartige Vertiefung auf der Oberfläche; diese läßt sich ein-

wandfrei als Altar-Sepulchrum für die Aufnahme von Reliquien deuten. Es ist 10,9 cm hoch und 11,5 cm tief. Außer dem gewöhnlichen Falz zum Einsenken der Verschlußplatte, des sog. Sigillum, ist das Sepulchrum mit vier an den Ecken des Falzes angebrachten Löchern zur Aufnahme von Klammern versehen. Diese hatten den Zweck, den Verschluß der Reliquien noch besser zu sichern, als es durch eine bloße Verkittung möglich war. Drei der vier Löcher zeigen noch heute Reste der Eisenverklammerung.

Eine weitere Frage ist: war dieser Monolith ursprünglich Stipes (Stütze) eines Tischaltars oder zugleich Stipes und Mensa (Altartisch)? Für die erstere Annahme scheint die verhältnismäßig geringe Größe seiner Oberfläche (62:50 cm) zu sprechen. Die meisten Altäre aus früher Zeit weisen nämlich oben eine Fläche von mindestens 90–100 cm im Quadrat auf[37].

Gegen die Vermutung, daß der Steinpfosten nur als Stipes für einen Altar gedient hat, spricht, wie bereits J. Braun bemerkt hat[38], der Umstand, daß das Sigillum des Sepulchrums nicht bloß verkittet, sondern außerdem noch mit Eisenklammern befestigt war. Eine solche Vorrichtung ist nur dann notwendig, wenn das Reliquiengrab direkt auf der Mensa, also ungeschützt, angebracht wird.

Wir dürfen demnach mit gutem Grund annehmen, daß in unserem Fall keine Altarplatte auf dem Sepulchrum gelegen und die Oberfläche des Steines zugleich als Mensa gedient hat. Diese war ursprünglich vielleicht durch einen Holzrahmen, der zum Befestigen von Decken, der »vestimenta altaris«, diente, etwas vergrößert. In späterer Zeit hat man, wie oben erwähnt, die Oberfläche durch Mauerwerk verbreitert.

In diesem Zusammenhang ist der romanische Altar in der Allerheiligenkapelle im Domkreuzgang zu betrachten. Die Mensaplatte ruht hier auf vier Säulchen mit Würfelkapitellen und attischer Basis. In der Mitte wird sie von einem ungegliederten Steinpfeiler getragen. Genau über ihm liegt bezeichnenderweise das Sepulchrum. Die Mensa ist 120 cm breit und 95 cm tief. Die Höhe des Altares beträgt 96 cm (vgl. Abb. 14)[39].

Wichtig für unsere Untersuchung ist der ungegliederte Steinpfeiler in der Mitte, da er in Größe und Aussehen weitgehend dem Pfostenaltar entspricht. Wir dürfen annehmen, daß hier eine alte Tradition noch in romanischer Zeit lebendig war. Während der Altar von Schwabstetten durch beigefügtes Mau-

---

[37] Vgl. J. Kirsch, Altar, in: Reallexikon für Antike und Christentum (= RAC) I (1950) 343.

[38] Braun, Altar I, 150.

[39] Vgl. Braun, Altar I, 173 und Tafel 20; Kdm Oberpfalz: Regensburg XXII, 1 219f.

Abb. 14   Tisch-Altar in der Allerheiligenkapelle

erwerk die später übliche Mensa-Größe erhalten hat, lebt bei der Konstruktion des Altars in der Allerheiligenkapelle die alte Vorstellung vom einfachen Monolith-Altar weiter.

Der Steinpfosten von Schwabstetten im Mortuarium des Kreuzgangs und der romanische Tischaltar in der Allerheiligenkapelle würden jedoch allein nicht auf einen eigenen Altar-Typus schließen lassen, wenn sich nicht anderswo ähnliche Monolith-Altäre nachweisen ließen.

Vor kurzem konnte ich einen solchen in Naturns (Vinschgau) entdecken[40]. Dieser ist so unscheinbar und versteckt, daß er bis jetzt noch keine Beachtung gefunden hatte. Arg beschädigt, hat man ihn in ein Marterl eingebaut, das unmittelbar vor dem aus dem Frühmittelalter stammenden Prokulus-Kirchlein steht[41]. Es könnte sich um den ursprünglichen Altar dieses Heiligtums handeln, bevor in romanischer Zeit anläßlich des Baues des jetzigen Turmes der noch vorhandene gemauerte Blockaltar errichtet wurde. Vielleicht ist der Stein beim Turmbau halb zerstört und deshalb nicht als Ganzes in den neuen Altar eingemauert worden.

Der Steinpfosten von Naturns dürfte ehedem fast gleich groß wie der im Mortuarium gewesen sein, nämlich 75 cm breit und 50 cm tief. Er ist in seinem vorderen Teil stark beschädigt (es fehlt ein etwa 15 cm tiefes Stück); au-

[40] Vgl. K. Gamber, Der Naturnser Monolith-Altar und sein Gegenstück im Domkreuzgang zu Regensburg, in: Der Schlern 50 (1976) 464 f.
[41] Vgl. J. Weingartner, die Kunstdenkmäler Südtirols II (1951); K. Gamber, Das St. Prokulus-Kirchlein bei Naturns seiner archäologischen und liturgiegeschichtlichen Bedeutung nach untersucht, in: Römische Quartalschrift 69 (1974) 143–158.

ßerdem ist vom unteren Teil des Pfostens mehr als die Hälfte weggeschlagen. Dieser Teil befindet sich vielleicht noch im Blockalter eingemauert. In zwei Punkten unterscheidet sich dieser Monolith-Altar geringfügig von dem in Regensburg. Einmal weist das Sepulchrum außer einem quadratischen Falz eine weitere runde Vertiefung in der Mitte auf. Die Eisenklammern für das Sigillum sind hier noch deutlicher zu erkennen als im Regensburger Pfosten. Ferner ist die Oberfläche des Naturnser Altars nicht genau rechteckig, sondern hat eher die Form eines Halbkreises, von dem man links und rechts je ein Segment entfernt hat (vgl. die Skizze 15)[42].

Die beiden Monolith-Altäre haben die Tatsache gemeinsam, daß sie sich nach unten etwas verjüngen. Da zudem, wie gesagt, die Größe in beiden Fällen fast gleich ist, dürfen wir trotz der genannten kleinen Unterschiede vom gleichen Typus sprechen. Diesem ist ebenso der »keltische Opferstein« zuzuweisen, der vor der Kirche von Übermatzhofen (bei Pappenheim) steht. Auch hier ist nämlich auf der Oberfläche deutlich die Vertiefung des Sepulchrums zu erkennen[43].

Mit einiger Sicherheit gehört hierher weiterhin ein Monolith, der erst vor kurzem in der »Schimmelkapelle« von Enzelhausen, einer Nebenkirche von Rudelzhausen (bei Mainburg), gefunden wurde. Er war, ähnlich wie der von Schwabstetten, jahrhundertelang in einem Altar eingemauert und trat erst bei Erneuerungsarbeiten zutage, zusammen mit einem eigenen Altarstein, der spätestens aus dem 11. Jahrhundert stammen dürfte[44].

Der Monolith ist dagegen sicher älter. Es könnte sich, wie schon vermutet wurde, um einen heidnischen Kultstein handeln; wahrscheinlicher scheint jedoch zu sein, daß hier abermals ein Beispiel für unseren frühmittelalterlichen Altartypus vorliegt, zumal der Stein etwa die gleiche Größe wie die anderen genannten Altäre aufweist. Der Unterschied zu diesen besteht darin, daß sich oben auf dem Steinblock kein Sepulchrum befindet, weshalb, wie gesagt, später ein eigener Altarstein (Größe 40:33:20 cm) verwendet werden mußte. Dieser zeigt jedoch eine kleinere Oberfläche als der Monolith.

Wenn wir nach ähnlichen Altären außerhalb des altbairischen Raumes Aus-

---

[42] Es ist nicht auszuschließen, daß hier der frühchristliche Sigma-Altar nachklingt. Seine Oberfläche bestand aus einem (manchmal etwas in die Länge gezogenen) Halbkreis, wobei die Rundung zur Apsis gewiesen hat. Sigma-Altäre lassen sich, außer in Ägypten, wo sie z. T. heute noch verwendet werden, auch im Abendland (Griechenland, Aquileja) nachweisen; vgl. G. Brusin, Due nuovi sacelli cristiani di Aquileja (1961) 36–42; Gamber, Domus ecclesiae (oben Anm. 18) 36f.

[43] Vgl. Kirchenzeitung Eichstätt Nr. 40/1977 vom 2. 10. 77.

[44] Freundl. Mitteilung des Pfarramts Rudelzhausen.

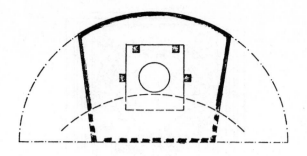

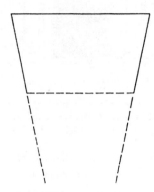

Abb. 15   Schematische Zeichnung des Fragments eines Monolith-
altars in Naturns (R. E. Dechant)

schau halten, so können u. a. folgende genannt werden. J. Braun sieht in ihnen freilich nur Stützen von Tischaltären. Zuerst solche aus Stein[45]:
1) Parenzo, ehem. Kathedrale: vom Jahr 532, Mamorblock, Höhe 98,
   Breite 71, Tiefe 66 cm; mit einer Kammer (Hohlraum) im Innern, außen
   reich verziert (vgl. Abb. 16).
2) Ravenna, S. Apollinare in Classe: 6. Jahrhundert, Marmorblock,
   Höhe 92, Breite 54, Tiefe 52 cm; reich verziert, mit Nische. Die Säulchen
   und die Altarplatte sind moderne Zutaten.

[45] Vgl. Braun, Altar I,147f. sowie Tafeln 9, 11, 12; Kirsch, in: RAC I (1950)
339–341.

Abb. 16   Blockaltar des Bischofs Eufrasius in Parenzo
vom Jahr 532 (nach RAC)

3) Ravenna, ehem. Kathedrale: 6. Jahrhundert, Marmorblock, Höhe 96,5, Breite 74, Tiefe 55 cm; nur die Front ornamentiert, sonst ähnlich wie Beispiel 2.

Gemauerte Pfosten aus früher Zeit, die von J. Braun ebenfalls als einen Teil eines Tischaltares angesehen werden[46]:

4) Rom, Zömeterium des heiligen Hippolyt: 6. Jahrhundert, nur Stumpf erhalten, Breite 79, Tiefe 59 cm; Hohlraum im Innern.

5) Rom, S. Maria in Via lata, Unterkirche: 7. und 8. Jahrhundert, Höhe 92, Breite 76, Tiefe 85 cm; doppelte Höhlung.

Diese Aufstellung einiger wichtiger Exemplare macht deutlich, daß die genannten Altäre im 6. Jahrhundert in Italien weithin üblich waren. Im Gegensatz zu J. Braun möchte ich jedoch im Hinblick auf die besprochenen bairischen Zeugnisse die Meinung vertreten, daß es sich bei diesen nicht um den Stipes eines Tischaltars handelt – in keinem einzigen Fall ist eine eigene Mensaplatte dazu vorhanden –, sondern ebenfalls um Pfosten-Altäre, besser Block-Altäre. Während jedoch die von Italien regelmäßig eine Kammer im

[46] Vgl. Braun, Altar I, 153.

64

Abb. 17   Messe des heiligen Martin (nach 1100)
           Miniatur im Antiphonar von St. Peter in Salzburg

Innern aufweisen, fehlt eine solche bei den schlichten Monolith-Altären des bairischen Raums, die eine vereinfachte (provinzielle) Form darstellen. Der Vergleich mit den kunstvollen Blockaltären Italiens macht aber auch deutlich, daß es sich bei den Steinpfosten nicht bzw. nicht immer um ehedem heidnische Opfersteine, die später für den christlichen Kult verwendet wurden[47], gehandelt hat. Möglicherweise wurde jedoch dieser Altar-Typus in Baiern seiner Gestalt nach durch vorchristliche Opfersteine beeinflußt[48]. Die genannten Altäre machen aber auch deutlich, daß die Altarform des Frühmittelalters im allgemeinen nicht der Tisch war, sondern der Blockaltar mit verhältnismäßig kleiner Mensa. Einen solchen zeigt auch die Miniatur des

[47] Wie ich zuerst annahm; vgl. oben Anm. 2.
[48] Um einen solchen heidnischen Kultstein könnte es sich bei einem Monolith der Stabkirche von Jelling (Dänemark) handeln; vgl. E. Dyggve, Tradition und Christentum in der dänischen Kunst zur Zeit der Missionierung, in: Karolingische und ottonische Kunst (Wiesbaden 1957) 221–235, hier 230 und Abb. S. 227. Grundsätzlich zur Frage: F. X. Kraus, Real-Enzyklopädie der christlichen Altertümer I (1882) 42.

heiligen Martin in einem Antiphonar von St. Peter in Salzburg aus dem 12. Jahrhundert (vgl. Abb. 17)[49]. Dieses Bild vermittelt zugleich eine Vorstellung von der Umkleidung des Altares mit (meist kostbaren) Decken. Kerzen befanden sich nicht auf ihm, nur die Opfergaben von Brot und Wein[50]. Der Priester stand als Opfernder vor dem Altar, Gott zugewandt und mit dem Rücken zum Volk[51].

Der Größenunterschied zwischen den beiden besprochenen Altären im Bereich des Domkreuzgangs ist beträchtlich. Während der im Alten Dom eine Vorderfront von 2,10 m aufweist, ist der andere nur 0,62 m breit. Auch dem Typus nach sind die beiden, wie wir sahen, grundverschieden.

Der Grund liegt in der Bestimmung dieser Altäre. Der Steinpfosten stellt den schlichten Altar einer kleinen Kirche dar, wie er im Frühmittelalter weithin gebräuchlich war. Daß nicht mehr Stücke dieses Typus erhalten blieben, mag mit dessen Schmucklosigkeit zusammenhängen. Entweder hat man den Monolith belassen und ihm einen gemauerten Mantel gegeben, wie in Schwabstetten und Enzelhausen, oder man führte ihn einer anderen Verwendung zu, wie in Naturns. Auch als Baumaterial könnte er mancherorts gedient haben.

Der andere Altar stellt eine Confessio dar, ein »Martyrion«, die verkleinerte Nachbildung eines Sanktuariums, und ist als solche die Ausschmückung des Grabes eines Blutzeugen. Aus diesem Grund darf uns seine enorme Größe, die in keinem Verhältnis zum Raum zu stehen scheint, nicht verwundern. Den Hochaltar des vorgotischen Domes hat er auf keinen Fall gebildet.

[49] Vgl. J. Braun, Die pontificalen Gewänder des Abendlandes (Freiburg 1898) 39.
[50] Vgl. J. P. Kirsch, Altar, in: RAC I (1950) 343.
[51] Vgl. Gamber, Liturgie und Kirchenbau (Anm. 18) 7–27.

Das Tassilo-Sakramentar
und die Kirchen der herzoglichen Pfalz

Mit dem Namen Tassilo, des letzten Agilolfingerherzogs, verbindet sich der prächtige Tassilo-Kelch, der seit undenklichen Zeiten im Kloster Kremsmünster, einer Gründung dieses Herzogs, aufbewahrt wird. Es wird davon noch eigens zu reden sein. Die Zeit Tassilos stellt eine Periode der Blüte für Regensburg und Baiern dar. Besonders eng waren damals die schon immer bestehenden Beziehungen zu Oberitalien[1], zumal der Herzog mit der Tochter des Langobardenkönigs Desiderius vermählt war.

Als König Karl 774 durch die Eroberung von Pavia dem Langobardenreich ein Ende bereitet hatte[2], dauerte es noch 14 Jahre, bis auch Baiern, das bis dahin sich einer gewissen Selbständigkeit erfreuen konnte, vollständig der fränkischen Herrschaft unterworfen war. Tassilo wurde 788 als bairischer Herzog abgesetzt und in Klosterhaft genommen. Auch seine Frau und seine Kinder wurden in verschiedenen fränkischen Klöstern interniert. Der gesamte Familienbesitz ging an Karl d. Großen über[3].

Außer dem erwähnten Tassilo-Kelch erinnert ein Meßbuch an den letzten Agilolfinger, eine jetzt in der Bibliothek des Prager Metropolitankapitels aufbewahrte Handschrift (Cod. o.3), die daher Prager Sakramentar genannt wird[4]. Sie ist in den letzten Regierungsjahren Tassilos unter Bischof Sintbert (768–791) angefertigt worden. Nach Prag kam das Meßbuch, wie andere Regensburger Handschriften, im Zuge der kirchlichen Organisation Böhmens, das bis 973 dem Bistum Regensburg unterstand[5].

[1] Vgl. J. E. von Koch-Sternfeld, Das Reich der Longobarden in Italien . . . in der Bluts- und Wahlverwandtschaft zu Bajoarien (München 1839); J. Sydow, Beiträge zur Geschichte des deutschen Italienhandels im Früh- und Hochmittelalter, in: VO 97 (1956) 405–414. Über die kirchlichen und liturgischen Beziehungen wurde oben eingehend gesprochen.

[2] Vgl. E. Schaffran, Geschichte der Langobarden (Leipzig 1938).

[3] Vgl. K. Reindel, in: M. Spindler, Handbuch der bayerischen Geschichte I (München 1971) 132 f.

[4] Herausgegeben von A. Dold – L. Eizenhöfer, Das Prager Sakramentar, Bd. I Lichtbildausgabe (Beuron 1944); Bd. II Prolegomena und Textausgabe (= Texte und Arbeiten Heft 38/42, Beuron 1949); Gamber, CLLA Nr. 630.

[5] Vgl. P. Mai, Regensburg als Ausgangspunkt der Christianisierung Böhmens, in: J. Staber u. a., Millenium Ecclesiae Pragensis 973-1973 (= Schriftenreihe des Regens-

Der kostbare Codex ist nach Meinung von B. Bischoff nicht im Kloster St. Emmeram, aus dem zahlreiche Handschriften der gleichen Zeit erhalten sind[6], entstanden, sondern in einer anderen Schreibschule der Stadt, allem Anschein nach in der herzoglichen Pfalz[7]. Über ein solches Skriptorium war aber bis jetzt noch nichts bekannt[8].

Seinem Typus nach gehört das (Prager) Tassilo-Sakrament zu den ältesten abendländischen Meßbüchern mit römischem Ritus, wenn es sich auch nicht um einen Vertreter der direkt in Rom, sondern in Oberitalien (Ravenna, Aquileja) gebrauchten Liturgiebücher handelt. Sie werden Gelasiana genannt[9]. Dieser Sakramentartypus war in Baiern, wie die relativ zahlreichen Zeugnisse von hier zeigen, während des 8. Jahrhunderts weit verbreitet. Doch sind alle, außer dem Prager Sakramentar, nur als Fragmente auf uns gekommen[10].

Die genannten bairischen Zeugnisse des Gelasianum unterscheiden sich nicht unwesentlich von den fränkischen, die etwa aus der gleichen Zeit stammen und der Urfassung näher stehen[11], vor allem durch die Einfügung der Sonntagsmessen zwischen die Heiligenfeste[12]. Diese Redaktion ist allem Anschein nach im Patriarchat Aquileja vorgenommen worden. Die bairischen Gelasiana sind außerdem nochmals nach einem etwas jüngeren Sakramentartypus, der ebenfalls im Patriarchat ausgebildet worden war, überarbeitet. Diese An-

burger Osteuropainstituts 1, Regensburg 1973) 9–21; K. Gamber, Die Regensburger Mission in Böhmen im Lichte der Liturgiebücher, in: VO 114 (1974) 255–259.

[6] Vgl. B. Bischoff, Die südostdeutschen Schreibschulen und Bibliotheken in der Karolingerzeit, Teil I Die bayerischen Diözesen (²Wiesbaden 1960) 172–259 und oben S. 45 f.

[7] Vgl. B. Bischoff, in: Karl der Große, Bd. II Das geistige Leben (Düsseldorf 1965) 246: »Da . . . das vor 794 entstandene ›Prager Sakramentar‹ historische und vielleicht auch liturgische Beziehungen zu Regensburg besitzt, sich jedoch nicht in die Sankt Emmeramer Schule einfügt, stellt sich die Frage, ob es in Regensburg in einem anderen Zentrum, etwa bei der Alten Kapelle, entstanden sein kann.«

[8] Vgl. B. Bischoff, in: Dold-Eizenhöfer (oben Anm. 4) 31–37, bes. 36: »Der Schluß ist erlaubt, daß es sich bei dem bisher paläographisch nicht nachweisbaren Skriptorium um eine nicht unbedeutende Schule handelt, die Eigentümlichkeiten ausbilden konnte.«

[9] Vgl. Gamber, CLLA 299–311; ders., Missa Romensis (= Studia Patristica et Liturgica 3, Regensburg 1970) 107–115.

[10] Vgl. Gamber, CLLA Nr. 631–635; ders., Eine ältere Schwesterhandschrift des Tassilo-Sakramentars in Prag, in: Revue bénédictine 80 (1970) 156–162; ders., Das Bonifatius-Sakramentar und weitere frühe Liturgiebücher aus Regensburg (= Textus Patristici et Liturgici 12, Regensburg 1975) 89–103.

[11] Vgl. Gamber, CLLA Nr. 610–615.

[12] Vgl. Dold-Eizenhöfer (oben Anm. 4) 67–70.

passung hat jedoch in Baiern selbst stattgefunden und ist daher in den einzelnen Handschriften nicht einheitlich[13].

Die Gründe, die dafür sprechen, daß das Prager Sakramentar in Regensburg geschrieben wurde und nicht, wie man anfänglich annahm, im Kloster Isen (bei Freising)[14], brauchen hier nicht nochmals in ihrer Gesamtheit erörtert zu werden[15]. Die Verwendung des Meßbuches in Regensburg zeigt die sog. Nota historica, eine nach 791 und vor 794 auf einer freien Seite des Codex getätigte Eintragung, welche die in der Pfalzkapelle beim Gedächtnis der Lebenden und der Toten innerhalb des Meßkanons zu nennenden Personen aufführt[16].

Darin nimmt den ersten Platz unter den Lebenden König Karl ein; dann folgen die Namen seiner Gemahlin Fastrad († 794), seiner Kinder Pippin des Buckligen, Pippin (Karlmann), Ludwig und Rotraud, sowie der Name des Regensburger Bischofs Adalwin (791/92–816). Bischof Sintbert († 791) steht bereits unter den Toten und zwar an zweiter Stelle nach einem nicht näher bekannten Perchtuni.

Da unter den Lebenden auch die Namen der später zum Erzbistum Salzburg gehörenden Bischöfe Atto von Freising (783–811), Arn von Salzburg (785–821), Waltrich von Passau (774–804), Alim von Säben (769 bis nach 800)[17] und Odalhart von Neuburg (777 bis nach 800)[18] verzeichnet erscheinen, ist durchaus möglich, daß dieser Eintrag bei einem offiziellen Anlaß gemacht wurde, bei dem die genannten Bischöfe auf Einladung des Königs in Regensburg anwesend waren.

Möglicherweise war dies bei der Reichsversammlung im Frühjahr 792 der

[13] Vgl. K. Gamber, Das Sakramentar von Salzburg als Quelle für das Pragense, in: Studia Patristica VIII (= Texte und Untersuchungen 93, Berlin 1966) 209–213; ders., Älteste liturgische Bücher des Freisinger Domes, in: J. A. Fischer, Der Freisinger Dom (= 26. Sammelband des Historischen Vereins Freising 1967) 45–64.
[14] Vgl. R. Bauerreiß, Das Kloster Isen als Kultstätte, für die das (Prager) Sakramentar geschrieben wurde, in: Dold-Eizenhöfer 37–43.
[15] Vgl. K. Gamber, Das Tassilo-Sakramentar, in: Münchener Theol. Zeitschrift 12 (1961) 205–209; ders., Das frühmittelalterliche Bayern im Lichte der ältesten bayerischen Liturgiebücher, in: Deutsche Gaue 54 (1962) 49–62.
[16] Vgl. R. Bauerreiß, Die »Nota historica«, in: Dold-Eizenhöfer 17–18, Die Namen wurden auf einer ehedem freien Seite in unmittelbarer Nähe des Canon missae eingetragen.
[17] Vgl. A. Sparber, Das Bistum Säben in seiner geschichtlichen Entwicklung (Brixen 1943) 87 f.
[18] Vgl. R. Bauerreiß, Das mittelalterliche Bistum Neuburg im Staffelsee, in: Studien und Mitteilungen OSB 60 (1946) 396; K. Reindel in: Spindler, Handbuch der bayerischen Geschichte I,168 hat gegen die These von Bauerreiß schwerwiegende Bedenken, die ich nicht teilen kann.

Fall, auf der die Irrlehre des Bischofs Felix von Urgel verurteilt wurde[19]. Adalwin war kurz zuvor Bischof von Regensburg geworden[20]. Konkret dürfte es sich um eine im Anschluß daran stattgefundene Zusammenkunft im Palatium gehandelt haben, bei der man die Organisation des künftigen bairischen Erzbistums besprach. Es sind nämlich die Bischöfe gerade jener Diözesen aufgeführt, die bald danach, nämlich 798, durch päpstliches Schreiben zum Synodalverband von Salzburg zusammengefaßt wurden[21].

Im Herbst des gleichen Jahres 792 hat sich Pippin der Bucklige – wie sein gleichnamiger Bruder Pippin (Karlmann) »rex« genannt – gegen seinen Vater Karl d. Gr. empört und wurde daher als vom König Verstoßener von nun an nicht mehr offiziell im Meßkanon genannt. Die »Nota historica« muß demnach näherhin vor dem Herbst 792 in das Sakramentar eingetragen worden sein, weil zu diesem Zeitpunkt die Verschwörung stattgefunden hat[22].

Der abgesetzte Herzog Tassilo fehlt, wie man sich denken kann, in dieser Liste ebenfalls. Seinen Platz nahm nun König Karl ein, der auch von dessen Pfalz in Regensburg Besitz ergriffen hat[13]. In der Pfalzkapelle lag damals noch das Meßbuch, das Tassilo anfertigen ließ und das glücklicherweise die Unbilden der Zeit überdauert hat.

I

Nachdem die Verwendung des Prager Sakramentars in Regensburg als gesichert gelten darf, erhebt sich die Frage, für welche Kirche dieser Stadt es ursprünglich geschrieben war: für die Domkirche St. Peter, für St. Emmeram oder direkt für die herzogliche Pfalzkapelle.

[19] Vgl. P. Schmid, Die Regensburger Reichsversammlungen im Mittelalter, in: VO 112 (1972) 31–130, hier 38–42.

[20] Vgl. Janner, Bischöfe 130.

[21] Es erscheinen die gleichen Namen wie in der diesbezüglichen Bulle des Papstes Leo II: »Alim Sabionensi, Attoni Frisingensi, Adalwino Ratisponensi, Waltrico Pataviensi, Sintperto (statt: Odalhart) Niunburgensi, provinciae Baioariorum episcopis« neben dem neuen Erzbischof Arno, dem der Papst das Pallium verleiht (Jaffé, Regesta 2495 p. 307).

[22] Vgl. Janner, Bischöfe 132; ferner oben S. 40.

[23] Die Regensburger Pfalz ist für das Jahr 791 als »palatium publicum« gesichert. Daß König Karl die Pfalz der Agilolfinger übernommen und darin residiert hat, kann man mit Sicherheit annehmen: vgl. M. Piendl, Fragen zur frühen Regensburger Stadttopographie, in: VO 106 (1966) 63–82, hier 78.

Das eine steht jedenfalls von vornherein fest, es muß eine Kirche gewesen sein, die dem heiligen Johannes dem Täufer geweiht war. Das Formular für sein Fest am 23./24. Juni (Nr. 145/146 ed. Dold-Eizenhöfer) ist nämlich in unserem Meßbuch durch eine große Titel-Überschrift und eine kunstvolle Initiale, wie wir sie (unter den Festen) nur noch an Ostern finden, ausgezeichnet[24].

Nun ergibt sich sofort die Schwierigkeit, daß von den älteren bekannten Regensburger Kirchen allein das Baptisterium der Kathedrale ein Johannes-Patrozinium aufweist[25]. Für Taufkirchen wurde jedoch bekanntlich kein Jahres-Sakramentar (»Liber sacramentorum anni circuli«), wie es unser Tassilo-Meßbuch darstellt, benötigt – weil in diesen keine Messen gefeiert wurden –, sondern lediglich ein Rituale[26]. Die Taufkapelle des Domes darf daher in der Frage der ursprünglichen Bestimmung der Handschrift mit Sicherheit ausgeschlossen werden.

Dagegen erwähnt eine weitere Johannes-Kirche, näherhin eine »ecclesia sancti Joannis inferioris/monasterii«, Andreas von Regensburg in seinem »Chronicon episcoporum Ratisponensium« vom Jahr 1428, wobei er berichtet, sie sei beim Brand der Stadt 1052 zerstört worden[27]. Zweifelsohne ist unter dieser Johannes-Kirche, wie die Hinzufügung »inferioris monasterii« zeigt, die Stiftskirche Niedermünster gemeint, die im Anschluß an den Brand im romanischen Stil neu aufgebaut wurde.

Die Schwierigkeit besteht nur darin, daß Niedermünster in der ältesten urkundlichen Bezeugung in der Zeit des Bischofs Ambricho (gegen 880) nicht als eine Johannes-, sondern als eine Marienkirche (»sancte marie inferioris monasterii«) erscheint[28]. Wie ist dieser Widerspruch zu erklären?

Die in den letzten Jahren erfolgten Ausgrabungen unter der Niedermünsterkirche haben gezeigt, daß wir es mit vier verschiedenen Kirchenbauten zu tun haben, die im Lauf der Jahrhunderte alle an der gleichen Stelle errichtet wur-

---

[24] Vgl. Dold-Eizenhöfer, Das Prager Sakramentar, Bd. I Lichtbildausgabe fol. 58.
[25] Zum Baptisterium der Kathedrale vgl. S. 124ff.
[26] Ein Blatt eines sehr frühen (in irischer Schrift geschriebenen) Rituale, das in Regensburg verwendet worden ist, befindet sich jetzt in der B. Staatsbibliothek in München (Clm 29163a aus: Clm 14747, einer ehemaligen St. Emmeramer Handschrift); vgl. Gamber, Das Bonifatius-Sakramentar (oben Anm. 10) 83–85.
[27] Vgl. A. F. Oefele, Rerum Boicarum Scriptores I (Augsburg 1763)32: ». . . anno Domini MCLII Ecclesia Cathedralis S. Petri, Sanctae Mariae veteris Capellae, S. Joannis inferioris monasterii et tota civitas igne perierunt, in die Tiburtii et Valeriani.« Neuere Ausgabe von G. Leidinger, Andreas von Regensburg, Sämtliche Werke (München 1903).
[28] Vgl. Widemann Nr. 140 S. 112.

den[29]. Der älteste Bau stammt m. E. noch aus der Frühzeit der Agilolfinger (vor 600); es handelt sich um eine Hallenkirche mit Rechteckchor[30]. Wohl zu Beginn des 8. Jahrhunderts wurde dann das Gotteshaus vom Grund auf neu errichtet und dabei in seinen Ausmaßen erweitert. Dieser Neubau stellt ebenfalls eine Hallenkirche mit verschiedenen Anbauten dar. Der Raum war durch eine Chorschranke in der Mitte aufgeteilt und besaß eine von der Eingangshalle aus zugängliche Empore[31]. Wie wir aus der oben genannten Urkunde schließen dürfen, diente er im 9. Jahrhundert als Kirche für ein Nonnenkloster, dem die »domina« Hiltigarda vorstand.

Der ottonische (dritte) Bau, dessen Fundamente ebenfalls heute noch zu sehen sind, steht in Beziehung zur Neugründung des Stiftes durch die Herzogin Judith, die Gemahlin Herzog Heinrichs I. von Baiern[32]. Als dieser im Jahr 955 starb, ließ Judith ihn in der Kirche, »die er zu Ehren der immerwährenden Jungfrau Maria erbaut hatte«, bestatten[33]. Dieser dritte Bau, sowie der vierte aus der Zeit der Hochromanik, der heute noch steht, interessiert uns im folgenden nicht.

Aus dem Gesagten geht hervor, daß der Heinrichs-Bau wie auch der aus dem 8. Jahrhundert – letzterer nachweisbar seit 880 – der Gottesmutter geweiht war. Dies muß aber nicht heißen, daß auch der erste Bau aus der Frühzeit der Agilolfinger sowie anfänglich auch der zweite das gleiche Patrozinium aufgewiesen haben.

Eine Änderung des Patroziniums dürfte eingetreten sein, als in der Zeit nach Karl dem Großen das Gotteshaus für ein Nonnenkloster verwendet wurde[34]. Derartige Kirchen waren damals fast durchweg der Gottesmutter geweiht,

[29] Vgl. K. Schwarz, in: Jahresbericht der Bayerischen Bodendenkmalspflege 13/14 (München 1972/73); ders., Die Ausgrabungen im Niedermünster zu Regensburg (Kallmünz 1971); ders., Archäologische Geschichtsforschung in frühen Regensburger Kirchen, in: Beiträge zur Geschichte des Bistums Regensburg 10 (1976) 13–54, hier 14–30.
[30] Schwarz datiert den Bau um 700. Darüber später!
[31] Vgl. Schwarz, Archäologische Geschichtsforschung (oben Anm. 29) 21–24.
[32] Vgl. Th. Widmann, Zur Geschichte des Klosters Niedermünster, in: Die Oberpfalz (1914) 89–93.
[33] »Coniux Judita ... corpus eiusdem in ecclesiam, quam ipse in honorem Mariae semper virginis construxit, cum magno moerore desposuit«; vgl. Janner, Bischöfe 336.
[34] Neben Maria erscheint in einem Diplom des Kaisers Otto I. vom Jahr 973 auch der heilige Erhard als Patron der Nonnenkirche: ». . . sanctimonialibus in urbe Ratispona ad inferius monasterium sanctae Mariae sanctique confessoris Erhardi«; vgl. Piendl, Fragen zur frühen Regensburger Stadttopographie (oben Anm. 23) 77, Anm. 62.

so in Regensburg neben Niedermünster das Stift Obermünster. Während letzteres bis auf Bischof Baturich (817–848) im bischöflichen Besitz war, gehörte Niedermünster den bairischen Herzögen[35], die bekanntlich das Eigentum der Karolinger bzw. der Agilolfinger übernommen haben. Zur Zeit der Niederschrift unseres Sakramentes gehörte die Kirche demnach dem Herzog Tassilo.

In der Notiz des Andreas von Regensburg über den Brand der Stadt wird offensichtlich das ursprüngliche Patrozinium von Niedermünster, nämlich das des heiligen Johannes d. T., genannt. Es könnte zur Zeit des erwähnten Andreas, also im 15. Jahrhundert, neben dem neuen Marien-Patrozinium immer noch begangen worden sein.

Leider handelt es sich um die einzige diesbezügliche Nachricht, sie ist außerdem relativ spät. Es lassen sich jedoch weitere Gründe anführen, die für ein Johannes-Patrozinium des ersten (und anfänglich auch des zweiten) Baues sprechen; wobei wir davon ausgehen, daß dieses Gotteshaus die Pfalzkapelle der Agilolfinger-Herzöge darstellt.

Auf eine Verwendung als Pfalzkapelle weist bereits die oben erwähnte Empore hin. Selbst Schwarz, der im ersten Bau die älteste Regensburger Bischofskirche sehen möchte, sieht den Zweck dieser Empore darin, »der Herzogsfamilie auf eigenem Grund einen kirchlich repräsentativen Platz zu schaffen«[36]. Eine Empore findet sich im Mittelalter regelmäßig in Pfalzkapellen und Adelssitzen[37].

Bis zu den Ausgrabungen in Niedermünster sah man in der Alten Kapelle die Nachfolgerin der agilolfingischen Pfalzkapelle[38], heute neigt man immer mehr zu der Ansicht, daß sie im ersten (bzw. zweiten) Bau von Niedermünster zu suchen ist: also ganz in der Nähe des ältesten Herzogshofes, der in dem Quadrat, in dem heute die Mohren-Apotheke liegt, vermutet wird[39].

[35] Vgl. A. Schönberger, Die Rechtsstellung des Reichsstifts Niedermünster zu Papst und Reich, Bischof, Land und Reichsstadt Regensburg (Diss. Würzburg 1953, Masch.-Schr.); Piendl, Fragen (oben Anm. 23) 75–77.
[36] Vgl. Schwarz, Archäologische Geschichtsschreibung (oben Anm. 29) 24.
[37] Allgemein bekannt ist der Thron Kaiser Karls auf der Westempore in Aachen; ähnlich dürfte die Westempore von St. Stephan in Regensburg für den Bischof bestimmt gewesen sein. Auch der niedere Adel hatte im Mittelalter seine Emporen-Kirchen; vgl. K. Gamber, Zur mittelalterlichen Geschichte Regensburgs und der Oberpfalz (Kallmünz 1968) 48–50 (Alte Burgkapellen und Dorfkirchen im Landkreis Roding).
[38] Vgl. M. Heuwieser, Entwicklung der Stadt Regensburg im Frühmittelalter, in: VO 76 (1926) 115 ff.
[39] Vgl. Piendl, Fragen zur frühen Regensburger Stadttopographie (oben Anm. 23) 63–82, vor allem 79: »Die frühe Kirchenanlage von Niedermünster mit dem Grab des

Vielleicht daß einmal Ausgrabungen an dieser Stelle sowie im Boden der Alten Kapelle genauen Aufschluß in diesen Fragen geben können.

Eins dürfte jetzt schon feststehen, daß die Pfalzkapelle der Agilolfinger von Anfang an dem heiligen Johannes d. T. geweiht war. Wir wissen nämlich, daß Theodolinde, die Tochter des Baiernherzogs Garibald, die 589 den Langobardenkönig Authari geheiratet hat[40], in dessen Residenz in Monza für die Katholiken eine Kirche zu Ehren dieses Heiligen errichten ließ und zwar, wie es in der Weiheinschrift heißt, »ihrem Patron« (»patrono suo«)[41]. Dies tat sie allem Anschein nach in Erinnerung an das Patrozinium der Hofkapelle im heimatlichen Regensburg. Der heilige Johannes wurde durch Theodolinde in der Folgezeit direkt zum Patron der Langobarden[42].

Ein Johannes-Patrozinium ist übrigens typisch für frühmittelalterliche Kirchen und findet sich im Herzogtum der Agilolfinger ziemlich häufig. So sind unter den 90 im 8. Jahrhundert bezeugten Kirchen Baierns etwa 15 dem Täufer geweiht[43], darunter die Pfarrkirche von Dingolfing, die als eine der ältesten Gotteshäuser des Landes gilt[44]. In Dingolfing hat sich eine herzogliche Pfalz (»villa publica«) befunden; hier wurde die Synode von 770 abgehalten[45].

hl. Erhard wäre somit als Vorläuferbau der Alten Kapelle und damit als Pfalzkapelle zu bezeichnen.«

[40] Vgl. Paulus Diaconus, Hist. Lang. III,30; Schaffran, Geschichte der Langobarden (oben Anm. 2) 40 ff.; P. Stockmeier, Aspekte zur Frühgeschichte des Christentums in Bayern, in: Beiträge zur altbayerischen Kirchengeschichte 27 (1973) 11–35, hier 30–33.

[41] Die Weiheinschrift lautet nach Paulus Diaconus, Hist. Lang. IV,21: »Offert gloriosissima Theodolinda regina una cum filio suo Adalvald rege sancto Iohanni patrono suo de dono dei et de dotibus suis donationis, quam et suorum praesentia scribere fecit.« Dieser Hinweis findet sich nicht in allen Handschriften, jedoch u. a. in einem in Monza geschriebenen Codex (MGH, Kleine Ausgabe Hannover 1878, 154).

[42] Vgl. Paulus Diaconus, Hist. Lang. V,6: »Gens Langobardorum qui in Italia habitant, superari modo ab aliquo non potest, quia regina quaedam ex alia provincia veniens basilicam in honorem Domini et sancti Iohannis baptistae construxit in Langobardorum finibus et ornavit facultatibus honorificis. Famuli et famulae et reliqua sibi subiecta sunt ibi, et sacerdotes in ipso oraculo fideliter serviunt, et propter hoc ipse sanctus Iohannes pro Langobardorum gente continuo intercedit.« Text nach der Handschrift von Monza (MGH Hannover 1878, 186).

[43] Vgl. M. Fastlinger, Die Kirchenpatrozinien in ihrer Bedeutung für Altbayerns ältestes Kirchenwesen (München 1897) 29. Auch die Eigenkirche des bairischen Grafen Aribo in Millstadt (Kärnten) aus der frühen Karolingerzeit war dem heiligen Johannes geweiht; vgl. H. Dolenz, Die frühchristliche Kirche in Laubendorf am Millstätter See, in: Carinthia I 152 (= Gotbert Moro-Festschrift, Klagenfurt 1962) 38–64, hier 64.

[44] Vgl. F. Markmiller, Dingolfing (1971) 8–12.

[45] Vgl. Janner, Bischöfe 102–105.

Johannes-Kirchen gab es im Gebiet des späteren bairischen Herzogtums nachweisbar sogar schon in der 2. Hälfte des 5. Jahrhunderts. Nach der Vita des Eugippius hat Severin († 482) zu Favianis (bei Wien) eine »basilica sancti Iohannis« errichtet und Johannes-Reliquien aus dem Orient erhalten (c. 23,2)[46]. Gegen M. Fastlinger[47] ist in diesem Zusammenhang ausdrücklich zu betonen, daß die frühen Johannes-Patrozinien in Baiern nicht regelmäßig Taufkirchen darstellen.

Das ursprüngliche Patrozinium von Niedermünster scheint im Volk lange lebendig geblieben zu sein, wie seine relativ späte Bezeugung durch Andreas von Regensburg im 15. Jahrhundert nahelegt. In der Barockzeit war dem heiligen Johannes in der Stiftskirche wenigstens noch ein Altar geweiht. Außerdem gab es eine dem Täufer geweihte Kapelle; sie befand sich nach dem Zeugnis des Weihbischofs von Warttenberg vom Jahr 1674 ganz nahe bei Niedermünster (»Sanct Johannis des Tauffer Capellen«), und zwar dort, »wo man jetzt auff den Freudhoff hinaus gehet«[47]. Ähnlich wie hier besteht auch das ursprüngliche Georgs-Patrozinium der St. Emmeramskirche in der rechten Seitenkapelle weiter[49].

Von der ersten agilolfingischen Pfalzkapelle sind im Boden von Niedermünster Teile der Grundmauern erhalten geblieben. Diese lassen erkennen, daß es sich um eine geostete Hallenkirche mit Rechteckchor (lichte Länge 21,5, Breite 8,6 m) gehandelt hat[50]. An der Nordwand befinden sich innen die Gräber zweier Bischöfe, des um 700 wirkenden heiligen Erhard (von dem im 1. Kapitel die Rede war), sowie des seligen Albert, Erzbischofs von Cashel (Irland), der bei einem Besuch seines Freundes Erhard starb[51].

---

[46] Vgl. R. Noll, Eugippius. Das Leben des heiligen Severin (Berlin 1963) 88 und 135; K. Gamber, Die Severins-Vita als Quelle für das gottesdienstliche Leben in Norikum während des 5. Jahrhunderts, in: Römische Quartalschrift 65 (1970) 145–157, hier 147f.

[47] Vgl. oben Anm. 43.

[48] A. E. Graf von Warttenberg, Schatz-Kammer der seeligsten Jungfrauen Maria auf Sion (Regensburg 1674) 57; Walderdorff, Regensburg 215.

[49] Vgl. oben S. 34 – Für die St. Emmeramskirche ist ebenfalls bald nach 740 ein Johannesaltar bezeugt; vgl. M. Piendl, Quellen und Forschungen zur Geschichte des Reichsstifts St. Emmeram in Regensburg (= Thurn und Taxisstudien 1, Kallmünz 1961) 13.

[50] Hinsichtlich der sinnbildlichen Bedeutung des Rechteckchores als Nachahmung des kubischen Allerheiligsten (»sancta sacntorum«) im Tempel von Jerusalem vgl. K. Gamber, Liturgie und Kirchenbau (= Studia liturgica et patristica 6, Regensburg 1976) 115f.

[51] Vgl. P. Mai, Der heilige Bischof Erhard, in: Schwaiger, Bavaria Sancta II (Regensburg 1971) 32–51, hier 36f.

K. Schwarz möchte in diesem Gotteshaus wegen der beiden Bischofsgräber nicht die Pfalzkapelle, sondern die erste Kathedrale von Regensburg sehen. Auch ist er der Ansicht, diese älteste Kirche sei erst um 700 erbaut worden[52]. Eine Entstehung noch im 6. Jahrhundert scheint mir aber aus inneren Gründen wahrscheinlicher zu sein. Eine Pfalzkapelle muß es nämlich schon zur Zeit der Theodolinde gegeben haben; es sind aber, wenigstens an dieser Stelle, keine Fundamente einer noch älteren Kirche ausgegraben worden. Zudem läßt sich eine genaue Datierung so früher Bauten allein aus den Fundamenten nicht bewerkstelligen. Daß unter dem Fußboden, wie Schwarz als Beweis anführt, Keramik des 7. Jahrhunderts gefunden wurde, besagt (wenn die Datierung richtig ist) lediglich, daß der betreffende Fußboden im 7. Jahrhundert gelegt wurde[53].

Denselben Grundriß wie die erste Pfalzkapelle zeigt eine vor kurzem in ihren Fundamenten (Pfostenlöchern) ausgegrabene Holzkirche im ehemals römischen Stupinga (heute Staubing bei Weltenburg)[34]. Das Gotteshaus, das vermutlich aus der ersten Hälfte des 7. Jahrhunderts stammt, war 14 m lang und 7,5 m breit, wovon 4 m auf den quadratischen eingezogenen Chorraum fallen; es war daher kleiner als das in Regensburg.

Ganz ähnlich wie die beiden genannten Gotteshäuser ist der Grundriß der frühkarolingischen Saalkirchen in Solnhofen, in Aschheim sowie in Brenz, auf dem Kirchfeld zu Klais, um nur einige neue Ausgrabungen zu nennen.[55] Dieser Kirchenbau-Typus war im frühen Mittelalter in Süddeutschland allgemein üblich. Wir finden ihn aber auch in Oberitalien und zwar schon sehr früh im Gebiet von Friaul[56] genauso wie im Vinschgau, wo die Prokulus-

---

[52] Vgl. Schwarz, Archäologische Geschichtsforschung (oben Anm. 29) 16f.: »Die Kirche muß in der Zeit um 700 entstanden sein. Das belegen die jüngeren Kleinfunde und das Erhardbegräbnis.« – »Im Voraus sei angemerkt, daß ich die Kirche für ein vom Baiernherzog Theodo in Auftrag gegebenes, am Herzogshof gelegenes und zunächst dem Wanderbischof Erhard für seine Aufgaben zur Verfügung gestelltes Bauwerk halte.«

[53] Vgl. K. Schwarz, Die Ausgrabungen im Niedermünster zu Regensburg (Kallmünz 1971) 30.

[54] Vgl. H. Frei – K. Schwarz, Ein altbaierisches Kirchdorf (= Aus der archäologischen Denkmalpflege in Bayern 1973/2).

[55] Vgl. V. Milojčić, Ergebnisse der Grabungen von 1961–1965 in der Fuldaer Propstei Solnhofen an der Altmühl, in: 46.–47. Bericht der Römisch-Germanischen Kommission 1965–1966 (Berlin 1968) 133–174, hier 191; W. Sage, Das frühmittelalterliche Kloster in der Scharnitz, in: Beiträge zur altbayerischen Kirchengeschichte 27 (1973) 87–102, hier 90 und 95 Anm. 16.

[56] Vgl. G. C. Menis, Plebs de Nimis. Ricerche sull'architettura romanica et altomedioevale in Friuli (Udine 1968) 88–101.

Kirche mit ihren berühmten Malereien vielleicht noch aus dem Ende des 8. Jahrhunderts in Naturns steht, sowie ebenda das Sisinnius-Kirchlein in Laas[57]. Durch die bairische Mission wurden im 8./9. Jahrhundert ähnliche Gotteshäuser auch im mährischen Raum errichtet[58].

Daß das Fest des in der Pfalzkapelle begrabenen Bischofs Erhard im Prager Tassilo-Sakramentar fehlt, ist auf den ersten Blick auffällig und scheint gegen eine Bestimmung unseres Liturgiebuches für diese Kirche zu sprechen. Doch ist der heilige Erhard im 8. Jahrhundert, als das Sakramentar entstand, noch nicht offiziell als Heiliger verehrt worden, sondern erst seit der Erhebung seiner Gebeine im Jahr 1052. Die ältesten Zeugnisse einer Verehrung Erhards stammen aus dem 10. Jahrhundert[59].

In unserem Meßbuch fehlt auch das Fest des heiligen Emmeram, dessen Kult in der 1. Hälfte des 8. Jahrhunderts einsetzte; er war damals aber noch auf seine Begräbnisstätte, die alte Georgs-Kirche, beschränkt. Daß sein Gedächtnis in unserm Liturgiebuch nicht erscheint, während es in dem für die Domliturgie bestimmten Bonifatius-Sakramentar nachgetragen ist[60], stellt einen erneuten Hinweis auf die Redaktion des Prager Tassilo-Sakramentars außerhalb der beiden bischöflichen Kirchen, St. Peter und St. Emmeram, dar.

II

Nachdem die Bestimmung unseres Sakramentars für eine St. Johannes-Kirche, näherhin für die agilolfingische Pfalzkapelle in Regensburg, geklärt worden ist, geht es im folgenden darum, das Johannes-Formular selbst zu besprechen sowie einige weitere in diesem Meßbuch vorkommende Formulare für Heiligenfeste, soweit sie Besonderheiten, z. B. eigene Präfationen, aufweisen.

Das Johannes-Formular für den 23./24. Juni (Vigil- und Festmesse) ist, wie

---

[57] Vgl. K. Gamber, Das St. Prokulus-Kirchlein bei Naturns, seiner archäologischen und liturgiegeschichtlichen Bedeutung nach untersucht, in: Römische Quartalschrift 69 (1974) 143–158.

[58] Vgl. J. Cibulka, Velkomoravsky kostel v Modré u Veleh radu a začátky Krestantvé na Moravé (Praha 1958) und den Ausstellungskatalog »Großmähren« (Berlin 1968) Abb. 81.

[59] Vgl. Mai, Der heilige Bischof Erhard (oben Anm. 51) 41 ff.

[60] Vgl. Gamber, Das Bonifatius-Sakramentar (oben Anm. 10) 53.

gesagt, nicht nur durch eine Überschrift in großen Schmuckbuchstaben und durch eine verzierte Initiale ausgezeichnet, es zeigt auch in der Festmesse (Formular 146 ed. Dold-Eizenhöfer) eine eigene Präfation, die in dieser Form sonst nirgends erscheint. In einer längeren Fassung jedoch kommt sie weithin gleichlautend in beneventanischen und mailändsichen Meßbüchern, nicht aber in den Gelasiana, vor. Wir stellen im folgenden die Mailänder Fassung der Präfation im Sakramentar von Bergamo (= AmB)[61] derjenigen im Prager Sakramentar (= Pr) gegenüber (die beneventanische zeigt einen geringfügig abweichenden Text)[62]:

<table>
<tr><td align="center">AmB 972</td><td align="center">Pr 146,1</td></tr>
</table>

In die festiuitatis hodiernae quo *beatus baptista iohannes* exortus est exultare, Qui uocem [. . .] *solusque omnium prophetarum* quem praenuntiauit ostendit [. . .] Digne natalis eius hodie solemnia recensemus digne inter natos mulierum maior apparuit. qui deum hominemque perfectum filium tuum ihm xpm dominum nostrum et praedicare meruit et euidenter ostendere. Quem laudant.

Digne enim *beatus baptista iohannes* cuius hodie solemnia recensemus inter natos mulierum maior non apparuit. quoniam deum hominemque perfectum filium tuum dominum nostrum *solus omnium prophetarum* et predicare meruit et euidenter ostendere xpm dominum nostrum.

Die Gegenüberstellung zeigt, daß der Bearbeiter des Textes in Pr lediglich den Schluß der in Benevent und Mailand verwendeten Vorlage übernommen hat, wobei er zu Beginn aus den Einleitungsworten der vollständigen Formel »beatus baptista iohannes« und aus dem weiteren Text »solus omnium prophetarum« eingefügt hat.

Wie diese nur in beneventanischen und mailändischen Liturgiebüchern bezeugte Präfation nach Regensburg gekommen bzw. wer der Bearbeiter des Textes ist, wissen wir nicht. Möglicherweise handelt es sich um einen Re-

---

[61] Herausgegeben von A. Paredi, Sacramentarium Bergomense (= Monumenta Bergomensia VI, Bergamo 1962) 253; ebenso u. a. im Sakramentar von Biasca, herausgegeben von O. Heiming (= Liturgeschichtliche Quellen und Forschungen 51, Münster 1969) 130 Nr. 903.

[62] Herausgegeben von A. Dold, Umfangreiche Reste zweier Plenarmissalien des 11. und 12. Jhs. aus Monte Cassino. In: Ephem. liturgicae 53 (1939) 130.

gensburger Kleriker des 8. Jahrhunderts, der die Präfation aus dem hier verwendeten Bonifatius-Sakramentar[63] entnommen und entsprechend gekürzt
hat.

Das genannte angelsächsische Sakramentar, dessen Blätter mit dem Johannes-Formular leider nicht erhalten geblieben sind, kommt schon deshalb als
Vorlage in Frage, weil auch in anderen Fällen Präfationen, die in den Gelsiana
fehlen, gerade in beneventanischen, mailändischen und angelsächsischen
Meßbüchern überliefert sind[64]. Der Grund dafür liegt in der Abhängigkeit
der genannten Zeugen vom Sakramentar des Paulinus von Nola († 431), das
die Quelle für diese Präfationen gebildet hat[65].

Suchen wir nach weiteren Meßformularen für Heiligenfeste, die entweder
nur im Prager Tassilo-Sakramentar vorkommen oder hier durch eine eigene
Präfation oder sonstwie auffallen! Wir müssen dabei mehrmals zwei jüngere
Regensburger Meßbücher aus der Zeit kurz vor bzw. nach dem Jahr 1000
zum Vergleich heranziehen, nämlich das Wolfgangs-Sakramentar (= Wo)[66],
jetzt in der Kapitelsbibliothek von Verona (Cod. 87) und das sog. Rocca-Sakramentar (= Ro)[67], jetzt in der Vatikanischen Bibliothek (Cod. Vat. lat.
3806).

Obwohl nur einige Jahre zwischen der Niederschrift der beiden Codices liegen, stimmen diese doch in wichtigen Punkten nicht überein. Wahrscheinlich
stammen sie aus verschiedenen kirchlichen Zentren in Regensburg (Dom,
Niedermünster oder Alte Kapelle)[68]. Auch die Fragmente des Regensburger

[63] Vgl. Gamber, Das Bonifatius-Sakramentar (oben Anm. 10).

[64] Vgl. K. Gamber, Das Basler Fragment. Eine weitere Studie zum altkampanischen
Sakramentar und zu dessen Präfationen, in: Revue bénéd. 81 (1971) 14–29, vor allem
22 ff.

[65] Vgl. K. Gamber, Das kampanische Meßbuch als Vorläufer des Gelasianum. Ist
der hl. Paulinus von Nola der Verfasser?, in: Sacris erudiri XII (1961) 5–111.

[66] Vgl. Gamber, CLLA Nr. 940. Edition in Vorbereitung (S. Rehle).

[67] Vgl. Gamber, CLLA Nr. 941. Edition von A. Rocca (1593); zur Heimat der
Handschrift vgl. O. Heiming, in: Jahrbuch für Liturgiewissenschaft IV (1924)
185–187.

[68] Wie einige Beobachtungen zeigen, so die eingestreuten Pontifikal-Riten, vor allem aber die Tatsache, daß der Name des Bischofs Wolfgang am Schluß des »Exultet«
ausdrücklich genannt wird, dürfte es sich bei Wo um ein ursprünglich für den Regensburger Dom bestimmtes Prunkmeßbuch handeln. Es wurde jedoch hier nicht lange
verwendet, sondern wohl noch zu Lebzeiten Wolfgangs an den Bischof Otbert von
Verona weitergegeben; vgl. A. Ebner, Das Sakramentar des hl. Wolfgang in Verona,
in: Der heilige Wolfgang (Regensburg 1894) 163–181, hier 164 f. – Während in Wo die
Regensburger Eigenmessen innerhalb des Corpus des Sakramentars erscheinen, bilden
sie in Ro, wo Pontifikal-Funktionen fehlen, einen eigenen Anhang; vgl. die Edition
desselben im Appendix II der oben in Anm. 10 genannten Ausgabe des Bonifatius-Sakramentars.

Bonifatius-Sakramentars, besonders dessen Kalendar (Walderdorffer Blätter)[69], werden erneut heranzuziehen sein.

Am 22. Februar finden wir in unserem Meßbuch (Nr. 36 ed. Dold-Eizenhöfer) ein Formular für das Fest Petri Stuhlfeier (»In cathedra sci petri«). Dieses Fest fehlt im Sacramentarium Gelasianum, zu dessen Typus bekanntlich die Handschrift gehört[70]. Es feht auch im stadtrömischen Gregorianum[71] und kommt nur in den Gelasiana mixta vor[72].

Ein Sakramentar dieses Typus, der sich auch sonst im Prager Sakramentar bemerkbar macht[73], könnte hier als Quelle gedient haben. Doch stimmen mit dem Gelasianum mixtum nur die Orationen überein; die Präfation ist Eigengut und begegnet uns sonst am Fest des heiligen Matthäus[74].

Die beiden jüngeren Regensburger Meßbücher Wo und Ro enthalten dagegen genau das Formular des Gelasianum mixtum, d. h. mit der üblichen Präfation und einer »Super populum«-Formel. Ro fügt ein weiters Formular bei, das in keinem anderen Liturgiebuch nachgewiesen werden kann[75]. Dies zeigt erneut, welch hohen Rang das Fest Petri Stuhlfeier in Regensburg während des Frühmittelalters gehabt hat[76]. Im Kalendar von Wo ist es daher auch durch Goldschrift hervorgehoben[77].

Das Formular für das Fest des heiligen Gregor am 12. März (Nr. 12) stellt deutlich eine Regensburger Eigenmesse dar. Es ist außer im Prager Tassilo-

[69] Vgl. P. Siffrin. Das Walderdorffer Kalenderfragment, in: Ephem. liturg. 47 (1933) 201–224; Gamber, Das Bonifatius-Sakramentar (oben Anm. 10) 53–59.

[70] Vgl. Dold-Eizenhöfer, Das Prager Sakramentar VII. 13–17.

[71] Vgl. K. Gamber, Sacramentarium Gregorianum I (= Textus patristici et liturgici 4, Regensburg 1966).

[72] So u. a. im St. Galler Sakramentar, herausgegeben von K. Mohlberg (= Liturgiegeschichtliche Quellen 1/2, Münster 1918), Nr. 42 S. 32, oder im Rheinauer Sakramentar, herausgegeben von A. Hänggi – A. Schönherr (= Spicilegium Friburgense 15, Freiburg/Schweiz 1970) Nr. 31 S. 96.

[73] So stammt aus einem Sakramentar im Typus des Gelasianum mixtum der Sakramentar-Titel und das 1. Formular in Pr; vgl. Dold-Eizenhöfer, Das Prager Sakramentar 44–70. – Zu den Gelasiana mixta vgl. K. Gamber, Heimat und Ausbildung der Gelasiana saec. VIII (Junggelasiana), in: Sacris erudiri XIV (1963) 99–129.

[74] Vgl. K. Mohlberg (oben Anm. 72) Nr. 1210 S. 186.

[75] Der Text des Formulars findet sich abgedruckt in: VO 115 (1975) 213 Anm. 73.

[76] Die Synode von Tours vom Jahr 567 erwähnt in can. 22 die (heidnische) Sitte, an diesem Tag Speisen auf die Gräber zu stellen: »Sunt etiam qui in festivitate cathedrae domini Petri apostoli cibos mortuis offerunt et post missas redeuntes ad domus proprias ad gentilium revertuntur errores« (MGH, Còncilia I 133); vgl. A. Lechner, Mittelalterliche Kirchenfeste und Kalendarien in Bayern (Freiburg 1891) 39; Th. Klauser, Die Kathedra im Totenkult der heidnischen und christlichen Antike (= Liturgiewissenschaftliche Quellen und Forschungen, ²Münster 1971) 157ff.

[77] Vgl. Ebner, Das Sakramentar des hl. Wolfgang (Anm. 68) 172.

Sakramentar nur in einem der beiden Regensburger Meßbücher, nämlich im Anhang von Ro, nachweisbar[78]. Es enthält hier ebenfalls eine eigene Präfation. Diese erscheint in anderen Sakramentaren am Fest des heiligen Marcellus (16. Januar), hat jedoch gegen Schluß einen anderen Wortlaut.

In Ro begegnet uns noch ein zweites Gregor-Formular; es ist dem Gelasianum mixtum entnommen und steht im Hauptteil des Meßbuches. Das Formular in Wo stellt dagegen das in den späteren Gregoriana übliche dar. Es lassen sich demnach in Regensburg während des Frühmittelalters drei verschiedene Messen für das Gregor-Fest nachweisen, was auf eine besondere Verehrung dieses Papstes hier schließen läßt.

Eine Eigenmesse stellt ebenfalls das Formular für das Fest des heiligen Georg (»Passio sci georgi« überschrieben) am 24. April (Nr. 112) dar. Dieser Termin (statt am 23. April) ist mailändisch-ambrosianisch. Man darf jedoch daraus nicht den voreiligen Schluß ziehen, daß hier direkt mailändischer Einfluß vorliegt, da auch im Sakramentar von Monza das Georgs-Fest unter dem 24. April verzeichnet erscheint[79]. Es dürfte sich um einen allgemein in Oberitalien gebräuchlichen Termin handeln, möglicherweise bedingt durch die Feier des Festes an diesem Tag bei den Arianern[80].

Das altertümliche Georgs-Formular ist in Pr leider unvollständig überliefert. Ein früherer Redaktor des Meßbuches bzw. der Abschreiber hat nämlich aus dem zweiten »Super oblata«-Gebet eine Oration »post communionem« gemacht und dann den Rest des ursprünglichen Formulars (mitsamt der Präfation) einfach weggelassen. Zu bemerken ist noch, daß die zweite Hälfte der ersten Oration mit dem Schluß der zweiten Formel des später zu besprechenden Zeno-Formulars übereinstimmt[81].

Um eine Eigenmesse (ohne Präfation) handelt es sich ferner beim Gedächtnis der Übertragung der Reliquien des heiligen Martin (»Die translatio. conf. sci martini«) am 4. Juli (Nr. 155). Dieser Gedenktag findet sich auch im Kalendar des Regensburger Bonifatius-Sakramentars. Unser Formular könnte sogar aus diesem Meßbuch übernommen sein, doch sind die entsprechenden Partien leider nicht erhalten. Genau die gleiche Messe wie in Pr kommt auch

[78] Vgl. Gamber, Das Bonifatius-Sakramentar und weitere frühe Liturgiebücher aus Regensburg (oben Anm. 10) 107.

[79] Vgl. A. Dold – K. Gamber, Das Sakramentar von Monza (= Texte und Arbeiten, 3. Beiheft, Beuron 1957) Nr. 210 S. 61*.

[80] Bei den Griechen wird das Fest jedoch am 23. April gefeiert; vgl. N. Nilles, Kalendarium Manuale utriusque ecclesiae (Innsbruck 1896) I,143. Noch in den ältesten gedruckten Regensburger Missalien erscheint der Georgs-Tag unter dem 24. April.

[81] Vgl. unten S. 93 ff.

in den beiden jüngeren Regensburger Sakramentaren Wo und Ro, sonst aber nirgends mehr vor[82].

Das Formular für das Fest Peter und Paul am 29. Juni (Nr. 152) weist ebenfalls eine eigene Präfation auf; es handelt sich jedoch um die in den Gelasiana übliche. Bei der relativ geringen Zahl an Präfationen in unserer Handschrift läßt ihr Vorkommen auf eine besondere Verehrung der Apostelfürsten in Regensburg schließen[83].

Außer dem in etwas größeren Buchstaben gehaltenen Titel zeigt die Messe für das Fest des heiligen Michael (»In nat sci michael«), des Schutzpatrons mehrerer Völker, darunter der Langobarden[84], am 29. September (Nr. 194) keine Besonderheit. Eine eigene Präfation fehlt wie in der Vorlage, dem Gelasianum; doch deutet die Hervorhebung der Überschrift – wir finden dieselbe Buchstabengröße wie im folgenden Martins-Formular – auf eine stärkere Verehrung des Erzengels bei uns hin.

Das Fest des heiligen Martin, des Patrons der Merowinger[85], am 11. November ist im Prager Sakramentar durch zwei Formulare ausgezeichnet: zuerst finden wir ein jüngeres, das aus dem Sacramentarium Gregorianum stammt (ed. Lietzmann Nr. 205), dann ein älteres, das formal dem gallikanischen Ritus angehört und fast gleich im Missale Gothicum (ed. Mohlberg 206) vorkommt[86].

Das zweite Formular findet sich als Ganzes nur in diesem wohl aus der Gegend von Tours stammenden Liturgiebuch. Wir dürfen daher vermuten, daß ein ähnliches Sakramentar, wie es das Missale Gothicum ist, einer der Regensburger Missionsbischöfe, die aus dem Frankenreich gekommen waren,

[82] Vgl. Gamber, Das Bonifatius-Sakramentar (oben Anm. 10) 109. In Ro ist auch die Präfation erhalten, die in Pr ausgefallen ist.

[83] Im Prager Sakramentar finden wir wie im Gelasianum für das Fest am 29. Juni zwei Formulare und zwar eine »Missa in [uigilia] sci petri proprie« (Nr. 151 = V II,30) und eine solche »In nat. apostolorum petri et pauli« (Nr. 152 = V II,31), außerdem eine für den 30. Juni (»In nat sci pauli proprie«). Bei »uigilia« handelt es sich offensichtlich um eine Einfügung; sie fehlt im Gelasianum.

[84] Vgl. E. Gothein, Die Kulturentwicklung Süditaliens (1886) 41–111. Der heilige Michael erscheint in der Zeit der Gefahr für das langobardische Volk neben Johannes und Petrus; vgl. Paulus Diaconus, Hist. Langob. V,6 (oben Anm. 42).

[85] Vgl. Th. Zwölfer, Sankt Peter, Apostelfürst und Himmelspförtner (Stuttgart 1929) 68; Fr. Prinz, Frühes Mönchtum im Frankenreich (München-Wien 1965) 19ff.

[86] Mit dem Missale Gothicum (vgl. Gamber, CLLA Nr. 210) stimmen die erste Oration und die Präfation (sie findet sich auch im Bobbio-Missale) überein. Die »Super oblata«-Formel (in den Gelasiana mixta am Fest des hl. Damasus) und die »Ad complendum« sind Eigentexte. Letztere Formel scheint im Missale Gothicum bei der Abschrift ausgefallen zu sein.

vielleicht der heilige Rupert, mitgebracht haben. Rupert hat bekanntermaßen auch Reliquien des heiligen Martin von Tours mit sich geführt[87].

Die letzte Eigenmesse des Prager Sakramentars ist die des heiligen Zeno von Verona, des »langobardischen Hausheiligen«[88], am 8. Dezember (Nr. 219). Es wird darüber in einem eigenen Kapitel zu reden sein (vgl. unten S. 92 ff.). Für die vier Marien-Feste »Purificatio« (2. Februar), »Annuntiatio« (25. März), »Adsumptio« (15. August) und »Natiuitas« (8. September) finden wir in Pr die aus dem Gelasianum bekannten Formulare. Wie dort fehlen auch bei uns jeweils eigene Präfationen. Das Formular für Mariä Himmelfahrt (Nr. 174) ist durch eine etwas kunstvollere Initiale ausgezeichnet[89].

III

Im folgenden wird versucht, die Eigenmessen des Prager Tassilo-Sakramentars (Georg, Martin, Zeno, Gregor) und die durch eine eigene Präfation ausgezeichneten Formulare für Heiligenfeste (Petri Stuhlfeier, Peter und Paul) mit Regensburger Kirchen und Kapellen, vor allem in der Nähe der herzoglichen Pfalz, in Verbindung zu bringen.

Beginnen wir mit einer Kirche mit Petrus-Patrozinium, das am Fest Petri Stuhlfeier (22. Februar) begangen worden ist. Es dürfte kaum einem Zweifel unterliegen, daß damit die Bischofskirche St. Peter, die »mater ecclesiarum« von Regensburg[90], in Verbindung zu bringen ist.

Ein direktes Patrozinium »Petri Stuhlfeier« (»Cathedra sci Petri«) ist zwar für den späteren romanischen bzw. gotischen Dom nirgends bezeugt – es ist, wie wir oben sahen (S. 39), allgemein von einer »ecclesia sancti Petri apostolorum principis« die Rede –, doch scheint die Erinnerung an das ursprüngliche Patrozinium am 22. Februar (und nicht wie später am 29. Juni) bis ins 13./14. Jahrhundert hinein lebendig geblieben zu sein.

[87] Vgl. M. Schellhorn, in: Heiliger Dienst 15 (1961) 94 Anm. 10: »Man könnte fragen, wieso die Martinsreliquien nach Salzburg kamen. Wahrscheinlich hat sie Rupert aus seiner fränkischen Heimat mitgebracht und für sie die Martinskirche gebaut.« Auch in seinem Grab wurden Martins-Reliquien gefunden.

[88] Vgl. H. Vogel, Über die Anfänge des Zeno-Kultes in Bayern, in: Beiträge zur altbayerischen Kirchengeschichte 27 (1973) 177–203, hier 181.

[89] Der Vollständigkeit halber sei noch erwähnt, daß auch das Fest der »Passio sci iohannis baptistae« am 30. (nicht wie sonst am 29.) August (Nr. 182) ebenfalls eine größere Initiale aufweist.

[90] Vgl. oben S. 40.

So stand, wie A. Hubel mit gutem Grund annimmt, im Chor des gotischen Domes – und zwar an zentraler Stelle – die jetzt im Museum aufbewahrte Figur des auf der bischöflichen Kathedra sitzenden Petrus[91], also ein Gegenstück zur bekannten Bronze-Figur in St. Peter in Rom. Dazu kommt noch, daß die gleiche Darstellung auf den gotischen Glasgemälden des Chorraums noch zweimal wiederkehrt[92]. Weniger klar sehen wir hinsichtlich einer Kirche mit Marien-Patrozinium. Daß es in Regensburg schon früh ein der Gottesmutter geweihtes Heiligtum gegeben hat, wird allgemein angenommen; sie wird meist bei der Alten Kapelle gesucht[93]. Doch könnte auch der »Alte Dom«, wie die St. Stephans-Kapelle im Domkreuzgang genannt wird[94], ehedem ein Marien-Patrozinium aufgewiesen haben. Dies legt die fragmentarisch erhaltene Weiheinschrift nahe, in der es heißt:

... (zu Ehren) des (heiligen) Kreuzes und zu Ehren der heiligen Maria, der Mutter des Herrn, und besonders des heiligen Stephanus, des ersten Märtyrers, dessen Reliquien hier aufbewahrt werden mitsamt der Reliquien der heiligen Märtyrer Johannes (und Paulus) ...[95]

[91] A. Hubel, Der Erminoldmeister und die deutsche Skulptur des 13. Jahrhunderts, in: Beiträge zur Geschichte des Bistums Regensburg 8 (1974) 53–241, hier 197–223. Hubel möchte die Figur mit einem Grabmal des Bischofs Heinrich von Rotteneck († 1284) in Verbindung bringen (S. 218). Der Hinweis auf die Totenbräuche im Zusammenhang mit dem Fest Petri Stuhlfeier (vgl. oben Anm. 76) scheint mir jedoch nicht überzeugend zu sein; es bestehen zum mindesten im 13. Jahrhundert keine derartigen Zusammenhänge mehr. Ich vermute, daß die Figur in der mittleren Nische des Chores (heute wegen der Orgel nicht mehr sichtbar) ihren Platz gehabt hat. Ihrer Größe nach hätte sie leicht hier Aufstellung finden können. Auch ihre Tiefe von 71 cm bedeutet kein Hindernis. Ebenso wäre auch das kleine Fenster der Nische nicht verdeckt gewesen und hätte das notwendige Licht für die Plastik gespendet. Dies hindert nicht, daß das (Boden-)Grab des Bischofs Heinrich sich unmittelbar unterhalb der Figur befunden hat. Diese dürfte jedoch nicht einen Teil seines Grabmales gebildet, sondern wegen ihrer zentralen Stellung den Patron des Domes verherrlicht haben. Die Skulptur befand sich demnach dort, wo in den Basiliken der Thron des Bischofs aufgestellt war.
[92] Vgl. Der Dom zu Regensburg, Bd. I: A. Elsen, Die Bildfenster (Berlin 1940) 15, ferner die Übersicht auf S. 12 der Tafeln; Kdm, Oberpfalz XXII,1, 86 und 89.
[93] Ob freilich die Tradition zurecht besteht, daß die Alte Kapelle an der Stelle eines heidnischen (Juno-)Heiligtums errichtet und vom heiligen Rupertus eingeweiht worden ist, möge dahingestellt bleiben; vgl. Walderdorff, Regensburg 252; J. Schmid, Die Geschichte des Kollegiatstifts U. L. Frau zur Alten Kapelle in Regensburg (Regensburg 1922) 1–2.
[94] Darüber oben S. 42 f.
[95] Vgl. Piendl. Fragen zur frühen Regensburger Stadttopographie (oben Anm. 23) 67. Es handelt sich um Reliquien, wie sie im Mittelalter in das Sepulchrum des oben S. 49 ff. eingehend besprochenen Altares nachträglich eingefügt worden sind.

Es spricht einiges dafür, daß es sich bei der späteren Stephanskapelle ehedem um den linken Bau einer Doppelanlage gehandelt hat, wie sie in Aquileja sowie in anderen Kirchen dieses Patriarchats, so u. a. in Grado, Verona und auf dem Hemmaberg im Drautal (Kärnten), zu finden sind[96]. Dieser linke Bau war in frühchristlicher Zeit für die Unterrichtung der Taufkandidaten bestimmt und verschiedentlich, so in Grado, der Gottesmutter geweiht[97].

Da die vier Marienfeste im Prager Sakramentar keine Besonderheiten, vor allem keine Präfationen, aufweisen, erlaubt dieser Befund keinen sicheren Hinweis auf eine Marienkirche innerhalb des Bezirks der herzoglichen Pfalz; er spricht jedoch auch nicht dagegen. Die Marienfeste waren damals fast allgemein begangen worden[98]; ihre Formulare stammen, wie bereits erwähnt, aus der gelasianischen Vorlage unseres Meßbuches.

Wir müssen weiterhin nach einer Kirche mit Apostel-Patrozinium suchen. Dabei ist naheliegend, an die spätere Pfarrkirche des Stiftes Niedermünster in der Erhardigasse (Patrozinium Peter und Paul) zu denken (Lit. F 169b). Sie befindet sich in unmittelbarer Nähe der ehemaligen Pfalzkapelle, der späteren Stiftskirche, und ganz nahe bei der agilolfingischen Pfalz.

Es ist nur mehr der gotische Bau erhalten[99]. Dieser durchbricht die Römermauer und befindet sich mit dem Chor außerhalb derselben. Ursprünglich dürfte die Kirche an die Römermauer angebaut gewesen sein, die lange Zeit im Ostteil der Stadt zugleich Stadtbefestigung war.

Die spätere Pfarrkirche von Niedermünster war nach frühmittelalterlichem Brauch ursprünglich wohl allen Aposteln, und nicht nur (wie später) den beiden Apostelfürsten Petrus und Paulus, geweiht. Noch aus dem 5. Jahrhundert stammt die Apostel-Kirche in Ravenna[100]. Auch der Frankenkönig Clodwig († 511) hat zusammen mit seiner Gemahlin in Paris eine »basilica

---

[96] Vgl. K. Gamber, Domus Ecclesiae (= Studia patristica et liturgica 2, Regensburg 1968) 20–33 (Doppelanlagen als Bischofskirchen).

[97] Vgl. C. Lambot, North Italian Services of the Eleventh Century (= Henry Bradshaws Society 67, London 1931) 13: »Sequente vero sabbato post mediam quadragesimam veniant in ecclesiam maiorem, faciant superiorem ordinem et tunc eant catecumini ad sanctam Mariam«, wo dann der Skrutinienritus stattfindet, vgl. auch G. Morin, in: Revue bénéd. 39 (1927) 56–80; 46 (1934) 216–223.

[98] Die bairische Synode in Neueching vom Jahr 799 mußte in can. 10 die Feier dieser vier Marienfeste nochmals eigens einschärfen (MGH, Leges III 2,1 97 ff.); Janner, Bischöfe 142. In der Hauptstadt Regensburg scheint man jedoch in dieser Frage schon seit langem mit gutem Beispiel vorangegangen zu sein.

[99] Vgl. Walderdorff, Regensburg 232; Kdm, Oberpfalz XXII,3 21 f.

[100] Vgl. F. W. Deichmann, Ravenna. Geschichte und Monumente I (Wiesbaden 1969) 24.

apostolorum« errichtet. Vermutlich genauso alt ist eine solche Apostelkirche in Metz[101].

In der gleichen Straße, in der die Apostelkirche (Peter und Paul) in Regensburg steht, befindet sich etwas weiter nördlich, nur wenige Schritte vom genannten Gotteshaus entfernt, eine Martins-Kapelle, die an die Römermauer angebaut ist (Lit. F 171a). Sie ist heute nicht mehr in ihrer ursprünglichen Gestalt erhalten, sondern nur in einem schlichten, seiner Bausubstanz nach vielleicht noch mittelalterlichen Bau, der seit der Säkularisation in ein Wohnhaus umgebaut ist[102].

Dem heiligen Martin, dem Patron der Franken, geweihte Heiligtümer begegnen uns regelmäßig auf befestigten Königshöfen der Merowinger[103], so nimmt es uns nicht wunder, daß auch in Regensburg eine Martinskirche innerhalb des Gebietes der herzoglichen Pfalz zu finden ist, da die Agilolfinger bekanntlich politisch von den Merowingerkönigen abhängig waren.

Eine weitere Martinskirche gibt es in Regensburg jetzt nicht mehr. Lediglich in der im vorigen Jahrhundert abgerissenen Domkustoderie befand sich eine dem Patron der Franken geweihte Kapelle[104]. Doch begegnet uns eine Reiterfigur des heiligen Martin, zusammen mit einer solchen des heiligen Georg, innen links und rechts des Haupteingangs im Dom[105]. Den beiden waren auch bis in die Barockzeit in der Kathedrale Altäre geweiht[106].

Nur wenige Meter weiter nördlich in der Erhardigasse stoßen wir abermals auf ein Heiligtum, das alle Zeichen höchsten Alters aufweist, die sogenannte Erhardi-Krypta (Lit. F 172), über deren ursprüngliches Zeno-Patrozinium später eingehend zu reden sein wird (vgl. S. 107ff.).

Wiederum einige Meter weiter, an der Nord-Ostecke des Römerkastells, sind die Reste einer romanischen Georgskirche zu erkennen (Lit. F 173)[107]. Der Bau durchbricht, ähnlich wie die Peter und Paul-Kirche, die Stadtmauer nach Norden; er ist seit der Säkularisation profaniert[108].

Diese Häufung von Heiligtümern in der Erhardigasse ist jedenfalls auffällig.

---

[101] Vgl. Zwölfer, St. Peter (oben Anm. 85) 69; Prinz, Frühes Mönchtum im Frankenreich (Anm. 85) 192.
[102] Vgl. Walderdorff, Regensburg 231f.
[103] Vgl. C. A. Bernoulli, Die Heiligen der Merowinger (Tübingen 1900) 231.
[104] Vgl. J. Lipf, Matrikel des Bistums Regensburg (Regensburg 1838) 245.
[105] Vgl. Kdm, Oberpfalz XXII,1 108f.
[106] Vgl. Wassenberg, Ratisbona Religiosa Band IV (MS in der Bischöfl. Zentralbibliothek Regensburg vom Jahr 1686) fol. 168.
[107] Vgl. J. R. Schuegraf, Die Kapelle St. Georgii an der Halleruhr, in: Unterhaltungsblatt der Regensburger Zeitung 1841 Nr. 54/55; dazu ders., in: VO 21 (1862) 79.
[108] Vgl. Walderdorff, Regensburg 218; Kdm, Oberpfalz XXII,3 46.

Dabei scheint die Beobachtung wichtig zu sein, daß sowohl die Apostel- als auch die Martins-, Zeno- und Georgskirche etwa im gleichen Abstand voneinander und alle unmittelbar an der römischen Stadtbefestigung liegen. Zwei dieser Bauten haben, wie gesagt, in späterer Zeit bei einer Erweiterung des Kirchenraums die Mauer durchbrochen. Bezeichnenderweise handelt es sich bei den Patronen der Gotteshäuser um dieselben Heiligen, denen im Prager Sakramentar Eigenmessen gewidmet sind.

Der gleiche Abstand und die Lage unmittelbar an der Stadtbefestigung läßt vermuten, daß diese Gebäude ursprünglich gar keine christlichen Heiligtümer waren, sondern daß sie mit der römischen Stadtmauer in Zusammenhang stehen, näherhin mit den in regelmäßigen Abständen im Innern der Lagerbefestigung angebrachten Wachtürmen[109].

Solche haben bekanntlich ehedem in großer Zahl die Regensburger Stadtmauer überragt. So ist bereits in der steinernen Gründungsurkunde, die einst über der »Porta orientalis« angebracht war und aus der Zeit des Kaisers Marc Aurel stammt, von »portis et turribus« die Rede[110]. Ebenso spricht Arbeo in der Emmerams-Vita von der Stadt »Radaspona ... turrium exaltata magnitudine«[111].

Ein römischer Mauerturm, der sich im Innern der Lagerbefestigung befand und an diese angebaut war, wurde vor einigen Jahren in seinen Fundamenten im Grabungsgelände bei St. Clara freigelegt[112]. Er weist ein Bodenfundament von 8 m² auf und bietet uns die Möglichkeit des Vergleichs[113].

Wie R. Eichhorn berichtet, ist von der ehemaligen Pfarrkirche des Stiftes Niedermünster (Peter und Paul), von der oben die Rede war, die alte Sakristei erhalten, die jetzt als Keller benützt wird. Darin »erblickt man die imposante Römermauer ... anschließend den Unterbau des Turmes und nach oben ein aus Ziegeln geformtes Gewölbe. Die Anzeichen sprechen dafür, daß der Ursprung ... ein römischer Wachturm war«[114].

Sehr wahrscheinlich haben wir es bei der »alten Sakristei« – diesen Namen

[109] Zur Stadtbefestigung vgl. R. Strobel, in: VO 102 (1962) 209–223.
[110] Vgl. Walderdorff, Regensburg 78.
[111] Arbeo, Vita vel passio Haimhrammi c. 6 (ed. Krusch 36).
[112] Vgl. U. Osterhaus, Beobachtungen zum römischen und frühmittelalterlichen Regensburg, in: VO 112 (1972) 7–17, hier 13 (mit Abb. 4 und 5).
[113] So können wir jetzt vermuten, daß der »Goldene Turm« in der Wahlenstraße in seinen Fundamenten (Grundriß nicht ganz 8:8 m) ebenfalls noch in die Römerzeit zurückgeht. Ist dies richtig, dann läge ein Hinweis auf den Verlauf der Westmauer von Castra Regina vor, von der bis jetzt noch keine Steine »in situ« gefunden worden sind. Zum »Goldenen Turm« vgl. Kdm, Oberpfalz XXII,3: Regensburg 160f.
[114] R. Eichhorn, Römisches Regensburg (hektograph. Arbeit 1961) 30.

trägt der Keller heute noch – mit dem ältesten Teil der in der Zeit der Gotik neu errichteten Pfarrkirche zu tun. Später wurde dieser Raum nicht mehr als Kapelle, sondern nur noch als Sakristei benützt.

Daß die sog. Erhardi-Krypta (Zeno-Kapelle) ähnlich wie die »alte Sakristei« von Peter und Paul, den unteren Teil eines römischen Wachturms gebildet hat, legen bereits deren Größenverhältnisse nahe. Der Raum hat im Innern eine Länge von 6,56 und eine Breite von 5,91 m; er ist also fast quadratisch[115]. Die Außenmauern sind, ähnlich wie die des ausgegrabenen Mauertums, in der Länge und Breite fast genau 8 m groß. Hinsichtlich des Georgs- und des Martins-Kirchleins liegen leider diesbezüglich keine Vergleichsmöglichkeiten vor, da beide in späterer Zeit starke bauliche Veränderungen erfahren haben.

Die Untergeschosse der römischen Mauertürme boten sich von selbst zur Benützung als Kapellenräume an. Möglicherweise gingen ihnen sogar heidnische Kultstätten voraus. Leider können jetzt nur mehr vier solcher Turmkapellen nachgewiesen werden. Ob auch die restlichen Türme der Ostmauer, soweit sie zum Bezirk der herzoglichen Pfalz gehörten, als Kapellen eingerichtet waren?

So fehlt uns aufgrund des Befunds des Prager Tassilo-Sakramentars noch eine Gregor- sowie eventuell auch eine Michaels-Kapelle. In späterer Zeit begegnet uns letztere nördlich des Stifts der Alten Kapelle, jedoch ohne Beziehung zur Stadtmauer[116]. Von einer Gregor-Kirche innerhalb der Herzogspfalz weiß die Überlieferung nichts. Dagegen befand sich in der späteren Emmerams-Kirche eine »capella s. Gregorii et s. Georgii«[117].

Wenn wir die genannten Kirchen-Patrozinien rückblickend ansehen, fällt auf, daß die »Fürsten« der einzelnen Heiligengruppen bevorzugt sind[118]. Wir finden außer Maria, der Mutter Gottes, an erster Stelle den heiligen Johannes

---

[115] Vgl. Kdm, Oberpfalz XXII,2, 136.

[116] Vgl. H. Gerbel, 365 Kirchen und Kapellen in Regensburg. Eine kulturgeschichtliche Studie, in: Regensburger Anzeiger 1935 (1., 8., 15. und 22. Dezember). Zur Hofkapelle St. Michael im Bischofshof vgl. Walderdorff, Regensburg 199. – Dem heiligen Michael (und dem heiligen Petrus) war die agilolfingische Gründung Mondsee geweiht, wie es in der Urkunde Tassilos vom Jahr 748 heißt: ». . . monasterium qui vocatur maninseo, qui est constructus . . . in honore sancti mihaelis et sancti petri vel ceterorum sanctorum«; vgl. W. Steinböck, Die Klostergründungen von Mondsee und Mattsee durch die Agilolfingerherzöge Odilo und Tassilo, in: Studien und Mitteilungen OSB 85 (1974) 496–515, hier 503.

[117] Vgl. Wassenberg, Ratisbona Religiosa (oben Anm. 106) 172.

[118] Vgl. E. Klebel, Zur Geschichte des Christentums in Bayern vor Bonifatius, in: Sankt Bonifatius (Fulda 1954) 394.

d. T., den »größten der vom Weibe geborenen« (Matth 11,11), sowie Petrus, den Fürsten der Apostel (und dann nochmals zusammen mit Paulus), weiterhin Michael, den Fürsten der Engel[119], Georg, den Großmärtyrer (wie er in der Ostkirche genannt wird) neben Zeno, dem Hauspatron der Langobarden, und Martin, dem Hauspatron der Frankenkönige, und nicht zuletzt Gregor, der im Mittelalter besondere Verehrung genossen hat. Man wollte sich anscheinend des Schutzes der mächtigsten Heiligen vergewissern.

Auch dies muß noch erwähnt werden: Hinweise auf ein Kloster bzw. klösterliche Verhältnisse fehlen im Prager Sakramentar genauso wie Formulare für ausgesprochen bischöfliche Funktionen (Priesterweihe, Kirchweihe usw.); ebenso fehlt darin ein Hinweis auf ein Cassian-Patrozinium, obwohl dieses, wie oben (S. 17) gezeigt, auf eine sehr frühe Zeit zurückgeht. Unser Meßbuch war demnach deutlich auf die liturgischen Verhältnisse der Pfalzkapelle abgestimmt[120].

‡

Wir müssen uns, wie die obigen Ausführungen gezeigt haben, die agilolfingische Pfalz mit einem Kranz von Kirchen und Kapellen umgeben vorstellen. Die größten Gotteshäuser waren die Kirchen St. Peter (Kathedrale), St. Johannes (Pfalzkapelle) und vermutlich auch St. Maria (Alte Kapelle oder »Alter Dom«).

Die Patrone St. Johannes und St. Maria erscheinen ebenso auf dem eingangs erwähnten Tassilo-Kelch in Kremsmünster (Abb. 18)[121]. Dieser trägt als Schriftband den Vers: »Tassilo dux fortis + Luitpirc virga regalis« (Tassilo

---

[119] Diese drei »Fürsten« erscheinen auch in der Monzaer Handschrift der Hist. Langob. des Paulus Diaconus (V,6) als Patrone der Langobarden: »Eadem hora visae sunt ei tres personae spirituales, quarum una erat archangeli michaelis, secunda iohannis baptistae, tertia apostoli petri« (ed. Hannover 1878 p. 186).

120 Der Anhang des Prager Tassilo-Sakramentars, der Rituale-Texte enthält, läßt auf das Vorhandensein größerer Speicher- und Kelleranlagen innerhalb der herzoglichen Pfalz (in der heutigen »Speichergasse«?) schließen. Wir finden außer verschiedenen Segnungen zwei Gebete über die Speicher (»Oratio in granario« und »Benedictio horrei«), von denen die zweite Formel nur in unserm Meßbuch vorkommt, ferner ein Segensgebet für den Keller (»Oratio in cellario«); vgl. Dold-Eizenhofer, Das Prager Sakramentar Nr. 278, 279 und 284.

[121] Vgl. P. Stollenmayer, Der Tassilokelch (= Professoren-Festschrift zum 400-jährigen Bestande des Öst. Obergymnasiums der Benediktiner zu Kremsmünster, Wels 1949); G. Haseloff, Der Tassilo-Kelch (München 1951).

Abb. 18   Tassilo-Kelch in Kremsmünster

der tapfere Herzog, Luitpirc aus königlichem Sproß); er wurde sehr wahrscheinlich als Meßkelch in der Pfalzkapelle verwendet[122].

Auf der einen Seite des Kelchfußes, wo unten der Name Tassilo zu lesen ist,
finden wir rechts in einem Medaillon das Bild des heiligen Johannes d. T.:
»I(ohannes) B(aptista)« überschrieben, links davon vermutlich eine Darstel-

[122] Gegen Stollenmayer, der an eine Entstehung des Kelches in Northumbrien
(England) dachte, und Haseloff, der in Salzburg die Kunstwerkstätte sehen wollte,
möchte ich annehmen, daß der Kelch in Regensburg selbst angefertigt worden ist. Die
von Stollmayer S. 72 ff. festgestellten Beziehungen zur inselländischen (northumbri-
schen) Kunst lassen sich durch den angelsächsischen Einfluß in Regensburg (seit Bonifatius) mühelos erklären. Auch in einigen Initialen des Prager Sakramentars macht sich
insulärer Einschlag bemerkbar (so fol. 3v, 13r, 15v, 16r, 29r, 67r, 74r). Daß der Kelch
in Salzburg entstanden ist, läßt sich wegen Mangels an etwas Vergleichbarem genauso
wenig beweisen, wie eine Anfertigung in Regensburg.

lung des heiligen Theodor: »T(heodor) M(artyr)«, des Namenpatrons des Sohnes des Herzogs Tassilo[123] und Patrons der byzantinischen Kaiser[124].

Dreht man den Kelch um 180°, dann erscheint unten am Kelchfuß der Name der Herzogin Luitpirc, einer Tochter des Langobardenkönigs Desiderius; darüber im Medaillon das Bild der Gottesmutter mit der Beischrift: »M(aria) T(heotokos)« und sehr wahrscheinlich das Bild der bei den Langobarden als Selige verehrten Königin Theodolinde: »P(rinceps)[125] T(heodolinda)«[126]. In der Kelchkuppa begegnen uns das Heilandsbild in der Mandorla und die vier Evangelisten mit ihren Symbolen. Eine ähnliche Darstellung dürfen wir uns auch in der Apsis der herzoglichen Pfalzkapelle denken. Diese Kirche war – das sollte durch die obigen Ausführungen deutlich geworden sein – dem heiligen Johannes d. T. geweiht und befand sich an der gleichen Stelle, an der heute Niedermünster steht.

---

[123] Dieser war Mitregent Tassilos und Mitbegründer von Kremsmünster, wie aus der Stiftungsurkunde des Klosters zu ersehen ist; vgl. P. Stollenmayer, Zur Gründung des Stiftes Kremsmünster 777, in: Studien und Mitteilungen OSB 85 (1974) 300.

[124] Es handelt sich um den »Großmärtyrer« Theodor mit dem Beinamen στρατηλάτης(»dux« = Feldherr, Herzog), der um das Jahr 319 zu Heraclea gelitten hat. Sein Fest im Prager Sakramentar am 9. Nov. (Nr. 203 S. 109*).

[125] Oder auch »P(atrona)«.

[126] Vgl. J. Stadler, Heiligenlexikon V,454 (Fest am 22. Januar).

Der Zeno-Kult in Regensburg

Als A. Dold und L. Eizenhöfer die Edition des Prager Tassilo-Sakramentars, von dem im vorausgegangenen Kapitel eingehend die Rede war, fertigstellten, wagten sie nicht diese Handschrift nach Regensburg zu lokalisieren, obwohl, wie wir sahen, die Namen der sog. Nota historica einwandfrei dafür zu sprechen schienen[1]. Das Haupthindernis bestand darin, daß in diesem Meßbuch eine Verehrung des heiligen Zeno von Verona († um 272) vorausgesetzt wird, die im frühmittelalterlichen Regensburg nicht bezeugt zu sein scheint.

Leider konnten die Herausgeber eine erst während der Drucklegung gemachte Beobachtung nicht mehr in diesem Zusammenhang verwerten, nämlich die auf S. 26 Anm. 1 dargelegte auffallende Übereinstimmung des Zeno-Formulars im Prager Sakramentar mit einem solchen in zwei Regensburger Handschriften des ausgehenden 10. Jahrhunderts, dem Wolfgang- und dem sog. Rocca-Sakramentar[2].

Diese Tatsache zeigt einwandfrei, daß es in Regensburg schon früh eine Verehrung des heiligen Zeno gegeben hat. Schwieriger ist es jedoch, den Ort des Zeno-Kultes selbst festzustellen. Die bis zum Jahr 1615 an der Stelle der heutigen Sakristei der St. Emmeramskirche vorhandene Zeno-Kapelle, die »Clausa« genannt wurde[3], kann schon deshalb nicht der ursprüngliche dem Veroneser Heiligen geweihte Kultraum in Regensburg gewesen sein, weil ihre Entstehung sicher nicht früher liegt als der Neu-Bau der St. Emmeramskirche selbst. Dieser ist, wie wir oben sahen, unter Bischof Sintbert († 791) begonnen worden; er ist also in etwa gleichzeitig mit der Niederschrift unseres Sakramentars.

---

[1] Vgl. A. Dold – L. Eizenhöfer, Das Prager Sakramentar (= Texte und Arbeiten 38/42, Beuron 1949) 17–28.

[2] Der Text des Zeno-Formulars nach dem Rocca-Sakramentar ist ediert von K. Gamber, Das Bonifatius-Sakramentar und weitere frühe Liturgiebücher aus Regensburg (= Textus patristici et liturgici 12, Regensburg 1975) 115. Dazu kommen noch eine Reihe weiterer Übereinstimmungen zwischen dem Prager Sakramentar und diesem; vgl. ebd. 105 ff.

[3] Vgl. Bericht von den heiligen Leibern und Reliquien, welche in dem fürstlichen Reichs-Gottes-Haus S. Emmerami ... aufbehalten werden (Regensburg 1761) 64: »Capella S. Zenonis, alias Clausa nuncupata«; Kdm, Oberpalz XXII, 1 (Regensburg) 317.

I.

Bevor wir aber nach einem weiteren und zwar älteren Zeno-Heiligtum in Regensburg Ausschau halten und auf das Fortbestehen des Zeno-Kultes hier eingehen, ist zuerst das Zeno-Formular in der Fassung, wie sie das Prager Sakramentar für die Feier am 8. Dezember bietet, zu untersuchen und mit dem Wortlaut in den genannten Regensburger Handschriften sowie mit weiteren Zeugen zu vergleichen.

Wir bringen zuerst die Fassung im Prager Sakramentar (Sigel Pr)[4] und zwar mit allen Fehlern (jedoch unter Auflösung der Kürzungen) und vermerken dabei die Varianten im Wolfgang[5] – und im sog. Rocca-Sakramentar[6] (Sigel Wo bzw. Ro):

> Venerabilem diem beati confessoris tui zenonis deuotionis[1] sancte[2] hodie celebramus[3]. conseruatorem omnia[4] fratres karissimi[5] fideliter deprecemur. ut piis[6] nostris pre<cibus>[7] clemens ac propitius aspiras, sicut et illa[8] misericordiam largiaris. per
>
> [1] deuotionis Pr] deuotione Wo Ro   [2] sancte Pr] sancta Wo Ro   [3] celebramus Pr] celebrantes te domine Wo Ro   [4] omnia Pr] ominum Wo Ro   [5] fratres karissimi Pr] – Wo Ro   [6] piis Pr] pius Wo Ro   [7] pre Pr] precibus Wo Ro   [8] illa Pr] illi Wo Ro

> SECRETA. Deus qui fulgentibus margaritis clarum lumen inferis mundo. qui beato pontifice tuo[1] zenone[2] eterne[3] in caelis coronam gloriae[4] preaeparasti. et nobis quoque famulis tuis adstantibus ante conspectu[5] maiestatis[6] tuae adesse digneris. per
>
> [1] pontifice tuo Pr] pontificatu Wo pontificato Ro   [2] zenone Pr] zenonis Wo Ro   [3] eterne Pr] aeternam Wo Ro   [4] gloriae Pr] – Wo Ro   [5] conspectu Pr] conspectum Wo Ro   [6] maiestati Pr] maiestatis Wo Ro

> POST COMMUNIONEM. Deus qui tali ecclesiae tuae fecisti pontificem. ut talem[1] nostris temporibus constituisti sacerdotem, qui purissimam et inmaculatam hostiam possit offerrre. per
>
> [1] ut talem Pro Wo] uitalem Ro

Die Varianten zwischen Pr einerseits und Wo und Ro andererseits machen deutlich, daß Pr wohl die älteste, jedoch eine fehlerhafte Fassung bietet. Die

---

[4] Formular Nr. 219 (S. 117*) der Ausgabe Dold-Eizenhöfer (siehe oben Anm. 1).
[5] Text bei Migne, PL 11,215 (Missa III); zur Handschrift vgl. CLLA Nr. 940.
[6] Text bei Gamber, Das Bonifatius-Sakramentar (oben Anm. 9) 115.

meisten Irrtümer dürften auf das Konto des Schreibers von Pr gehen, der auch im übrigen Text der Handschrift immer wieder Fehler macht[7]. Wo und Ro stammen deshalb nicht direkt von Pr ab, sondern müssen von einer Schwester-Handschrift abhängig sein[8].

Das Wolfgangs-Sakramentar (= Wo), ist, wie die erfolgten Nachträge, darunter ein weiteres Zeno-Formular für das Fest am 12. April, zeigen, schon bald nach seiner Fertigstellung nach Verona, den Ausgangspunkt der Zenoverehrung, gelangt[9]. Dies dürfte der Grund dafür sein, daß unser Regensburger Zeno-Formular plötzlich auch in relativ späten Meßbüchern aus dem Zeno-Kloster (Sigel Ze) auftaucht[10]. Ein Bearbeiter hatte versucht, den fehlerhaften Text zu verbessern. Dies ergab dann folgende neue Fassung, die wir mit der in Wo vergleichen:

> Venerabilem diem beati pontificis et[1] confessoris tui zenonis deuotione sancta hodie celebrantes. te domine bonorum[2] omnium auctorem[3] fideliter deprecamur[4]. ut illius[5] precibus exoratus[6] misericordiam tuam[7] heic et in sempiternum nobis largiaris[7]. per
>
> [1] pontificis et Ze] – Wo [2] bonorum Ze] conseruatorem Wo [3] auctorem Ze] – Wo [4] deprecamur Ze] deprecemur Wo [5] illius Ze] pius nostris Wo [6] exoratus Ze] clemens ac propitius aspiras sicut et illi Wo [7] tuam . . . nobis Ze] – Wo

> SECRETA. Deus qui uelut[1] fulgentibus margaritis clarum lumen sacerdotum[2] infers mundo. quique[3] beato pontifici[4] zenoni aeternam in caelis coronam gloriae[5] contulisti[6]. et nobis quoque famulis tuis adstantibus ante conspectum maiestatis tuae gratiae[7] tuae lumen perfrui concede[7]. per
>
> [1] uelut Ze] – Wo [2] sacerdotum Ze] – Wo [3] quique Ze] qui Qo [4] pontifici Ze] pontificatu Wo [5] gloriae Ze] – Wo [6] contulisti Ze] praeparasti Wo [7] gratiae . . . concede Ze] adesse digneris Wo

---

[7] Vgl. Dold-Eizenhöfer, Das Prager Sakramentar 79–90: Die Fehlerhaftigkeit unserer Handschrift und ihre Ursachen.

[8] Es sind mehrere solcher Schwester-Handschriften in Fragmenten erhalten; vgl. Gamber, Das Bonifatius-Sakramentar (oben Anm. 2) 89–103.

[9] Vgl. A. Ebner, Das Sakramentar des hl. Wolfgang in Verona, in: J. B. Mehler, Der heilige Wolfgang, Bischof von Regensburg (Regensburg 1894) 163–181, hier 164.

[10] Text bei Migne, PL 11,215 f. (in den Anmerkungen). Die Handschrift befindet sich jetzt in Mailand, Bibl. Ambrosiana, Cod. H 255 inf. und stammt aus dem 12. Jahrhundert (Mitteilung von B. Baroffio). Zur Handschrift vgl. A. Ebner, Iter Italicum (Freiburg 1896) 84–86.

POST COMMUNIONEM. Deus qui talem[1] ecclesiae tuae fecisti pontificem. et[2] talem nostris temporibus constituisti sacerdotem. qui purissimam et immaculatam tibi[3] hostiam posset offerre. fac[4] nos eiusdem pontificis et sacerdotis patrociniis adiuuari[4]. per

[1] talem Ze] tali Wo   [2] et Ze] ut Wo   [3] tibi Ze] – Wo   [4] fac . . . adiuuari Ze] – Wo

In einem früheren Aufsatz wurde von mir die Vermutung geäußert, daß die mitgeteilte Fassung in den Meßbüchern von San Zenone in Verona direkt auf die Veroneser Urfassung zurückgeht[11]. Davon bin ich jedoch inzwischen abgekommen, da ich zur Einsicht gelangte, daß der fehlerhafte Text im Wolfgangs-Sakramentar die Quelle darstellt und daß der Bearbeiter im Zeno-Kloster von sich aus versucht hat, daraus einen sinnvollen Wortlaut zu gestalten. Änderungen bzw. Ergänzungen waren vor allem jeweils am Schluß der 1. und 3. Formel notwendig.

Im folgenden werden zwei weitere Fassungen des Zeno-Formulars aus dem altbayerischen Raum untersucht, zuerst die Salzburger Fassung, wie sie in der aus dem Salzburger Raum stammenden Handschrift 2235 in der Biblioteca Marciana zu Venedig aus dem 11./12. Jahrhundert erscheint (fol. 154r)[12]. Da es sich um einen relativ jungen Codex handelt, darf es uns nicht wundern, daß ähnlich wie im Meßbuch von San Zenone auch hier sekundäre Änderungen erscheinen. Wir vergleichen den Text im Codex von Venedig (Sigel Ve) mit dem in Pr und Wo:

Venerabilem diem beati zenonis confessoris tui atque pontificis[1] deuotione sancta[2] hodie celebrantes[3]. clementiam tuam domine humili prece deposcimus[4]. ut[5] sicut illi[6] pro meritis gloriam ita nobis illo intercedente[7] ueniam[8] largiri digneris[9]. per

[1] atque pontificis Ve] – Pr Wo   [2] deuotione sancta Ve Wo] deuotionis sancte Pr   [3] celebrantes Ve Wo] celebramus Pr   [4] clementiam . . . deposcimus Ve] conseruatorem . . . aspiras Pr Wo   [5] ut Ve] – Pr Wo   [6] illi Ve Wo] illa Pr   [7] pro meritis . . . intercedente Ve] – Pr Wo   [8] ueniam Ve] misericordiam Pr Wo   [9] largiri digneris Ve] largiaris Pr Wo

SECRETA. Deus qui fulgentibus margeritis clarum lumen inseris[1] mundo. quo beato pontifici[2] zenoni[3] eternam[4] in celis gloriam[5] donasti[6].

---

[11] K. Gamber, Die gallikanische Zeno-Messe. Ein Beitrag zum ältesten Ritus von Oberitalien und Bayern, in: Münchener Theol. Zeitschrift 10 1959) 295–299.
[12] Text nach der Handschrift; vgl. auch Gamber, Die gallikanische Zeno-Messe 296.

nobis[7] quoque famulis tuis stantibus[8] in[9] conspectu[10] maiestatis tue
adesse dignare[11]. per

[1] Ve] inferis Pr Wo   [2]pontifici Ve] + tuo Pr pontificatu Wo   [3]zenoni Ve
] zenone Pr zenonis Wo   [4] eternam Ve Wo] eterne Pr   [5] gloriam Ve] coronam
gloriae Pr coronam Wo   [6] donasti Ve] praeparasti Pr Wo   [7] nobis Ve] et nobis
Pr Wo   [8] stantibus Ve] adstantibus Pr Wo   [9] in Ve] ante Pr Wo   [10] conspectu
] Ve Pr conspectum Wo   [11] dignare Ve] digneris Pr Wo

POST COMMUNIONEM. Deus qui beatum zenonem[1] talem[2] ecclesie
tue fecisti pontificem concede[3] propitius. ut sacramenta tua que indigni
percepimus. Ipso opitulante nobis proficiant ad medelam[3]. per

[1] beatum zenonem Ve] – Pr Wo   [2] Ve] tali Pr Wo   [3] concede . . . medelam
Ve] ut talem . . . offerre Pr Wo

Neben unbedeutenden Varianten, wie »ueniam« statt »misericordiam« oder
»donasti« statt »praeparasti«,sind auch größere Unterschiede festzustellen.
So ist in der Salzburger Fassung der sinnlose Text der 3. Formel in den Regensburger Handschriften Pr, Wo und Ro, der hier nur aus einem Relativsatz
besteht, gekürzt und durch eine angefügte Bitte erweitert. Obwohl in der
jüngeren Veroneser Fassung Ze eine ähnliche Änderung zu beobachten ist,
stimmen Ze und Ve miteinander nicht überein. Letztere Beobachtung scheint
sehr wichtig zu sein. Gingen nämlich Ze und Ve in diesem Fall gegen Pr (Wo
und Ro) zusammen, dann dürfte man die Schlußfolgerung ziehen, daß Ze und
Ve den ursprünglichen Text bieten.
Für unsere Untersuchung ist weiterhin die Tatsache von Bedeutung, daß die
Regensburger Handschriften (Pr, Wo und Ro) in den Varianten fast geschlossen gegen Ve zusammengehen, ausgenommen in den Fällen, in denen
sie offensichtlich fehlerhaften Text bieten. Wenn Ve von der in Pr und Wo
gemeinsamen Fassung abweicht, bietet es regelmäßig einen jüngeren Text,
abgesehen vom Schluß der 1. Formel, wie später zu zeigen sein wird.
Die Salzburger Fassung findet sich auch in Liturgiebüchern des Zeno-Klosters in Reichenhall, hier jedoch nicht für eine Feier am 8. Dezember, sondern
»In festo translationis sancti Zenonis episcopi et martyris« am 21. Mai, und
zwar mit sekundären Änderungen (»diem translationis«, »martyris tui atque
pontificis«, »illo pro peccatis nostris intercedente«)[13].
Weit mehr als die Salzburger Fassung weicht die in den Freisinger Liturgiebüchern, auch noch im gedruckten Missale Frisingense vom Jahr 1520, von
der in Pr und den anderen genannten Texten ab. Hier ist nur noch der 1. Satz

[13] Text bei Migne, PL 11,218 B.

der 1. Formel annähernd gleich, Sekret und Postkommunio bieten einen völlig anderen Text:

Venerabilem diem beati zenonis confessoris atque pontificis domine annua deuotione celebramus. presta quaesumus ut eius patrocinio confidentes a peccatorum nostrorum uinculis eruamur. per[14]

Für uns von Interesse ist hier lediglich die Wendung »celebramus«, die ebenso in Pr erscheint, die jedoch in Wo und Ro sowie in Ze und Ve durch »celebrantes« ersetzt ist. Trotz der fast vollständigen Neufassung zeigt damit der Freisinger Text deutlich seinen Ursprung aus Regensburg. Während das eben erwähnte »celebramus« nicht unbedingt ursprünglich zu sein braucht, gilt dies auf jeden Fall für die nur noch in Pr erscheinende Anrede »fratres karissimi«, wie durch den Vergleich mit einer Formel im gallikanischen Missale Gothicum (Sigel Go) deutlich wird. Es handelt sich um das 1. Gebet des Meßformulars für das Fest der heiligen Caecilia am 22. November[15]. Wir setzen beide Texte (Go und Pr) untereinander, wobei wir offensichtliche Fehler von Pr nach Wo in eckigen Klammern verbessern:

Go: Venerabilem ac sublimen beatae martyris   caeciliae
Pr: Venerabilem   diem   beati   confessioris tui zenonis

Go: passionem et sanctam sollemnitatem pia deuotione
Pr: deuotion[e] sanct[a]

Go: celebrantes. conseruatorem omnium deum fratres karis-
Pr: hodie celebramus. conseruatorem omnia   fratres karis-

Go: simi   depraecemur ut piis   aecclesiae
Pr: simi fideliter depraecemur ut pi[i]s nostris

Go: suae praecibus   propitius adsistat et sicut   illi
Pr: pre[cibus] clemens ac propitius aspiras   sicut et   ill[i]

Go: hodie coronam dedit nobis quoque misericordiam largiatur.
Pr: misericordiam largiaris.

14 Vgl. A. Lechner, Mittelalterliche Kirchenfeste und Kalendarien in Bayern (Freiburg 1891) 92; Dold-Eizenhöfer, Das Prager Sakramentar 38 Anm. 2. – Ähnlich in einer Handschrift des 11. Jahrhunderts in Brixen, Priesterseminar Cod. E 3 (92), fol. 246v (». . . celebrantes«) (Mitteilung von B. Baroffio); dazu F. Segala, Contributo allo studio e alla interpretazione delle messe di San Zeno vescovo di Verona nella liturgia medievale fino al secolo XII (Istituto Pastorale, S. Giustina, Padova 1976, Maschinenschrift, 240 Seiten).

15 Vgl. L. C. Mohlberg, Missale Gothicum (= Rerum Ecclesiasticarum Documenta, Series Maior, Fontes V. Roma 1961) S. 33 Formel 111.

Der Vergleich macht deutlich, daß die 1. Zeno-Oration in Pr der Caecilia-Oration in Go nachgebildet wurde, wobei die typische Form der Gebetseinladung, wie sie der gallikanische Ritus u. a. bei dem »Praefatio missae« überschriebenen Text jeweils zu Beginn der eigentlichen Opferfeier (»missa«) kennt[16], erhalten geblieben ist. Doch weist die Fassung in Pr einige sekundäre Änderungen (»aspiras« bzw. »largiaris« statt »aspirat« bzw. »largiatur«) in Angleichung an den römischen Orationsstil auf. Während wie gesagt die Anrede »fratres karissimi« nur noch in Pr erscheint, finden sich die genannten Änderungen in allen sonstigen erhaltenen Zeugen.

Der Vergleich zwischen Go und Pr zeigt aber auch, daß gegen Schluß der Formel in Pr etwas ausgefallen sein muß. Die fehlenden Worte sind deutlich in der oben angeführten Salzburger Fassung (Ve) erhalten geblieben:

Go: et sicut   illi hodie coronam dedit   nobis quoque
Pr: sicut et ill[i]
Ve: ut:sicut   illi pro meritis gloriam ita nobis [. . .]

Go: misericordiam largiatur. per
Pr: misericordiam largiaris. per
Ve: ueniam largiri digneris. per

Daraus dürfte sich folgender ursprünglicher Text der 1. Formel des Zeno-Formulars ergeben:

Venerabilem diem beati confessoris tui zenonis deuotione sancta hodie celebrantes (*oder:* celebramus). conseruatorem omnia fratres karissimi fideliter depraecemur. ut piis nostris precibus clemens ac propitius aspirat. et sicut illi pro meritis gloriam ita nobis misericordiam largiatur. per

Zusammenfassend dürfen wir sagen: Daß die fehlerhafte Fassung der 1. Formel des Pr in einer wichtigen Variante auch in den beiden Regensburger Sakramentare Wo und Ro erscheint, weist deutlich auf die Entstehung des Pr in Regensburg hin. Die Salzburger Fassung hat in dieser Hinsicht den besseren Text, dagegen ist die relativ junge Veroneser Fassung sekundär und eine Verbesserung des Textes in Wo.

Für die 2. Formel des Zeno-Formulars ist bis jetzt keine Entsprechung in einem gallikanischen Sakramentar gefunden worden; sie bietet auch textlich

---

[16] Vgl. K. Gamber, Ordo antiquus gallicanus (= Textus patristici et liturgici 3, Regensburg 1965) 32.

kaum Schwierigkeiten. Dagegen ist die 3. Formel, so wie sie dasteht, entweder völlig fehlerhaft oder sie ist unvollständig. Mit ihr haben wir uns nun zu befassen.

Durch Zufall bin ich bei der Durchsicht des gallikanisch-irischen Palimpsest-Sakramentars in München (Clm 14429), dessen schwierige Entzifferung von A. Dold und L. Eizenhöfer geleistet worden ist[17], auf die Quelle dieser eigenartigen Formel gestoßen. Unser Text findet sich hier am Schluß einer »Immolatio missae« (Präfation) für das Fest des heiligen Martin. Die betreffende Stelle lautet:

> . . . qui talem aeclesiae tuae praeficisti pontificem. talem instituisti nostris temporibus aduocatum. qui placentes tibi hostias humilitate carnis et contritione spiritus posset offerre . . .[18]

Wenn man davon ausgeht, daß der Text in Pr ursprünglich eine Präfation gebildet hat, lösen sich damit alle Schwierigkeiten, die er, so wie er dasteht, aufgibt, von selbst. Bekanntlich bestehen nicht wenige Präfationen, so etwa die für die Quadragesima im Missale Romanum, ebenfalls nur aus einem Relativsatz. Der Text des Pr ist demnach wie folgt ergänzend zu verbessern:

> < Vere dignum. usque aeterne> deus. Qui talem ecclesiae < tuae >
> < prae >fecisti ponticem et talem nostris temporibus constituisti sacerdotem. qui purissimam et inmaculatam hostiam < tibi > posset offerre.
> per < Christum dominum nostrum>

Damit sind aber noch lange nicht alle Probleme, die das Zeno-Formular in Pr aufgibt, gelöst, ja sie beginnen damit erst richtig. Warum hat man aus dieser Präfation eine Postkommunion gemacht? Kannte das ursprüngliche Formular keine solche? Da aber die oben angeführten alten bairischen Fassungen des Zeno-Formulars sowie die des davon abhängigen im Missale des Zeno-Klosters in Verona den gleichen Tatbestand aufweisen, daß sie nämlich aus einer Präfation eine Postkommunio machen, müssen alle auf die gleiche fehlerhafte Fassung zurückgehen. Diese kann jedenfalls nicht den Urtext darstellen.

---

[17] Vgl. A. Dold – L. Eizenhöfer, Das irische Palimpsestsakramentar in Clm 14429 der Staatsbibliothek München (= Texte und Arbeiten 53/54, Beuron 1964).

[18] Vgl. Dold-Eizenhöfer, Das irische Palimpsestsakramentar 163 (Schluß der Formel 139).

Die Frage geht dahin: Wo ist die ursprüngliche Fassung unseres Zeno-Formulars entstanden? In Regensburg oder Verona? Die erste Antwort lautet ganz allgemein: auf jedem Fall in einem Gebiet, in dem gallikanische Liturgiebücher in Gebrauch waren, da sowohl die erste als auch die dritte Formel, wie wir sahen, aus solchen abgeleitet sind. Dabei ist hier besonders darauf hinzuweisen, daß es sich um zwei verschiedene Sakramentare gehandelt hat, die als Quelle benützt worden sind: das eine war ein Meßbuch im Typus des Missale Gothicum, das andere im Typus des Münchener Palimpsest-Sakramentars.

Wie der Zufall will, sind beide Meßbuch-Typen für das frühmittelalterliche Regensburg nachweisbar. Aus einer Handschrift im Typus des Missale Gothicum ist nämlich das Martinus-Formular in Pr entnommen[19], während das Münchener Palimpsest-Sakramentar, aus dessen Martinus-Präfation – sie lautet anders als im genannten Missale Gothicum! – unsere 3. Formel gebildet ist, sich vor der Palimpsestierung der Blätter in Regensburg befunden hat[20].

Eine Entstehung des in Bayern verwendeten Zeno-Formulars wäre demnach in Regensburg durchaus möglich gewesen, da die notwendigen Vorlagen dafür vorhanden waren. Trotzdem möchte man nicht zu dieser Annahme neigen und zwar deshalb, weil die Redaktion unseres (in seiner Urgestalt) textlich guten Formulars, obwohl Vorlagen benützt werden, eine Vertrautheit in der Abfassung liturgischer Texte voraussetzt. Eine solche ist für das frühmittelalterliche Regensburg nicht anzunehmen. Hier hätte man sich wahrscheinlich eng an die Vorlagen gehalten, so wie es der Verfasser des Georgs-Formulars im Pr (112,1) tat, als er die 2. Formel des Zeno-Formulars fast wörtlich, nur etwas gekürzt, übernommen hat:

Deus qui beato martyre tuo georgio aeternam in caelis coronam gloriae contulisti. et nobis adstantibus ante conspectum maiestatis tuae propitius adesse digernis. per[21]

---

[19] Vgl. Dold-Eizenhöfer, Das Prager Sakramentar Nr. 206, S. 110*.

[20] Reste einer ähnlichen Handschrift wie der Clm 14429 befinden sich auch in Würzburg, wobei zufällig ebenfalls das Martinus-Formular teilweise erhalten ist; vgl. Gamber, CLLA Nr. 216, S. 166. Anscheinend war der Typus weit verbreitet.

[21] Dieses Formular war nicht, wie man meinen könnte, für die ursprünglich dem heiligen Georg geweihte Emmeramskirche bestimmt, sondern für die Georgs-Kapelle innerhalb der herzoglichen Pfalz; vgl. oben S. 86.

Im Gegensatz zur guten textlichen (Ur-)Fassung des Zeno-Formulars steht die deutlich sekundäre Verwendung der Präfation als Postkommunio. Dieser Fehler muß schon sehr früh gemacht worden sein, da alle alten bairischen Formulare ihn aufweisen. Er könnte auf einen Regensburger Kleriker zurückgehen.

Wie kam es zu diesem Fehler? Die einfachste Erklärung ist die, daß bei der Einführung der Zeno-Messe in Regensburg diese in der Vorlage lediglich aus den in Pr und den genannten Handschriften vorhandenen drei Formeln bestanden hat, daß also eine Postkommunio nicht angefügt war.

Das Fehlen der Postkommunio hat eine Parallele im Bobbio-Missale (Anfang des 8. Jahrhunderts), einem gallikanischen Lektionar-Sakramentar aus dem oberitalienischen Raum (wohl Gegend von Pavia-Bobbio)[22]. Hier schließen sämtliche Meßformulare ebenfalls bereits mit der »Contestatio« (Präfation). Der Grund liegt darin, daß in der oberitalienischen Kirche, obwohl noch gallikanische Sakramentare benützt wurden, bereits früh der römische Canon eingeführt war. Er findet sich im Bobbio-Missale mit einer für alle Tage gleichen Postkommunio zu Beginn der Handschrift und wurde bei jeder Meßfeier benützt.

Liturgiebücher aus Gallien wurden in Oberitalien schon seit dem 4. Jahrhundert verwendet[23]. Während der Ordo gallicanus in der Mailänder Kirche bei aller Angleichung an die römische Liturgie als »ambrosianischer« Ritus noch heute zu erkennen ist, wurde er in anderen Metropolen Oberitaliens schon vom 6. Jahrhundert an allmählich aufgegeben, am frühesten in Ravenna[24]. Wann in Verona dieser Umwandlungsprozeß begonnen hat, wissen wir nicht; auch nicht, wann er abgeschlossen war. Die Redaktion des im gallikanischen Gebetsstil abgefaßten Zeno-Formulars muß jedenfalls in die Zeit zurückreichen, als hier noch die Messe nach dem Ordo gallicanus gefeiert wurde.

Interessant ist in diesem Zusammenhang daß sich auch aus anderen oberitalienischen Städten noch in relativ späten Handschriften für das jeweilige Patrozinium Formulare im gallikanischen Gebetsstil erhalten haben, die meist

---

[22] Vgl. Gamber, CLLA Nr. 220 S. 167–169.
[23] Vgl. K. Gamber, Die Autorschaft von De sacramentis (= Studia patristica et liturgica 1, Regensburg 1967) 56–61; ders., Ist der Canon-Text von »De sacramentis« in Mailand gebraucht worden?, in: Ephem. liturg. 79 (1965) 109–116.
[24] Vgl. K. Gamber, Missa Romensis. Beiträge zur frühen römischen Liturgie und zu den Anfängen des Missale Romanum (= Studia patristica et liturgica 3, Regensburg 1970) 107–115.

nur notdürftig dem Stil der römischen Orationen angepaßt sind[25]. Dazu gehört auch das Formular, das in Verona am 12. April, dem Todestag des heiligen Zeno, üblich war. Es erscheint erstmals in einem hier verwendeten, später nach Padua gelangten Sakramentar aus der Mitte des 9. Jahrhunderts[26] und besteht aus sechs Formeln[27].

Das Zeno-Formular für den 8. Dezember, wie es in Pr vorliegt, weist gegenüber den Formularen in den gallikanischen Meßbüchern eine beschränkte Anzahl an Gebeten auf. Im Normalfall besteht eine solche »Missa« aus folgenden Formeln: »Praefatio missae«, einer Gebetseinladung, die an die versammelten Gläubigen gerichtet ist, mit anschließender »Collectio«, einer Bitte an Gott. Darauf folgen Orationen »post nomina« (nach der Verlesung der Diptychen) und »ad pacem«, zum Friedenskuß, der im gallikanischen Ritus vor dem Eucharistiegebet seinen Platz hat; danach die »Immolatio missae«, das Opfergebet, in Oberitalien regelmäßig »Contestatio« (Dankgebet) genannt, unsere Präfation. Nach dieser finden sich in den Liturgiebüchern weitere Stücke des Eucharistiegebets, wie die Orationen »post sanctus«, »post secreta« (nach dem Einsetzungsbericht), »ante (bzw. post) orationem dominicam« sowie Gebete nach der Kommunion[28].

Durch die Einführung des römischen »Canon missae« und dem damit verbundenen Wegfall der Diptychen vor dem Canon und des Friedenskusses wurden die Orationen »post nomina« und »ad pacem« sowie sämtliche variablen Teile des Eucharistiegebetes, außer der »Contestatio«, überflüssig. So kommt es, daß das gallikanische Zeno-Formulator in der in Pr überlieferten Form die genannten Orationen vermissen läßt und vor der Präfation nur noch

---

[25] Vgl. u. a. die gallikanische Mauritius-Messe in einem Sakramentar aus Vercelli (Ende des 11. Jahrhunderts), jetzt in Mailand, Bibl. Capitolare, Cod. H 200 inf., fol. 108 v: »Deus (*statt:* deum) omnium uirtutum auctorem cordis oratione poscamur . . .«, »Christum dominum deprecemur . . .«; die Sigismund-Messe des Bobbio-Missale (336–338 ed. Lowe) erscheint im Sakramentar von Monza (9./10. Jahrhundert) als Anhang (1129 ed. Dold-Gamber); im gleichen Sakramentar die Alexander-Messe (von Bergamo) mit einer Postkommunio wie in Go (1027). Auch die Justina-Messe (von Padua) im Sakramentar von Salzburg (Anfang des 9. Jahrhunderts) zeigt noch teilweise gallikanischen Gebetsstil (305–308 ed. Dold-Gamber).

[26] Vgl. K. Mohlberg, Die älteste erreichbare Gestalt des Liber Sacramentorum anni circuli der römischen Kirche (Cod. Pad. D 47, fol. 149v–150v) (= Liturgiegeschichtliche Quellen 11/12, Münster 1927) S. XXVIII (Formeln 1212–1217).

[27] Text bei Migne, PL 11, 213f. (Missa I). Mohlberg hat diese Edition übersehen.

[28] In der frühen Literatur ist meist von »septem orationes« die Rede; vgl. den Traktat Isidors »De missa et oratonibus« (De eccl. off. I, 15), der in einer Freisinger Handschrift des 9. Jahrhunderts (Clm 6325) in eigenartiger Weise für den römischen Ritus verändert worden ist; Text bei Gamber, Ordo antiquus gallicanus (oben Anm. 16) 53.

die beiden Gebete enthält, die bei der Verwendung des römischen Canons benötigt wurden.

Damit gewinnen wir aber in etwa den Zeitpunkt der Einführung des Zeno-Formulars, wie es in Pr vorliegt, in Baiern. Es muß sich um die Zeit handeln, als sich in Verona mehr und mehr der römische Ritus durchgesetzt hat. Nachdem in Ravenna dies bereits zu Beginn des 6. Jahrhunderts geschehen ist[29], dürfen wir für Verona spätestens die Zeit um 600 annehmen.

Ein naheliegender Einwand, der gegen Verona als Entstehungsort der Zeno-Messe des Pr zu sprechen scheint, ist hier noch zu entkräftigen. Er gründet in der Tatsache, daß in Verona keine selbständige Überlieferung dieses Meß-formulars zu erkennen ist und die Orationen in den Meßbüchern von San Ze-none, wie gezeigt, ganz deutlich auf dem Text im Wolfgangs-Sakramentar beruhen.

Die Lösung dürfte darin zu suchen sein, daß das gallikanische Meßformular, das für das Zeno-Fest am 8. Dezember bestimmt war, in Verona schon früh und zwar im Zusammenhang mit der Einführung des römischen Ritus abge-schafft und durch ein anderes ersetzt worden ist[30], vielleicht weil es fehler-haften Text aufwies oder schon damals die Postkommunio gefehlt hat.

Wie wir oben sahen, ist dieses gallikanische Meßformular in seiner ältesten überlieferten Gestalt in Pr erhalten. Doch fehlen hier einige Worte gegen Schluß der 1. Oration. Sie lassen sich aber aus der jüngeren Salzburger Fas-sung, die sonst nicht immer den ursprünglichen Text wiedergibt, ergänzen. Stellt deshalb diese nicht doch die ältere Fassung dar?

Das eine steht jedenfalls fest: Wegen der Verwendung der Präfation als Post-kommunio wie in Pr (Wo und Ro) muß die Salzburger Fassung auf den glei-chen fehlerhaften Urtext zurückgehen. Dieser ist aber in einem Regensburger Liturgiebuch, nämlich in Pr, und nur hier, noch im gallikanischen Gebetsstil erhalten. Demnach muß dieser Auslassungsfehler in Regensburg gemacht worden sein und zwar erst nachdem unsere Zeno-Messe nach Salzburg ge-langt war. Eine direkte Übermittlung des Zeno-Formulars von Verona nach

[29] Als einer der ersten hat wohl Bischof Ecclesius (521–534), ein gebürtiger Römer, stadtrömische Liturgiebücher nach seiner Weihe in Rom in seine Bischofsstadt mitge-bracht; so wie es scheint, u. a. ein römisches Capitulare Evangeliorum und zwar auf-grund der Notiz fol. 42r im Clm 6212, einer Evangelienhandschrift, der ein solches Capitulare beigegeben ist; vgl. Gamber , CLLA Nr. 1110 S. 451. Unter Bischof Maxi-mianus von Ravenna (546–556) ist jedenfalls der römische Ritus schon fest verankert; vgl. ebd. S. 313–318.

[30] Vielleicht durch die Missa II bei Migne, PL 11, 214. Die Oration dieser Messe ist noch in einem Brevier des 15. Jahrhunderts von Pavia als Kommemoration am 8. Dezember notiert; vgl. PL 11, 214 n. 1.

Salzburg ist dagegen, wie gesagt, wegen der fehlerhaften 3. Formel nicht wahrscheinlich.

Es ist immer noch nicht eindeutig geklärt, welches Ereignis am 8. Dezember – in Pr (Wo und Ro) lautet die Überschrift schlicht: »nat(ale) sancti zenonis« – ursprünglich gefeiert wurde: der Bischofsweihetag (»ordinatio sancti zenonis«) oder der Tag der Kirchweihe von San Zenone Maggiore in Verona (»dedicatio sancti zenonis«). Letztere Angabe erscheint in den Veroneser Kalendaren vom 9. Jahrhundert an[31], während das Martyrologium Romanum den Jahrestag der Bischofsweihe erwähnt. Diese Notiz wurde in letzter Zeit verschiedentlich als Irrtum hingestellt[32], doch wohl zu Unrecht.

Da nämlich in Mailand eine doppelte Feier zum Andenken an den heiligen Ambrosius schon früh üblich war, an seinem Todestag am 4. April und an seinem Bischofstag am 7. Dezember, dürfen wir einen entsprechenden Tatbestand auch für Verona voraussetzen[33]. Während sich aber im Fall des heiligen Ambrosius im Missale Ambrosianum und im Missale Romanum der Bischofsweihetag als Hauptfest durchsetzen konnte, wird das Gedächtnis des heiligen Zeno in den meisten ihm geweihten Kirchen jetzt am 12. April, seinem Todestag, begangen. Die ältere und ursprünglich einzige Feier ist sicher die am 8. Dezember. Man hat vermutlich diesen Termin gewählt, weil der 12. April, ähnlich wie der Todestag des heiligen Ambrosius am 4. April, in vielen Jahren in die Quadragesima oder in die Osterwoche fällt.

III

Wir kommen nun zu der Frage: wann wurde die Verehrung des heiligen Zeno in Regensburg heimisch und durch welche Umstände ist sie dorthin gebracht worden?

[31] Hier finden wir einheitlich am 12. April »Verona adsumptio zenonis episcopis«, am 21. Mai »Translatio corporis beati zenonis« und am 8. Dezember »Dedicatio ecclesiae beati zenonis« vermerkt; vgl. G. G. Meersseman – E. Adda – J. Deshusses, L'Orazionale dell' arcidiacono Pacifico e il Carpsum del cantore Stefano. Studi et testi sulla liturgia del duomo di Verona dal IX all' XI sec. (= Spicilegium Friburgense 21, Freiburg/Schweiz 1974) 196–201.

[32] Vgl. Analecta Bollandiana 62 (1944) 269; A. Amore, Zenone vescovo di Verona, in: Bibliotheca Sanctorum XII (Roma 1969) 1478.

[33] In den Mailänder Sakramentaren wird im Formular für den 7. Dezember ausdrücklich von der Bischofsweihe des Heiligen gesprochen; auch im Formular des Pr für den 8. Dezember wird in der 3. Formel ähnlich auf die Ordination des heiligen Zeno angespielt (»qui talem ecclesiae tuae fecisti pontificem . . .*«).

Ein ungefährer Termin ergibt sich, wie oben bereits angedeutet, aus dem im gallikanischen Gebetsstil abgefaßten Text unseres Formulars. Dieses muß in Regensburg in einer Zeit eingeführt worden sein, als hier noch der gallikanische Ritus üblich war, also im 7. Jahrhundert.

Es sei nochmals daran erinnert, daß nur mehr die Fassung im Prager Sakramentar den typischen Stil der gallikanischen »Praefatio missae« aufweist, die in einer Gebetseinladung an die versammelten Gläubigen besteht (»Venerabilem diem . . . celebramus: conseruatorem omnia fratres karissimi fideliter deprecemur ut . . .«), während alle anderen bekannten bairischen Fassungen in Angleichung an den römischen Orationsstil daraus ein Gebet an Gott gemacht haben (». . . te domine conseruatorem omnium deprecemur ut . . .«). Versuchen wir den Zeitpunkt näher zu präzisieren! Wie wir aus der Geschichte wissen, ist die bairische Herzogstochter Theodolinde – ihre Mutter Walderada, eine gebürtige Langobardin, war vorher mit dem Frankenkönig verheiratet[34] – im Jahre 589 mit dem Langobardenkönig Authari die Ehe eingegangen. Die Hochzeit fand in (der Nähe von) Verona, einer der Residenzen der Langobardenherrscher statt[35]. Einige Monate zuvor hatten die Wasser der Etsch eine Hochwasserkatastrophe hervorgerufen. Wie durch ein Wunder haben damals die Fluten, wie Gregor der Große als Zeitgenosse berichtet[36], vor der Zeno-Kirche[37] Halt gemacht. Dieses Ereignis hatte ein starkes Anwachsen der Verehrung des Heiligen über Verona hinaus zur Folge. Zeno wurde nun auch als Wasserpatron angerufen.

Vielleicht war es Theodolinde selbst, die nach ihrer Hochzeit in Verona Priester und Mönche der Stadt in ihre Heimat eingeladen hat, um dort unter den Baiern Seelsorgearbeit zu leisten. Sie selbst war bekanntlich katholisch – vielleicht durch ihre Mutter Walderada – und im Glauben so gefestigt, daß sie

[34] Vgl. Paulus Diaconus, Historia Langobardorum I,21: ». . . Walderada, quae sociata est Cusupald, alio regi Francorum, quam ipse odio habens, uni ex suis (= einem der ihren, d. h. aus ihrer Verwandtschaft), qui dicebatur Garipald, in coniugium tradidit.«

[35] Vgl. Paulus Diaconus, Historia Langobardorum III, 30; E. Schaffran, Geschichte der Langobarden (Leipzig 1938) 41 ff.

[36] Gregorius M., Dial. III, 19 (PL 77, 268 f.); Paulus Diaconus, Historia Langobardorum III,23.

[37] Es handelt sich nicht um die Klosterkirche St. Zeno, sondern um die in der ehemaligen Wohnung des Heiligen errichteten Kapelle, in deren Wand eine Tafel zur Erinnerung an ihn eingelassen war mit folgender Inschrift in Hexametern: »Hoc super incumbens saxo prope fluminis undam / Zeno pater tremula captabat arundine pisces«; vgl. H. Vogel, Über die Anfänge des Zenokultes in Baiern, in: Bavaria Christiana, zur Frühgeschichte des Christentums in Baiern (= Beiträge zur altbaierischen Kirchengeschichte 27, München 1973) 177–203, hier 179.

in der Folgezeit unermüdlich um die Annahme des katholischen Bekenntnisses durch die arianischen Langobarden bemüht war. Mit Papst Gregor stand sie im Briefwechsel[38].

In Regensburg, der Heimatkirche der Theodolinde, dürfte gegen Ende des 6. Jahrhunderts eine geordnete Seelsorge vorhanden gewesen sein. Aus ihrer Abstammung von einer katholischen Mutter allein läßt sich nämlich ihr starkes Eintreten für das katholische Bekenntnis unter den arianischen Langobarden wohl kaum erklären.

Es ist durchaus möglich, daß die Königin Theodolinde – sie starb 628 – nicht nur an der Hinwendung der Langobarden zum katholischen Bekenntnis, sondern auch an der seelsorgerischen Betreuung ihrer bairischen Landsleute interessiert war und deshalb Kleriker aus Verona, also aus dem Kerngebiet des Patriarchats Aquileja, nach Baiern gesandt hat. Durch diese könnte schon bald nach 600 die Verehrung des heiligen Zeno in Regensburg heimisch geworden sein, ähnlich wie Priester aus Säben (Sabiona), dem späteren Bistum Brixen, den Kult des heiligen Kassian hierher gebracht haben[39].

Die 2. Hälfte des 7. und der Anfang des 8. Jahrhunderts ist als Zeitpunkt weniger wahrscheinlich, weil sich damals in stärkerem Maße der Einfluß der fränkischen Kirche auf den bairischen Raum bemerkbar gemacht hat, als Rupert, Emmeram, Erhard und Korbinian hier gewirkt haben. Durch diese Bischöfe ist die Verehrung des heiligen Martin in Regensburg eingeführt worden, wie das oben erwähnte gallikanische Martins-Formulars im Prager Sakramentar und die Martinskapelle innerhalb des Gebietes der herzoglichen Pfalz deutlich machen (vgl. oben S. 86).

Als bisheriges Ergebnis unserer Untersuchung dürfen wir deshalb festhalten: Vielleicht schon bald nach 600, fast sicher jedoch noch in der 1. Hälfte des 7. Jahrhunderts ist durch Priester und Mönche aus Verona, die in Regensburg und darüber hinaus im bairischen Raum Seelsorge ausgeübt haben, der Kult des heiligen Zeno nach Regensburg gekommen. Von hier aus hat er sich in andere bairische Zentren, so nach Salzburg und Freising, ausgebreitet. Letzteres läßt sich aus den verschiedenen Fassungen des Zeno-Formulars, wie es in bairischen Liturgiebüchern erscheint, erschließen.

---

[38] Gregorius M., Epist. IV, 4; IX, 43; XIV, 12 (PL 77, 671. 975. 1314). Hinsichtlich der vom Papst der Königin übermittelten Geschenke vgl. den Katalog Bayerische Frömmigkeit (München 1960) Nr. 120–129 S. 145ff.

[39] Vgl. K. Gamber, Das Kassian- und Zeno-Patrozinium in Regensburg, in: Deutsche Gaue 49 (1957) 17–28 und oben S. 17f.

IV

Im letzten Teil unserer Untersuchung befassen wir uns mit der Frage einer frühmittelalterlichen Zenokirche sowie mit der Dauer der Zenoverehrung in Regensburg.

Die ehemalige Zeno-Kapelle bei St. Emmeram wurde eingangs bereits kurz genannt. Sie kann, wie gesagt, frühestens aus karolingischer Zeit stammen und ist für uns daher lediglich ein Zeugnis für die Zenoverehrung dieser Abtei. Diese hatte um 800 jedenfalls regen Kontakt zu den Mönchen aus Verona, wie Handschriften aus der Klosterbibliothek von St. Emmeram beweisen, die teils aus der Stadt an der Etsch stammen, teils von Veroneser Mönchen hier geschrieben sind[40]. Vielleicht besteht zwischen der Erbauung der genannten Zeno-Kapelle und diesen Kontakten ein direkter Zusammenhang.

Wir suchen jedoch keine karolingische, sondern eine agilolfingische Zenokirche in Regensburg. Wie es scheint, ein aussichtsloses Unternehmen, da aus so früher Zeit hier bisher lediglich ein einziges Gotteshaus bekannt ist und das nur in seinen Fundamenten: die Hallenkirche mit Rechteckchor unter dem Boden der Niedermünsterkirche. Sie war, wie wir sahen (vgl. S. 71 ff.) als Pfalzkapelle der Agilolfingerherzöge dem heiligen Johannes d. T. geweiht.

In unmittelbarer Nähe der genannten agilolfingischen Johanneskirche befindet sich innerhalb der herzoglichen Residenz ein kleines Kirchlein, das an die alte römische Lagermauer angebaut und mit ihr durch das Mauerwerk verbunden ist[41]. In diesem ist, wie nun zu zeigen sein wird, das vorkarolingische Zeno-Heiligtum zu suchen.

Im vorausgehenden Kapitel wurde dargelegt, daß es sich bei diesem Bau deutlich um den unteren Teil eines römischen Wachtturms handelt. Von diesem stammt noch das Doppelfensterchen (»fenestella«), das in seiner typischen Form im alten Imperium Romanum auch anderswo, so in Numidien[42], nachweisbar ist (vgl. Abb. 19). Es wurde vor einigen Jahren von seinem ehe-

---

[40] Vgl. B. Bischoff, Die südostdeutschen Schreibschulen und Bibliotheken in der Karolingerzeit I (²Wiesbaden 1960) 173. Auch die im Prager Sakramentar bei Rubriken gelegentlich verwendete Kanzlei-Kursive ist sonst nur noch in Verona bezeugt, wo sie ebenfalls in einer liturgischen Handschrift erscheint. Sie könnte die Urkundenschrift der herzoglichen Kanzlei gewesen sein; vgl. K. Gamber, Das Bonifatius-Sakramentar (oben Anm. 2) 17.

[41] Vgl. Walderdorff, Regensburg 219 f.: »Der Raum . . . liegt vielmehr hoch oben auf der noch bestehenden römischen Castellmauer«, d. h. aber er ist mit dem Mauerwerk mit dieser verbunden.

[42] Vgl. H. Leclercq, Archéologie de l'Afrique, in: Dictionnaire d'archéologie chrétienne et de liturgie I (Paris 1924) 713 f.

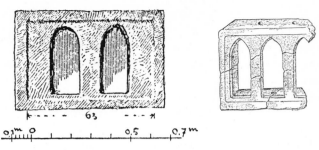

Abb. 19   Fenestella der „Erhardi-Krypta" (links) und von Satafis in
Mauretanien (nach DACL)

Abb. 20   „Erhardi-Krypta" (Zeno-Kapelle) aus dem 7. Jahrh.

maligen Platz in der Mitte der Südwand des Obergeschoßes dieser Kapelle – nach dem Abbruch dieses Obergeschoßes – an die Außenseite der Römermauer versetzt.

Die genannte Kapelle heißt jetzt im Volk »Erhardi-Krypta« (vgl. Abb. 20) früher hieß sie »Erhardszelle« oder »Erhardsklause« (auch die Zeno-Kapelle bei St. Emmeram wurde, wie wir sahen, »Clausa«: Klause genannt). In ihrem Obergeschoß soll der heilige Erhard gewohnt und auch den Brunnen in der Nähe gegraben haben. Das eigentliche Patrozinium des Kultraums ist jedoch nicht bekannt. Sicher scheint lediglich zu sein, daß die Kapelle nie diesem Heiligen geweiht war, zumal Erhard auch hier nicht begraben lag[43]. Falls die Überlieferung einer »Erhardsklause« auf Wahrheit beruht, muß die Kapelle schon zu seinen Lebzeiten bestanden haben.

Die Erhardi-Krypta wurde nach 1811 profaniert; sie hat dann als Kartoffelkeller gedient, bis sie 1889 der katholische Gesellenverein angekauft und 1892 renoviert hat. Damals wurde auch eine kleine Vorhalle angebaut. Von ihr aus muß man wegen der Terrainerhöhung im Laufe der Jahrhunderte heute sieben Stufen hinabsteigen, um die in »Krypta« zu gelangen. In spätrömischer Zeit lag der später als Kapelle benützte Turmraum etwas über der umliegenden Bodenhöhe. Das Obergeschoß selbst dürfte mit seiner Decke etwa mit der Oberkante der Kastellmauer abgeschlossen haben. Vermutlich war ursprünglich noch ein weiteres Obergeschoß vorhanden.

Der Kultraum ist fast quadratisch, er mißt im Innern etwa 6 m nach beiden Dimensionen[44]. Wie beim neuerdings in seinen Fundamenten ausgegrabenen Wachturm im Gelände von St. Klara, bilden die Außenmauern nicht ganz 8 m im Quadrat[45]. Die kleine Hallenkirche ist durch drei Pfeilerpaare in drei Schiffe gegliedert. Die Pfeiler, die einen einfachen Sockel und ein ebenso einfaches Kapitäl aufweisen, tragen das Gewölbe. Eine Apsis fehlt. Auf der linken Seite ist eine steinerne Sitzbank erhalten. Vermutlich befand sich ehedem auf der rechten ebenfalls eine solche.

Derartige Steinbänke sind verschiedentlich in frühen Kirchen zu finden. Auf ihnen saßen die Gläubigen während der Meßfeier[46] und zwar auf der rechten

[43] Vgl. P. Mai, Der heilige Bischof Erhard, in: G. Schwaiger, Bavaria Sancta II (Regensburg 1971) 37.

[44] Vgl. Walderdorff, Regensburg (Anm. 41) 218–222.

[45] Vgl. U. Osterhaus, Beobachtungen zum römischen und frühmittelalterlichen Regensburg, in: VD 112 (1972) 7–17, hier 13 (mit Abb. 4 und 5).

[46] Vgl. K. Gamber, Liturgie und Kirchenbau. Studien zur Geschichte der Meßfeier und des Gotteshauses in der Frühzeit (= Studia patristica et liturgica 6, Regensburg 1976) 67, 69.

Seite die Frauen, auf der linken die Männer[47]. Das Mittelschiff war in erster Linie für den Liturgen (und seine Assistenz) bestimmt.

Nicht nur diese altertümliche Steinbank, auch die Architektur der Kapelle überhaupt, läßt, wie F. Mader gemeint hat, auf eine vorkarolingische Zeit schließen[48]. Mader weist dabei auf ähnliche Pfeilerkämpfer wie in der Pfalz zu Ingelheim oder in der Justinuskirche zu Höchst hin. Entscheidend für unsere Frage, ob es sich hier um eine Zeno-Kapelle handelt, ist jedoch eine andere Beobachtung, nämlich die Beziehungen zum frühen Veroneser Kirchenbau.

Gottesdienstliche Versammlungsräume mit drei Säulenpaaren und zwar als zwei relativ große Hallen (je ca. 20:37 m) lassen sich bereits aus dem Anfang des 4. Jahrhunderts in Aquileja nachweisen. Etwa um die Hälfte kleiner ist eine nur wenig jüngere ähnlich angelegte Doppelkirche in Aquincum (bei Budapest). Auch hier fehlt wie in Aquileja eine Apsis[49].

Wesentlich bescheidener sind die im Sanktuarien-Stil gebauten frühmittelalterlichen Kleinkirchen in Verona, die nach dem gleichen Typus angelegt sind, so die Kirche S. Zeno in oratorio, ferner S. Maria Matricolare neben der Kathedrale und die Benediktus-Kapelle im Kreuzgang des Zeno-Klosters zu Verona (vgl. Abb. 21). Interessant ist aber vor allem, daß ein kleines uraltes Zeno-Heiligtum in dem Gehöft S. Zeno bei Bardolino am Gardasee den gleichen Grundriß wie die »Erhardi-Krypta« aufweist. Die drei Säulenpaare sind hier aus Spolien gebildet. In der Barockzeit wurden leider durch eingefügte Wände Veränderungen am ursprünglichen Baugefüge vorgenommen[50].

Daß dieses Zeno-Kirchlein ehedem einen ganz ähnlichen Grundriß aufgewiesen hat wie die Erhardi-Krypta in Regensburg, könnte ein Zufall sein. Wenn man jedoch bedenkt, daß nach dem gleichen Typus auch frühmittelalterliche Kleinkirchen in Verona gebaut sind, verstärkt sich die Vermutung, daß der Regensburger Kultraum eine Nachbildung der kleinen noch bis ins 18. Jahrhundert bestehenden Zenokirche an der Etsch darstellt, wo das wunderbare Ereignis des Jahres 588/89 stattgefunden hat.

[47] Vgl. I. Müller, Frauen rechts, Männer links. Historische Platzverteilung in der Kirche, in: Schweizerisches Archiv für Volkskunde 57 (1961) 65–81; Gamber, Liturgie und Kirchenbau 23.

[48] F. Mader, in: Kdm, Oberpfalz XXII, 2 (1933) 138.

[49] Vgl. K. Gamber, Domus ecclesiae. Die ältesten Kirchenbauten Aquilejas sowie im Alpen- und Donaugebiet bis zum Beginn des 5. Jahrhunderts liturgiegeschichtlich untersucht (= Studia patristica et liturgica 2, Regensburg 1968) 21 ff., 26 ff.

[50] Der Grundriß in J. Hubert – J. Porcher – W. F. Volbach, Die Kunst der Karolinger (München 1969) 310 Abb. 371 zeigt die jetzige (barocke) Gestalt.

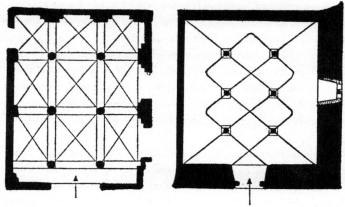

Abb. 21   Grundrisse von S. Maria Matricolare in Verona (links) und der
„Erhardi-Krypta"

Als Baumeister könnten in Regensburg direkt Handwerker aus Verona gewirkt haben. Diese haben jedoch nicht den Bau als solchen errichtet, sondern
lediglich in einen bereits bestehenden Bau – einen römischen Wachturm –
durch Einfügen von einfachen Pfeilern und eines Gewölbes einen Kultraum
errichtet. Es handelt sich dabei zwar nicht um ein großartiges Kunstwerk, jedoch um eine stimmungsvolle Kleinkirche. Wegen ihrer (jetzigen) Schmucklosigkeit bietet sie keinerlei direkte Hinweise auf die Entstehungszeit, sie
könnte aber durchaus schon zu Beginn des 7. Jahrhunderts entstanden sein.
Andere Zeno-Heiligtümer, die sich auf dem Weg von Verona nach Regensburg befinden, sind jüngeren Datums; sie weisen auch einen anderen Grundriß auf. Die südlich des Brenners gelegenen gehen in der Regel auf direkten
Einfluß von Verona zurück. Wir erwähnen hier nur die karolingische Zeno-
Kirche von Naturns im Vinschgau[51] – in der Nähe des gleichen Ortes befindet sich ein weiteres Gotteshaus, das ebenfalls einem Veroneser Heiligen,
nämlich Prokulus, geweiht ist –, ferner die Kapelle auf der Zenoburg bei
Meran (8. Jahrhundert)[52], neben verschiedenen anderen im Südtiroler Raum,
über deren Alter wir nichts Sicheres wissen.[53].

[51] Vgl. J. Pircher, Sankt Zeno-Kirche Naturns (Naturns 1975); hier der Grundriß
der Kirche aus dem 8. Jahrhundert.
[52] Vgl. H. Vogel, Über die Anfänge des Zenokultes in Bayern (oben Anm. 37)
183–194.
[53] Vgl. H. Fink, Die Kirchenpatrozinien Tirols (Passau 1928) 84–86.

In Altbaiern bestehen heute noch frühe Zeno-Kirchen im Kloster Isen bei Freising und in Reichenhall bei Salzburg. Doch sind diese kaum älter als das 8. Jahrhundert[54]. In agilolfingischer Zeit gab es, wie wir aus den obigen sakramentargeschichtlichen Darlegungen schließen dürfen, Zeno-Heiligtümer sicher auch in den herzoglichen Pfalzen bzw. Bischofssitzen Salzburg und Freising; davon ist aber heute, ähnlich wie in Regensburg nichts mehr bekannt. Das Zeno-Patrozinium der Kirchen in Isen und Reichenhall beruht allem Anschein nach auf dem Kult unseres Heiligen in den genannten Zentren.

Es bleibt als letzte Frage zu klären, wie lange in Regensburg eine Zeno-Verehrung bestanden hat. Darüber geben uns die hiesigen Kalendare Auskunft. Das entsprechende Blatt im Regensburger Bonifatius-Sakramentar mit den Heiligen des Monats Dezember ist leider nicht erhalten geblieben, doch findet sich das Fest des heiligen Zeno bereits in einem Kalendarfragment aus der 2. Hälfte des 8. Jahrhunderts. Es heißt hier am 8. Dezember: »Nat(alis) sancti zenoni(s) epi(scopi) uero(nensis)«[55].

Sein Fest erscheint am gleichen Tag auch im Kalendar des Wolfgangssakramentars aus dem Ende des 10. Jahrhunderts. Sein Todestag am 12. April ist darin erst in Verona nachgetragen worden[56]. Der »Natalis sancti zenonis« findet sich ferner in Kalendaren in der Bischöflichen Zentralbibliothek in Regensburg bis ins 13./14. Jahrhundert[57], bis er durch das neue Fest der Conceptio BMV, das am gleichen Tag gefeiert wird, schließlich ganz verdrängt worden ist. Im ältesten gedruckten Missale Ratisponense vom Jahr 1485 ist dieses Gedächtnis schon nicht mehr zu finden. In der Barockzeit ist nach Ausweis von Wesenbergs »Ratisbona Religiosa« dem heiligen Zeno in Regensburg nicht einmal mehr ein Altar geweiht.

Wir kommen damit zu folgendem Ergebnis: Die im Jahr 1615 abgerissene Zeno-Kapelle bei St. Emmeram stammt frühestens aus der Zeit um 800. Sie kann daher nicht der Kultraum des 7. Jahrhunderts in Regensburg sein, wie er durch das Zeno-Formular im Prager Sakramentar aus der Zeit des Herzogs Tassilo III. vorauszusetzen ist. Dieser ist vielmehr in dem später »Erhardi-Krypta« genannten kleinen Saalbau zu suchen, der sich im Osten der Stadt direkt an die römische Kastellmauer angebaut befindet. Er entspricht mit sei-

---

[54] Vgl. Vogel (oben Anm. 37) 196–203.
[55] Vgl. Gamber, Das Bonifatius-Sakramentar (oben Anm. 2) 91.
[56] Vgl. A. Ebner, Der Regensburger Kirchenkalender zur Zeit des heiligen Wolfgang, in: Mehler, Der heilige Wolfgang (1894) 180.
[57] Die Handschriften bzw. Fragmente sind noch nicht ediert.

nen drei Säulenpaaren und dem Fehlen einer Apsis dem Stil der Veroneser Kleinkirchen des frühen Mittelalters und stellt möglicherweise ein direktes Abbild des Zeno-Heiligtums in Verona dar. Der Kult des heiligen Zeno ist in Regensburg vielleicht durch Theodolinde eingeführrt worden; er ist bis ins 13./14. Jahrhundert nachweisbar. Sein Fest wurde hier am 8. Dezember, dem Bischofsweihetag dieses Heiligen, gefeiert, später jedoch durch das neu eingeführte Fest der Empfängnis Mariens ganz verdrängt.

Der Taufritus nach dem Tassilo-Sakramentar

Über die Spendung der Taufe in Regensburg während der 2. Hälfte des 8. Jahrhunderts sind wir durch zwei, soweit zu erkennen, gleichlautende Zeugnisse unterrichtet: das sog. Prager Sakramentar – es ist vollständig erhalten[1] – sowie Fragmentblätter einer etwas älteren Handschrift[2]. Das Prager Sakramentar wurde, wie oben dargelegt, in den letzten Regierungsjahren des Herzogs Tassilo III. (abgesetzt 788) in Regensburg für die herzogliche Kapelle geschrieben[3].

Bei den genannten Zeugen handelt es sich um Meßbücher, wie sie in verschiedenen Gebieten Oberitaliens, vor allem im Patriarchat Aquileja, zu dem bekanntlich Regensburg damals gehörte[4], in Gebrauch waren[5]. Der hier mitgeteilte Taufritus unterscheidet sich jedoch dadurch, daß er gekürzt ist, von der oberitalienischen Ordnung[6].

Der gewöhnliche Termin für die Spendung der Taufe war im frühmittelalterlichen Regensburg nach den genannten Sakramentaren der Abend des Karsamstag, und zwar innerhalb des Vigilgottesdienstes von Ostern. Dem ei-

---

[1] Herausgegeben von A. Dold – L. Eizenhöfer, Das Prager Sakramentar, Bd. I Lichtbildausgabe (Beuron 1944); Bd. II Prolegomena und Textausgabe (= Texte und Arbeiten 38/42, Beuron 1949).

[2] Herausgegeben von K. Gamber, Das Bonifatius-Sakramentar und weitere frühe Liturgiebücher aus Regensburg (= Textus patristici et liturgici 12, Regensburg 1975) 95–103.

[3] Vgl. K. Gamber, Das Prager Sakramentar als Quelle für die Regensburger Stadtgeschichte in der Zeit der Agilolfinger, in: VO 115 (1975) 203–230 sowie oben S. 67 ff.

[4] Vgl. oben S. 16. – Erwähnenswert ist in diesem Zusammenhang die Tatsache, daß die Sermonen des Bischofs Chromatius von Aquileja († 407) sehr zahlreich gerade in bairischen Homiliaren, so in einem solchen aus dem Kloster Mondsee ((jetzt Cod. Vindobonensis 1014), aus dem Anfang des 9. Jahrhunderts, überliefert sind; vgl. J. Lemarié, Chromace d'Aquilée – Sermons I (= Sources Chretiennes 154, Paris 1969) 25–27, 44; K. Matzel, in: Anzeiger für deutsches Altertum 83 (1972) 127–130.

[5] Vgl. K. Gamber, Das Meßbuch Aquilejas im Raum der bayerischen Diözesen um 800, in: Annales Instituti Slavici, Band 8: Millenium Dioceseos Pragensis 973–1973 (Wien-Köln-Graz 1974) 111–118.

[6] Diese liegt in ihrer Voll-Form Ordo Romanus XI vor; herausgegeben von M. Andrieu, Les Ordines Romani du haut moyen âge Band II (= Spicilegium Sacrum Lovaniense 23, Louvain 1948) 415–447; hinsichtlich des nicht-römischen Ursprungs vgl. K. Gamber, CLLA Nr. 292 S. 188–189.

gentlichen Taufakt vorausgingen am Samstag vor dem Palmsonntag ein Skrutinien-Ordo (mit Exorzismen) und am Karsamstag in der Frühe die Effeta-Zeremonie.

Außerordentlicher Termin dürfte auch der Oktavtag von Epiphanie (13. Januar) gewesen sein, an dem das Evangelium von der Taufe Jesu verlesen wurde. Das Fest Epiphanie (6. Januar) ist besonders im Orient großer Tauftag[7], ebenso war es im Gebiet des alten gallikanischen Ritus, der in Regensburg bis in die Zeit des heiligen Bonifatius verwendet wurde[8]. Den Termin am 6. Januar setzt auch eine sehr alte Leseordnung voraus, wie sie in zwei bairischen Apostolus-Handschriften des 8. Jahrhunderts zu finden ist[9].

Dieser orientalisch-gallikanische Tauftermin muß in Regensburg neben Ostern mindestens bis in die Mitte des 9. Jahrhunderts eingehalten worden sein, vor allem bei der Taufe von Erwachsenen. So wurden, wie die Fuldaer Annalen berichten, »in octavis theophaniae« (also am 13. Januar) des Jahres 845 vierzehn böhmische Edelleute auf Befehl des in Regensburg residierenden Königs Ludwig, zu dem sie gekommen waren, zusammen mit ihrer Gefolgschaft getauft[10].

Unser Sakramentar bringt wohl »in oct(ava) theopha(niae)«, im Gegensatz zu den römischen Liturgiebüchern, ein eigenes Meßformular, es fehlt darin aber ein deutlicher Hinweis auf die Taufspendung. Diese ist hier nach römischem Brauch nur im Vigilgottesdienst von Ostern (und Pfingsten) vorgesehen. Vielleicht war jedoch der tatsächliche Usus anders, wie der Fall mit den böhmischen Edelleuten zeigt, und in Regensburg der Oktavtag von Epiphanie auch nach Einführung des römischen Ritus zusätzlicher Tauftermin. Interessant ist in diesem Zusammenhang, daß im ältesten gedruckten Regensburger Missale[11] vom Jahr 1485 für den 13. Januar ein eigenes, im deutschen Raum nur noch im Konstanzer Missale von 1504 vorkommendes[12] Formular mit deutlichem Bezug auf die Taufe verzeichnet ist[13].

[7] Vgl. H. Kellner, Heortologie (³Freiburg 1911) 126–127. Auch die Irländer nahmen an diesem Tag die feierliche Taufe vor.

[8] Vgl. K. Gamber, Die Meßfeier im Herzogtum der Agilolfinger im 6. und 7. Jahrhundert, in: Beiträge zur Geschichte des Bistums Regensburg 8 (Regensburg 1974) 45–51.

[9] Vgl. K. Gamber, Eine liturgische Leseordnung aus der Frühzeit der bayerischen Kirche, in: Heiliger Dienst 31 (1977) 8–17. Hier finden wir bei der Perikope am 6. Januar den Vermerk: »In ephifania(!) mane in baptisterio.«

[10] Vgl. MGH, Scriptores I, 364; Janner, Bischöfe 195.

[11] Vgl. unten S. 215.

[12] Vgl. E. Gruber, Vergessene Konstanzer Liturgie?, in: Ephem. liturg. 70 (1956) 229–236, hier 230.

[13] Epistel: Cento aus Isaias, Sequenz: Letabundus exultet, Evangelium: Mt 3, 13–17

Der im Prager Sakramentar niedergelegte Ritus dürfte erst in der 2. Hälfte des 8. Jahrhunderts, zusammen mit diesem neuen oberitalienischen Meßbuch in Regensburg eingeführt worden sein. Vermutlich hat er sich, wie die Beibehaltung auch noch des alten Termins am 13. Januar zeigt, nicht sofort vollständig gegenüber den bisherigen gallikanischen Gewohnheiten durchsetzen können.

Der neue Taufritus entspricht nicht, wie man meinen könnte, in allen Punkten dem Brauch der römischen Kirche; er stellt vielmehr eine in Oberitalien, wohl in Ravenna, erfolgte Weiterbildung desselben dar. Das älteste Sakramentar, in dem er zu finden ist, liegt im Codex Vaticanus vor und wird Gelasianum genannt[14].

Im Prager Sakramentar sind gegenüber den Zeremonien im Gelasianum einige Zusätze[15], vor allem aber Kürzungen zu erkennen. Es fehlt bei uns die (lange) Verkündigung und Erklärung der Anfänge der Vier Evangelien (Expositio Evangeliorum) und die Übergabe des Glaubensbekenntnisses (Traditio symboli), wie sie als sogenannte »Missa graeca« andersow, so in der Pfarrkiche U. L. Frau in Bamberg, bis in die Neuzeit hinein üblich war[16].

Der Ritus ist bei uns ganz auf die Kindertaufe abgestimmt, was schon durch die kurze Perikope Mt 19, 13–15 (»Lasset die Kindlein zu mir kommen . . .«) deutlich wird, die an die Stelle der Erläuterungen der Vier Evangelien und des Symbolums, wie wir sie im Gelasianum vorfinden[17], getreten ist.

Beachtenswert ist weiterhin der Termin des 1. Teils der Taufzeremonien, die sogenannten Skrutinien. Diese finden alle an einem einzigen Tag statt und zwar am Samstag vor dem Palmsonntag. Im Gelasianum und im Ordo Romanus XI sind mehrere Tage, beginnend mit der Feria IV der 3. Fastenwo-

---

(sonst fast immer: Jo 1, 29–34). Die Epistel ist aus verschiedenen Schriftstellen, vor allem aus Isaias, zusammengesetzt (so Is 35, 10; 41, 18; 52, 13; 12, 3–5) und hat deutlich Bezug zur Taufe. Als Perikope dürfte dieser Cento schon früh in Oberitalien üblich gewesen sein; die älteste handschriftliche Bezeugung liegt m. W. im oberitalienischen (aus der Gegend von Ravenna stammenden) Plenarmissale in Baltimore, MS W 11 (vgl. Gamber, CLLA Nr. 1465) fol. 25v/26r (10. Jh.) vor. Sie begegnet uns auch im ersten gedruckten Missale von Aquileja sowie in dem von Konstanz und Freising, fehlt jedoch in dem von Passau. Das Evangelium des Regensburger Missale für den Oktavtag von Epiphanie ist ebenso in beneventanischen Quellen (vgl. A. Dold, in: Benediktusfestschrift, Münster 1947, 298) sowie im Konstanzer Missale verzeichnet; sie erscheint in den gallikanischen Liturgiebüchern regelmäßig am Epiphanie-Tag selbst.

[14] Vgl. Gamber, CLLA Nr. 610 S. 301–303.

[15] Aus dem Ordo Romanus XI, 10–11 (vgl. oben Anm. 6).

[16] Vgl. K. Gamber, Das »Officium missae graece« der Pfarrei U. L. Frau in Bamberg, in: Sacris erudiri XIX (1969/70) 199–208.

[17] Vgl. Sacramentarium Gelasianum (ed. Mohlberg) Lib. I, 33 (Formel 299–328).

che, für die verschiedenen Skrutinien vorgesehen[18]. Während im Gelasianum die betreffenden Texte dennoch insgesamt vor der »Dominica in palmas« verzeichnet stehen, wird bei uns der 1. Teil der Taufzeremonien ausdrücklich unter der Überschrift »Sabbato ante palmas« gebracht.

Dies entspricht in etwa dem frühmittelalterlichen Brauch der Kirchen von Mailand und Aquileja, wo wir in den Liturgiebüchern die »Traditio symboli« am gleichen Samstag vorfinden[19]. Ursprünglich fand hier, wie allgemein im gallikanischen Ritus, diese Zeremonie aber am Palmsonntag (»Dominica in symboli traditione«) statt[20].

Nun zum Regensburger Taufritus im einzelnen! Er beginnt, wie gesagt, am Samstag vor dem Palmsonntag mit einer im Gelasianum fehlenden, jedoch in verschiedenen Gelasiana mixta[21] vorkommenden Rubrik, die in Veroneser Urkundenschrift geschrieben ist[22] (vgl. Abb. 22).

»Wenn sie aber zur Kirche[23] gekommen sind, werden die Namen der Kinder von einem Akolythen aufgeschrieben. Sie werden dann der Reihe nach namentlich in der Kirche aufgerufen und dabei die männlichen Kinder auf die rechte, die weiblichen auf die linke Seite gestellt. Darauf

[18] Vgl. A. Stenzel, Die Taufe (Innsbruck 1958) 220ff.: Der Ritus der sieben Skrutinien.

[19] So trägt in allen erhaltenen frühen Meßbüchern aus Mailand der Samstag vor Palmsonntag die Bezeichnung »Sabbato in tratione symboli«; ähnlich in einem oberitalienischen (aus Aquleja stammenden?) »Ordo Sabbato in symbolo«; vgl. C. Lambot, North Italian Services of the eleventh century (= HBS 67, London 1931) 18.

[20] So teilt Ambrosius in einem Brief an seine Schwester Marcellina aus dem Jahr 386 mit, die »Traditio symboli« habe am Sonntag vor Ostern stattgefunden; vgl. J. Schmitz, Gottesdienst im altchristlichen Mailand. Eine liturgiewissenschaftliche Untersuchung über Initiation und Meßfeier während des Jahres zur Zeit des Bischofs Ambrosius (= Theophaneia 25, Köln-Bonn 1975) 69; für Aquileja vgl. K. Gamber, Die älteste abendländische Evangelien-Perikopenliste, in: Münchener Theol. Zeitschrift 13 (1962) 180–201, hier 184–185.

[21] So im Sakramentar von Angoulême (vgl. Gamber, CLLA Nr. 860) Formel 684 (ed. Cagin). Weniger ausführlich ist diese Rubrik in einem Sakramentar aus der Bodenseegegend (um 800); herausgegeben von A. Dold (= Texte und Arbeiten 12, Beuron 1925) 22–27. Der hier mitgeteilte Ritus weicht auch sonst mehrfach von dem in unserem Liturgiebuch ab.

[22] Sie findet sich sonst nur noch in einer Veroneser Handschrift (Cod. 101 der Kapitelsbibliothek); vgl. Gamber, Bonifatius-Sakramentar (oben Anm. 2) 17.

[23] Damit muß nicht die Kathedrale gemeint sein. Es ist sogar sehr unwahrscheinlich, daß der nun folgend Ritus dort stattfand. Da noch Papst Benedikt XIII. auf dem römischen Konzil d. J. 1725 ausdrücklich geboten hat, daß die einleitenden Taufriten außerhalb der Kirche stattfinden sollen, ist anzunehmen, daß diese in unserem Fall in den Nebenräumen des Baptisterium, der »ecclesia baptismalis«, stattgefunden haben (s. u.).

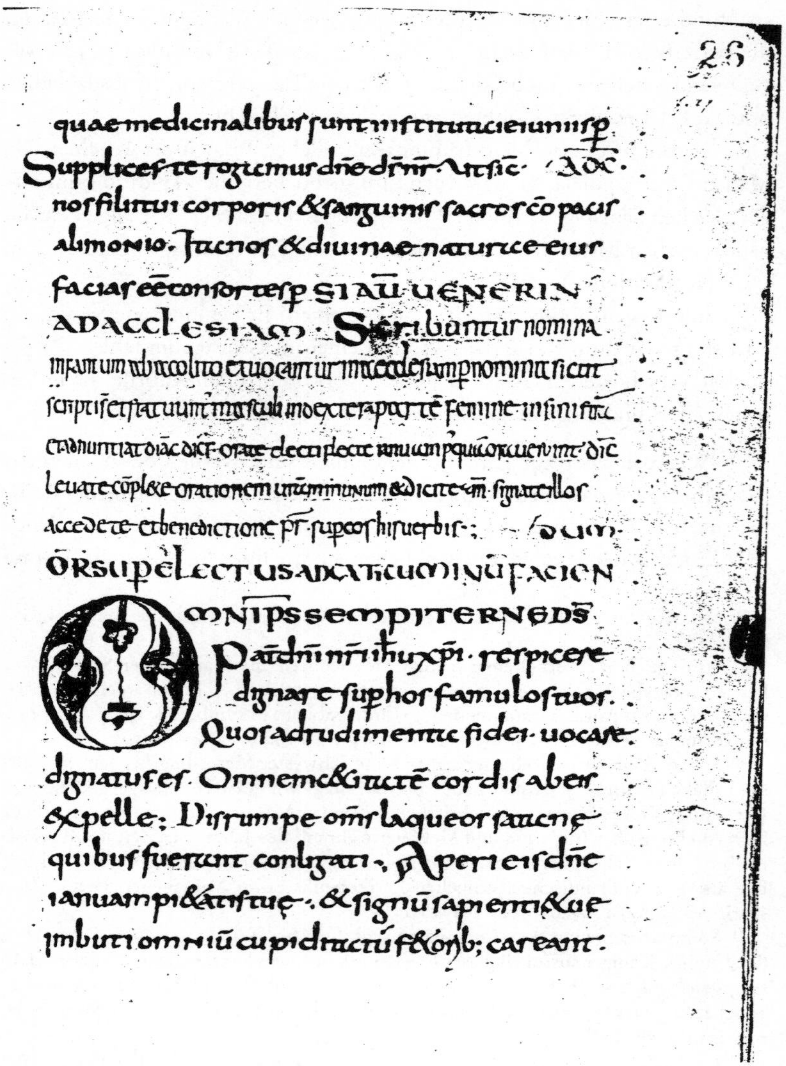

Abb. 22   Beginn des Taufritus im Prager Sakramentar (fol. 26)

verkündet der Diakon: (Orate electi) Betet, Auserwählte! Beugt die
Knie! Nachdem sie gebetet haben, sagt er: Erhebt euch! Vollendet euer
Gebet, faßt es zusammen und sprecht: Amen. (Darauf:) Bezeichnet sie!
Naht euch zum Empfang des Segens!«

Die Aufnahme in das Katechumenat erfolgt durch drei Orationen (Super
electos ad caticuminum faciendum), von denen die beiden ersten (»Omnipotens sempiterne deus pater . . .«, »Preces nostras . . .«) im bisherigen Rituale
Romanum weiterlebten, die dritte jedoch eine Eigenart des Sacramentarium
Gelasianum darstellt (»Deus qui humani generis . . .«). Sie kehrt bezeichnenderweise im Mailänder Ritus als Meßoration für den Samstag vor dem Palmsonntag wieder[24], also für den gleichen Tag, an dem unser Skrutiniengottes-
dienst stattgefunden hat. Auffällig ist ferner, daß diese Oration in Regensburg
bis ins 15. Jahrhundert als Schlußgebet nach der Palmprozession erhalten
blieb[25]. Sie lautet in Übersetzung:

> »O Gott, der du der Schöpfer des Menschengeschlechtes und zugleich
> dessen Erneuerer bist, sei gnädig den (zur Kindschaft) angenommenen
> Völkerscharen und schreibe sie als Sprößlinge eines neuen Geschlechtes
> dem neuen Testament ein, damit sie als Kinder der Verheißung (vgl.
> Gal 4,28), was sie nicht durch die Natur bekommen konnten, voll
> Freude durch die Gnade erlangen.«

Da diese Oration in anderen frühen Handschriften, so etwa im Sakramentar
von Rheinau (um 800) fehlt[26], muß das Auftauchen dieser Oration noch in
einem so späten Zeugen, wie es das Regensburger Missale des 15. Jahrhunderts ist, besonders auffallen.
Den nächsten Teil des Skrutiniengottesdienstes am Samstag vor dem Palmsonntag stellt die Segnung des Salzes (wie im Rituale) und die Darreichung
in den Mund der Kinder dar: »Empfange das Salz der Weisheit. Es gereiche
dir zum ewigen Leben. Der Friede sei mit dir!«, worauf sich die gleiche Oration wie im Rituale (»Deus patrum nostrorum . . .«) anschließt.
Der dritte Teil der Feier, die Handauflegung (Exorzismus) durch die Akolythen, wird durch den gleichen Ruf des Diakons (Orate electi . . .«) und das

---

[24] Vgl. Formel 409 des ambrosianischen Sakramentars von Biasca; herausgegeben
von O. Heiming (= Liturgiewissenschaftl. Quellen und Forschungen 51, Münster
1969) 59.
[25] Vgl. unten S. 238.
[26] Vgl. A. Hänggi – A. Schönherr, Sacramentarium Rhenaugiense (= Spicilegium
Friburgense 15, Freiburg/Schweiz 1970) 232.

anschließende stille Gebet der Täuflinge eingeleitet wie oben. Die Akolythen machen ein Kreuzzeichen auf die Stirn jedes einzelnen und legen ihm die Hand auf das Haupt. Zuerst werden über die Knaben, dann über die Mädchen jeweils zwei Gebete gesprochen, von denen nur das letztere (»Ergo maledicte diabule . . .«) bei beiden gleich ist und auch im bisherigen Rituale zu finden war.

Danach findet sofort ein zweiter und dritter Exorzismus statt, jeweils mit eigenen Formeln für die Knaben und Mädchen, und schließlich ein Gebet, das über alle gemeinsam gesprochen wurde: »Aeternam ac iustissimam pietatem . . .«; es findet sich auch im stadtrömischen Sakramentar Gregors[27] und ist später ins Rituale übernommen worden. Den Abschluß bildet, wie bereits oben angedeutet, die Evangelien-Perikope Mt 19, 13–15, anstelle der im Gelasianum vorgesehenen Expositio Evangeliorum, Praefatio symboli bzw. orationis dominicae[28]. Damit war die Feier am Samstag vor dem Palmsonntag zu Ende.

Die nächsten Taufzeremonien fanden acht Tage später, am Morgen (»mane«) des Karsamstag, statt. Dieser Termin ist alter römischer Brauch; er ist auch in der Schrift De sacramentis (nach 400) bezeugt[29]. Der Ritus entspricht weitgehend dem stadtrömischen Sakramentar Gregors und beginnt

---

[27] Vgl. H. Lietzmann, Das Sacramentarium Gregorianum nach dem Aachener Urexemplar (= Liturgiewissenschaftl. Quellen und Forschungen 3, Münster 1921 bzw. 1958) Nr. 82 S. 50, unter der Überschrift »Oratio super infantes in Quadragesima ad quattuor Evangelia«.

[28] Umso eigenartiger ist es, daß zu Beginn des 9. Jahrhunderts eine Expositio symboli bzw. orationis dominicae, wenn auch mit anderem Wortlaut als im Sacramentarium Gelasianum – es sind jedoch einige Sätze weitgehend gleich – in lateinischer und althochdeutscher Sprache auftaucht, so in einer Freisinger Handschrift (Clm 6244, fol. 146r). Am Schluß dieser »Exhortatio ad plebem christianam« wird mitgeteilt, daß diese im Auftrag der Regierung« (dominationis nostrae mandatum), wohl Kaiser Karls, erfolgt; vgl. G. Ehrismann, Geschichte der deutschen Literatur bis zum Ausgang des Mittelalters (München 1918) 291 (mit weiteren Angaben). – In den oberitalienischen Plenarmissalien, aber auch schon im oben Anm. 21 genannten Sakramentar aus der Bodenseegegend begegnet uns anstelle der Perikope »Lasset die Kindlein zu mir kommen . . .« der Abschnitt Mt 11, 25–30 (»Confiteor tibi pater . . .«). Die Expositio fehlt hier ebenfalls. Lediglich die Verlesung der Initien der Vier Evangelien ohne nachfolgende Expositio findet sich im Rituale von St. Florian, dazu zusätzlich noch unsere Perikope Mt 19, 13–15; vgl. A. Franz, Das Rituale von St. Florian aus dem 12. Jh. (Freiburg 1904) 55 f., 59.

[29] Vgl. K. Gamber, Die Autorschaft von De sacramentis (= Studia patristica et liturgica 1, Regensburg 1967) 31–35. Nach dieser Schrift fand nur der 2. Teil der Feier am Karsamstag-Morgen in der Taufkapelle (»ad fontem«) statt; vermutlich wurden die Einleitungszeremonien (Effeta-Ritus) in einer Vorhalle vor dem Eintritt ins Baptisterium vollzogen.

mit einer abermaligen Beschwörung des Satans (»Nec te latet satanas . . .), die ehedem in Rom durch den Papst selbst erfolgte[30]. Darauf berührt der Priester die Nase und die Ohren eines jeden Täuflings mit Speichel und spricht beim Ohr: »Effeta, das heißt: öffne dich!« und bei der Nase: »Zum lieblichen Wohlgeruch. Du aber fliehe, Teufel, denn das Gericht Gottes ist nahe!«[31] Diesem Effeta-Ritus (Apertio aurium) schließt sich sofort die Salbung der Brust und der Schultern mit exorzitiertem Öl (ohne Formel) an. Das Kernstück der Feier bildet die Abschwörung des Satans durch die Täuflinge und zwar nach der aus dem Rituale bekannten Formel. Die Antwort auf die drei Fragen des Priesters lautet: »Abrenuntio« (Ich widersage). Im Prager Sakramentar finden wir weder einen Hinweis dafür, daß die Taufpaten diese Antwort für die Kinder gegeben haben, noch darauf, daß die Fragen in der Muttersprache gestellt worden sind[32].

Den Abschluß dieser Feier in der Frühe des Karsamstags bildet die Rezitation des Glaubensbekenntnisses – ein Rest der ehemals üblichen »Redditio symboli«[33] –, wobei der Priester seine Hand über die Köpfe der Kinder hält; sowie der Ruf des Archidiakons zum Gebet mit gebeugten Knien (»Orate electi . . .« wie oben) und schließlich die feierliche Entlassung: »Die Katechumenen sollen sich entfernen! Alle Katechumenen sollen hinausgehen!« Ein (weiterer) Diakon fügt hinzu: »Geliebteste Söhne, begebt euch in eure Häuser und wartet dort die Stunde ab, in der mit der Gnade Gottes die Taufe an euch vollzogen werden wird«. Dieser Abschluß mit stillem Gebet und feierlicher Entlassung fehlt in den stadtrömischen Liturgiebüchern, findet sich jedoch ebenso im Sacramentarium Gelasianum[34].

[30] Vgl. Lietzmann, Das Sacramentarium (oben Anm. 27) Formel 83 Seite 50: »Ad reddentes dicit Domnus Papa post pisteugis . . .«.
[31] In Rom war nach Ausweis des zitierten Sacramentarium Gregorianum nur die Formel »Effeta« üblich.
[32] Unter Karl d. Gr., als infolge der Sachsenmission viele Erwachsene getauft wurden, ließ man das Taufgelöbnis in einzelnen Gegenden in der Muttersprache sprechen; vgl. G. Baesecke, Die althochdeutschen und altsächsichen Taufgelöbnisse, in: Nachrichten der Akad. d. W. in Göttingen, Phil.-hist. Klasse (Göttingen 1944) 63–85. Entsprechende bairische Zeugen fehlen ganz; hinsichtlich der fränkischen vgl. Ehrismann, Geschichte der deutschen Literatur (oben Anm. 28) 288–291.
[33] Den Taufkandidaten wurde einige Zeit vor Ostern (in Gallien und Oberitalien am Sonntag vor Ostern) der Text des Glaubensbekenntnisses mitgeteilt und erklärt (Traditio symboli). Diese mußten den Text auswendig lernen und am Karsamstag Morgen vorsagen (Reditio symboli). Im Prager Sakramentar sind die Worte »reddunt infantes symbolum des Sacramtarium Gelasianum (ed. Mohlberg p. 67) weggelassen, vermutlich weil sich die entsprechende Praxis in Regensburg geändert hatte.
[34] Formeln 422–424 (ed. Mohlberg).

Der dritte Teil der Zeremonien, die eigentliche T a u f e, fand nach Angabe des Prager Sakramentars einige Stunden später statt, und zwar innerhalb des Vigilgottesdienstes am Nachmittag und Abend des Karsamstag (Beginn: »octava hora« = 14 Uhr). Nach der Segnung der Osterkerze (ohne vorausgehende Feuerweihe)[35] und der Lesung der zehn Prophezien findet sich in unserem Liturgiebuch, mit farbig ausgefüllten Großbuchstaben geschrieben, die Rubrik: »Inde descendis cum letania ad fontem« (Nun begibt man sich unter dem Gesang der Litanei zum Taufbrunnen).

Im Baptisterium angekommen singt der Priester die Gebete zur Weihe des Taufwassers, in deren Verlauf die Osterkerze in das Taufbecken gesenkt wird. Am Schluß fügt er dem geweihten Wasser Chrisma bei, ein Brauch der im Sacramentarium Gelasianum noch nicht erwähnt wird, jedoch im Ordo Romanus XI, der schon einigemale genannt wurde, zu finden ist[36]. Die dabei gebrauchte Formel lautet im Prager Sakramentar: »Die Chrisma-Eingießung des Heilandes, unseres Herrn Jesu Christi (geschieht), damit der Taufbrunnen allen, die kommen, zu einem Quell ewigen Lebens werde[37].«

Die anschließende Taufe wird, wie im Gelasium, durch das dreimalige Bekenntnis des Glaubens, das der Täufling im Wasser stehend ablegt, und durch ein dreimaliges Untertauchen, ohne die bekannte Taufformel, gespendet[38]. Doch scheint diese ältere Form damals in Regensburg bereits außer Übung gekommen zu sein. Wir finden nämlich in der Handschrift beigefügt: »Oder wenn du willst, (gebrauche diese Formel): Ich taufe dich im Namen des Vaters – *erste Eintauchung* – und des Sohnes – *zweite Eintauchung* – und des Heiligen Geistes – *dritte Eintauchung* –«, wobei auch in diesem Fall das dreimalige Bekenntnis des Glaubens vorausging[39].

---

[35] Wenigstens nach dem Wortlaut der Handschrift. Der tatsächliche Brauch dürfte, wie die späteren Zeugnisse zeigen, anders gewesen sein; vgl. unten S. 265.

[36] Ordo Romanus XI, 94 (ed. Andrieu II, 445). Eine eigene Formel wird hier nicht angegeben, eine andere als die unsere begegnet uns im Missale Romanum.

[37] »Infusio crisma saluatoris domini nostri ihu xpi ut fiat fons aquae salientis cunctis uenientibus in uitam aeternam. Amen«; vgl. Dold-Eizenhöfer (oben Anm. 1) Formular 98, 11. Da die Rubrik: »Inde benedicto fonte baptizas unumquemque in ordine suo« vorausgeht und nicht, wie es richtig wäre, der Formel nachfolgt, ist diese offensichtlich späterer Nachtrag. Sie findet sich sonst m. W. nicht.

[38] Dieser Ritus wird auch in De sacramentis VI, 2, 20 bezeugt; vgl. Gamber, Die Autorschaft (oben Anm. 29) 36–38. Allgemein zur Frage: Stenzel, Die Taufe (oben Anm. 18) 111–125.

[39] Den gleichen Ritus bei der Taufspendung wie unsere Handschrift zeigt das aus Bergamo stammende Sakramentar von Monza (ein altertümliches Gelasianum mixtum); vgl. A. Dold – K. Gamber, Das Sakramentar von Monza (= Texte und Arbeiten, Beiheft 3, Beuron 1957) Formeln 1114–1115.

Eine Übergabe des weißen Kleides nach der Taufe wird im Sakramentar nicht eigens erwähnt, obwohl sie allgemein üblich war[40]. Dagegen fand die Darreichung einer brennenden Kerze, wie sie ins Rituale eingegangen ist, sehr wahrscheinlich damals noch nicht statt[41]. Es ist zum mindesten keine Rede davon.

Im Anschluß an die Spendung der Taufe spricht der Priester über jeden einzelnen der Neophyten das Gebet: »Deus omnipotens pater domini nostri . . .« (wie im Rituale), womit nach allgemein kirchlichem Brauch eine abermalige Salbung verbunden war – diesmal mit Chrisma[42]. Die entsprechende Rubrik im Gelasianum[43] fehlt in unserer Handschrift, was nicht unbedingt heißen muß, daß diese Salbung unterblieben ist.

Auch hinsichtlich der Spendung der Firmung weicht das Prager Sakramentar von der damals üblichen Sitte ab, daß der Täufling sofort nach der Taufe vom Bischof gefirmt wird[44]; was in Regensburg wegen der Anwesenheit des Bischofs in der Stadt besonders auffällt. In unserem Liturgiebuch ist die Firmung auf den 8. Tag nach Ostern verlegt (»Deinde ab episcopo octo dies . . .«)

Nach der Taufe begibt sich der Klerus unter dem Gesang der »Letania« vom Baptisterium zur Kathedrale zurück, wo der Zelebrant das Gloria anstimmt und dann das Vigilamt beginnt. Der Empfang der Kommunion durch die Neophyten wird in unserem Sakramentar nicht eigens erwähnt. Ein solcher war vermutlich bei der Taufe von Kindern damals in Regensburg zu diesem Termin nicht üblich, zumal auch die Firmung erst acht Tage später stattfand. Vielleicht, daß an diesem Tag, nämlich dem Weißen Sonntag, die Neugetauften zum erstenmal auch die Eucharistie empfingen[45].

[40] Sie wird auch in den Sermonen De sacramentis nicht erwähnt; zur Frage vgl. Gamber, Die Autorschaft (oben Anm. 29) 44–45. Im Sakramentar von Monza (vgl. oben Anm. 39) findet sich eine Formel für die Übergabe des weißen Gewandes verzeichnet (1117).

[41] Doch ist interessant, daß bereits Niceta von Remesiana († um 420) von den »lumina neophytorum« spricht; vgl. K. Gamber, Niceta von Remesiana: De lapsu Susannae (= Textus patristici et liturgici 7, Regensburg 1969) 20.

[42] Vgl. Schmitz, Gottesdienst (oben Anm. 20) 160–167; Stenzel, Die Taufe (oben Anm. 18) 170. Nach gallikanischem Brauch folgte auf die Salbung die Fußwaschung; vgl. Schmitz 167–179; dazu K. Gamber, Liturgie und Kirchenbau (= Studia patristica et liturgica 6, Regensburg 1976) 46–54, vor allem 51.

[43] »Postea cum ascenderit a fonte infans, signatur a presbitero in cerebro de chrismate his uerbis« (ed. Mohlberg Nr. 449).

[44] Vgl. das Sacramentarium Gelasianum (ed. Mohlberg Nr. 450).

[45] Daß die Kinder bald nach der Taufe auch zur Eucharistie zugelassen worden sind, steht auf jeden Fall fest; vgl. J. Baumgärtler, Die Erstkommunion der Kinder (Mün-

So müssen wir uns aufgrund der Angaben im Prager Sakramentar die Taufzeremonien in Regensburg während der 2. Hälfte des 8. Jahrhunderts vorstellen. Wir wissen freilich nicht, ob die Handschrift in allen Einzelheiten den tatsächlichen Brauch widerspiegelt und ob sie nicht ein Idealformular vermittelt, indem sie einfach ihre Vorlage, das oberitalienische Gelasianum, abschreibt. Vielleicht haben ältere (gallikanische) Formen immer noch weitergelebt. Auf jeden Fall dürfte in der Zeit des Bischofs Baturich (817 bis 848), wie der leider nicht vollständig erhaltene Text in dessen Pontifikale zeigt[46], sich dieser »neue« Taufritus durchgesetzt haben.

Für die bairische Missionsgeschichte ist beachtenswert, daß das Prager Sakramentar nur die Taufe der »infantes« vorsieht. Es dürfte demnach die Kindertaufe in Regensburg während der 2. Hälfte des 8. Jahrhunderts das Normale gewesen sein und die Taufe erwachsener Neubekehrter eine Ausnahme dargestellt haben[47]. Doch ist anzunehmen, daß die »infantes«, die zur Taufe gebracht wurden, wie auch anderswo, keine Säuglinge, sondern bereits einige Jahre alte Kinder waren[47a].

Anhang
St. Johann, das alte Regensburger Baptisterium

Die Taufkirche der Regensburger Kathedrale befand sich, wie bereits oben S. 42 dargelegt, nachweisbar seit dem 11., sehr wahrscheinlich aber schon seit dem 8. Jahrhundert, an der gleichen Stelle, an der bis zum Ausbau des

chen 1929) 83–89; Browe, Die Pflichtkommunion im Mittelalter (Münster 1940) 128–142.

[46] Vgl. Fr. Unterkircher, Das Kollektar-Pontifikale des Bischofs Baturich von Regensburg (= Soicilegium Spicilegium Freiburg/Schweiz 1962), wo Seite 122–126 Teile zweier Tauf-Ordines zu finden sind, von denen der zweite mit dem im Prager Sakramentar weitgehend übereinstimmt.

[47] Die Verhältnisse änderten sich, als seit den Zeiten Karls d. Gr. die bairische Ost-Mission einsetzte. Für die Unterweisung der Neubekehrten hat man damals eine Art Missionskatechismus zusammengestellt, wie er in einem Codex des 9. Jh. aus St. Emmeram (Clm 14410) erhalten ist; herausgegeben von J. M. Heer, Ein karolingischer Missions-Katechismus. Ratio de catechizandis rudibus (Freiburg 1911); vgl. auch G. Kretschmar, Die Taufe in der frühmittelalterlichen Mission, in: Leiturgia V (Kassel 1970) 303–336.

[47a] Vgl. etwa die Miniaturen auf einer Exultet-Rolle von Benevent aus dem 10. Jahrhundert, abgebildet in: Th. Schnitzler. Kirchenjahr und Brauchtum neu entdeckt (Freiburg 1977) 29.

Nordturms des gotischen Domes die Kollegiatskirche St. Johann ihren Platz hatte[48].

Ungewiß ist, wo in den ältesten Zeiten, also vor der kanonischen Neugründung der Diözese durch Bonifatius, die Taufkirche gestanden hat. Vielleicht waren die Verhältnisse ähnlich wie in Aquileja oder Trier, wo das Baptisterium anfänglich, d. h. im 4. Jahrhundert, innerhalb einer Doppelanlage zwischen den beiden Basiliken errichtet war – in unserem Fall also zwischen Ur-St. Peter und St. Stephan, etwa dort, wo heute die Allerheiligenkapelle steht[49].

Die Kollegiatskirche St. Johann war nicht, wie die übrigen Gotteshäuser dieser Zeit, mit dem Altarraum geostet, sondern befand sich in einer Nord-Südachse quer zum romanischen Dom, weshalb sie auch »(ecclesia) transversa«, die »Querliegende«, hieß[50]. Diese Querlage ist auffällig und zeigt, daß der Bau ursprünglich eine andere Verwendung hatte, bei der man auf eine Ostung keine Rücksicht nehmen mußte. Er war, wie gesagt, in vor-romanischer Zeit das Baptisterium des Domes. Sein Patrozinium, nämlich das des heiligen Johannes des Täufers (erst später kam noch Johannes der Evangelist als Patron hinzu), ist typisch für Taufkirchen.

Seit dem 11. Jahrhundert, als man die zur »Porta aquarum« führende Pfaffengasse durch das Westwerk des Domes überbaut hatte[51], waren Kathedrale und Baptisterium durch einen oder zwei Bogengänge miteinander verbunden (vgl. Abb. 23)[52]. Es ist bei der Kontinuität des Mittelalters wahrscheinlich, daß diese Bogengänge auf einer älteren Anlage ruhen, die als zur Straße hin offener Vorhof (Atrium) für das Baptisterium gedient hat. Solche Vorhöfe vor Taufkirchen lassen sich auch anderswo nachweisen[53].

[48] Vgl. MGH, Scriptores XI, 351 ff.
[49] Vgl. J. Fink, Der Ursprung der ältesten Kirchen am Domplatz von Aquileja (Münster/Köln 1950) Abb. 11; Gamber, Domus ecclesiae 20 ff. mit Abb. 2. Hinsichtlich Ur-St. Peter vgl. oben S. 42, Anm. 143. – Auffällig ist der den italienischen Baptisterien ähnliche Grundriß des unter Bischof Hartwig II. (1155–1164) errichteten Grab- bzw. Friedhofkapelle. Das Mauerwerk könnte auf Fundamenten einer Taufkapelle ruhen.
[50] Vgl. MGH, Scriptores XVII, 578.
[51] K. Zahn, Die Ausgrabung des romanischen Domes in Regensburg (München 1931) 77.
[52] Vgl. Zahn, 116–117: »Der Bogengang hatte also den Zweck den Dom mit der Taufkirche zu verbinden« (117).
[53] Vgl. R. Bauerreiß, Fons sacer. Studien zur Geschichte des frühmittelalterlichen Taufhauses auf deutschsprachigem Gebiet (= Abhandlungen der Bayer. Benediktiner-Akademie 6, München-Pasing 1949) bes. 36. Taufkirchen mit ähnlichen Vorhöfen wie in Regensburg lassen sich sehr früh in Syrien nachweisen, so u. a. in der bekannten

Abb. 23   Baptisterium (links) und Westteil der romanischen
Kathedrale mit Atrium

Wenn man sich in Regensburg dieses durch zwei Bogengänge gebildete
Atrium, in Analogie der Vorhöfe der alten Basiliken, quadratisch vorstellt,
kommen wir zu der interessanten Beobachtung, daß in diesem Fall die Ge-
samt-Anlage des Baptisteriums von der Straßenmitte genau so weit entfernt
war wie die Domkirche. Der Raum zwischen dem »Wassertor« und der Kathedrale mit ihrer Taufanlage bildete einen großen freien Platz, der, ähnlich
wie noch heute die Piazza vor der Kirche in den südlichen Ländern, allgemei-
ner Treffpunkt der Bewohner gewesen sein dürfte[54]. Auch ein vielleicht noch
aus römischer Zeit stammender Brunnen hat hier nicht gefehlt; er befindet
sich jetzt im südlichen Seitenschiff des Domes[55].

Hauskirche von Dura-Europos v. J. 256 sowie in Deir-Seta, wo ein Porticus von
6 Säulen die Kirche mit dem Baptisterium verbindet; vgl. J. Corblet, Histoire dogma-
tique, liturgique et archéologique du sacrament de baptême II (Paris-Bruxelles 1882)
81.

[54] Ähnlich meint Zahn, Die Ausgrabung 117: »Betrachtet man die ganze bauliche
Situation, so möchte es scheinen, als ob diesem Platz ein gewisser repräsentativer Charakter zugekommen wäre. Besonders möchte man hier den Zugang zum Bischofshof
vermuten.«

[55] Hinsichtlich ähnlicher Brunnen in anderen Kirchen vgl. H. Otte, Handbuch der
kirchlichen Kunst-Archäologie I (Leipzig 1883) 362 f.

Was die eigentliche Taufkapelle in St. Johann betrifft, so ist, wie bereits Zahn vermutet hat, »eine Unterteilung dieses langgestreckten Bauwerks durch Ost-West-Mauern anzunehmen, und zwar so, daß im Norden und Süden Vorräume vorgegliedert waren. Doch fehlen nähere Anhaltspunkte hierüber. Der eigentliche Kirchenraum wird . . . das große Taufbecken enthalten haben, in das zu diesen frühen Zeiten die Täuflinge gänzlich hinabgetaucht wurden[56].« Dieser Zentralraum war, wie der frühmittelalterliche in Augsburg[57] quadratisch.

In den Nebenräumen wurden die präbaptismalen Zeremonien vorgenommen. Bei der eigentlichen Taufspendung am Abend des Karsamstags diente der eine Raum zum Ablegen der Kleider, während im anderen die weißen Kleider nach der Taufe überreicht wurden. Hier fand ursprünglich auch die Firmung'durch den Bischof statt. Die Bogengänge vor der eigentlichen Taufkirche waren für den Aufenthalt der auf die Taufe Wartenden bestimmt.

Da am Karsamstag Haupttauftag war und es in Regensburg und Umgebung nur ein einziges Baptisterium gab, müssen wir mit einem beträchtlichen Andrang zu diesem Termin rechnen. Auf dem Land wurden erst nach 800 in größerem Maße Taufkirchen errichtet[58].

Einen großen Tag erlebte das Regensburger Baptisterium, als hier unter König Ludwig dem Deutschen und Bischof Baturich am Oktavtag von Epiphanie des Jahres 845, wie bereits oben erwähnt, vierzehn böhmische Edelleute getauft wurden. Die Taufkapelle steht jetzt nicht mehr, das Ritualbuch (Pontifikale) des Bischofs Baturich, nach deren Texten er die Taufe damals vornahm, ist jedoch erhalten geblieben[59].

---

[56] Zahn, Die Ausgrabung 113–114.

[57] Vgl. L. Ohlenroth, Frühchristliche Taufanlage in Augsburg, in: Forschungen und Fortschritt 6 (1930) 169f.; R. Bauerreiß, Kirchengeschichte Bayerns I (²St. Ottilien 1974) 19.

[58] So heißt es in der bayerischen Synode von 799: »In allen Pfarreien sollen vorschriftsmäßige Baptisterien errichtet und ein anständiger Taufbrunnen gebaut werden«; vgl. Janner, Bischöfe 142. Ein solches damals im 9. Jahrhundert auf dem Land errichtetes Taufhaus steht heute noch in Roding; vgl. K. Gamber, Zur mittelalterlichen Geschichte Regensburgs und der Oberpfalz (Kallmünz 1968) 35.

[59] Vgl. oben Anm. 46.

Fragmentblätter eines Dom-Evangeliars aus dem 8. Jahrhundert

Das Bischöfliche Zentralarchiv in Regensburg erweist sich mehr und mehr als Fundgrube interessanter Handschriften-Fragmente. So wurde vor einigen Jahren hier zu den bereits bekannten Bruchstücken des Bonifatius-Sakramentars, das aus der Zeit der kanonischen Wiedererrichtung der Diözese vom Jahr 739 stammt[1], ein weiteres (3.) Doppelblatt entdeckt[2]. Erst in jüngster Zeit konnte im gleichen Archiv aus einem Einband mit Kapitular-Protokollen von 1617–19 ein neuer interessanter Fund gemacht werden. Es handelt sich um zwei beschnittene Doppelblätter (Zeilenlänge etwa 15 cm) eines Evangeliars des ausgehenden 8. Jahrhunderts[3], näherhin um das 2. und 4. (innere) Doppelblatt einer Lage mit Texten aus dem Matthäus-Evangelium (23, 35–24, 15; 24, 38–25, 29; 26, 6–25). Das Fragment befindet sich jetzt in der Bischöflichen Zentralbibliothek (Signatur: Cim. 2), wo auch das Regensburger Blatt des Bonifatius-Sakramentars aufbewahrt wird (Cim. 1).

Bis zum 17. Jahrhundert dürfte die ehemalige Handschrift bzw. das, was von ihr damals noch übrig war, ähnlich wie das Bonifatius-Sakramentar, unbeachtet in der Regensburger Dombibliothek gelegen haben. Das Evangeliar war im Frühmittelalter, wenigstens bei bestimmten Anlässen, in der Domliturgie verwendet worden. Dies zeigen Regieanweisungen, die um das Jahr 800 in den Text der Matthäus-Passion eingetragen wurden, nämlich c (= cantus oder cantor für den erzählenden Text), a (= altus für die Worte mehrerer Personen) und t (= tenor für die Worte Jesu)[4].

---

[1] Vgl. K. Gamber, Codices liturgici latini antiquiores (= Spicilegii Friburgensis Subsidia 1, ²Freiburg/Schweiz 1968) Nr. 412 S. 233 (im folgenden »Gamber, CLLA« abgekürzt); Lowe, Codices latini antiquiores VIII Nr. 1052 (im folgenden »Lowe, CLA« abgekürzt).

[2] Herausgegeben von K. Gamber, Das Regensburger Fragment eines Bonifatius-Sakramentars, in: Rev. bénéd. 85 (1975) 266–302; ders., Das Bonifatius-Sakramentar und weitere frühe Liturgiebücher aus Regensburg (= Textus patristici et liturgici 12, Regensburg 1975).

[3] Prof. B. Bischoff äußerte sich in einem Brief vom 27. 4. 76 wie folgt: »Das Evangeliar muß eine schöne Handschrift aus der ›ersten kalligraphischen Periode‹ (vgl. Südostdeutsche Schreibschulen S. 174f.) gewesen sein«.

[4] Die späteren Liturgiebücher verwenden C = Cantor, S = Succentor und † (vielleicht aus t entstanden).

Es lassen sich ferner einige einfache Gesangszeichen (Neumen) feststellen, die in dunkler Schrift gehalten sind. Mit solchen ist außer der Passion auch die in der Liturgie mehrmals vorkommende Perikope von den fünf klugen und fünf törichten Jungfrauen (Matth 25, 1–13) versehen, während sie in den übrigen Partien fehlen. Ähnliche Neumen erscheinen, von einer nur wenig späteren Hand eingetragen, auch in den Passions-Berichten eines im Rhein-Maas-Gebiet bald nach 800 geschriebenen Evangelistars (jetzt in Aachen, Sammlung Ludwig, Ms. 2)[5].

Der Bibeltext, wie er sich auf den acht erhaltenen Seiten darbietet, entspricht fast genau dem der Vulgata, d. h. der Bibelübersetzung des Hieronymus, die damals ihren Siegeszug in der abendländischen Kirche angetreten hat[6]. An einigen Stellen sind nachträglich Änderungen, meist durch Rasuren, wohl aus der Zeit um oder bald nach 800, zu erkennen, so Matth 24,6 (*autem*, korrigiert in: *enim*), 24,13 (*permanserit: perseuerauerit*), 26,14 (ex?: de), 26,19 (*constituerat: constituit*).

Es handelt sich hier um Angleichungen an den Text der Alkuin-Bibel, d. h. der von Alkuin im Auftrag Karls d. Gr. vorgenommenen Vulgata-Revision[7]. Eine Abschrift unseres Evangeliars hätte demnach fast den reinen Alkuintext ergeben. Diese Tatsache zeigt, wie interessant Varianten sein können, wie vorsichtig man aber auch in der Beurteilung von solchen sein muß. Wenn demnach in einer bestimmten Handschrift nicht mehr alle typischen Lesarten vorkommen, kann es sich doch, wenn wenigstens einige davon erhalten geblieben sind, um eine Abschrift des betreffenden Typus (wenn auch in einer korrigierten Fassung) handeln.

Unkorrigiert weist der Text unserer Domhandschrift die unter Herzog Tassilo III (abgesetzt 788) in Bayern gebräuchliche lateinische (Vulgata-)Fassung der Evangelien auf, wie sie auch in anderen Codices aus dieser Zeit, so im Codex Millenarius in Kremsmünster (Stiftsbibliothek, s. n.)[8], sowie in den Ingolstädter und Nürnberger Fragmenten (jetzt: München, Clm 27270 bzw. Nürnberg, Germanisches Museum, 27932 + Stadtbibliothek, Fragm. 1 + New York, Pierpont Morgan Library, M. 564)[9] zu finden ist[10]. Im Gegensatz

[5] Vgl. Gamber CLLA Nr. 1121 S. 454 und die Abbildung einer diesbezüglichen Seite in: P. Ludwig, Aachener Kunstblätter – Große Kunst aus tausend Jahren. Kirchenschätze aus dem Bistum Aachen (Düsseldorf 1968) Abb. XI S. 191.

[6] Vgl. S. Berger, Histoire de la Vulgata (Paris 1887).

[7] Vgl. B. Fischer, Die Alkuin-Bibel (= Aus der Geschichte der lateinischen Bibel 1, Freiburg i. Br. 1957).

[8] Vgl. Gamber, CLLA S. 314.

[9] Vgl. Lowe, CLA IX Nr. 1325, bzw. Nr. 1347.

[10] Vgl. W. Neumüller, Der Text des Codex Millenarius (= 100. Jahresbericht des

zu unsern Blättern handelt es sich bei den genannten Evangeliaren um ausgesprochene Prachthandschriften, die alle in Unziale geschrieben sind. Wie W. Neumüller gezeigt hat, ist als Heimat dieser bairischen Fassung des Evangelientextes die Metropole Ravenna – dreihundert Jahre lang, von Theoderich bis Karl d. Gr., die »heimliche Hauptstadt« des Abendlandes – anzusehen[11], was erneut die innigen Beziehungen zwischen Baiern und Oberitalien aufzeigt. In Ravenna wurde, wie wir wissen, im Auftrag des Bischofs Maximian (546–556) eine Revision des lateinischen Bibeltextes vorgenommen. Maximian hatte damals außer der Übersetzung des Augustinus die Vulgata des Hieronymus benützt, und zwar für die Evangelien den Text des Hieronymus[12].

Die Schrift unserer Fragmentblätter ist eine gepflegte vorkarolingische Minuskel mit den typischen Ligaturen der bairischen Handschriften des ausgehenden 8. Jahrhunderts. Sie gleicht weithin der 2. Hand im Psalter von Montpellier (Faculté de Médecine, ms. 409), einem kleinformatigen, mit zwei Bildseiten geschmückten Codex, der neben dem Psalterium Romanum zu den einzelnen Versen kurze Kommentare enthält und allem Anschein nach als Gebetbuch für Tassilo oder seine Frau bestimmt war (vgl. Abb. 24)[13]. Die

Öffentl. Gymnasiums der Benediktiner zu Kremsmünster 1957) 11–54; ders., Der Codex Millenarius und sein historischer Umkreis (103. Jahresbericht 1960); W. Neumüller – K. Holter, Der Codex Millenarius (Graz-Köln 1959), wo auch das Ingolstädter und Nürnberger Evangeliar eingehend behandelt werden.

[11] Vgl. Neumüller, Der Codex Millenarius und sein historischer Umkreis (oben Anm. 10) 24 f.

[12] Von Maximian heißt es bei Agnellus in seinem Liber pontificalis der ravennatischen Bischöfe: »Fecit omnes ecclesiasticos libros, id est septuaginta duo, optime scribere, quos diu et cautissime legit, absque reprehensione nobis reliquit, quibus usque hodie utimur, et ultimo loco evangeliorum et apostolorum epistolarum . . . Invenietis ita monentes: Emendavi cautissime cum his quae Augustinus, et secundum evangelia quae beatus Hieronymus Romam misit«; vgl. A. Chavasse, L'œvre littéraire de Maximien de Ravenne, in: Ephemerides liturgicae 74 (1960) 115–120. Teile dieser von Maximian redigierten Bibel sind in Ravenna, Archivio arcivescovile, sine num., vielleicht auch in Orléans. Bibl. munic., ms. 19 (vgl. Lowe, CLA VI Nr. 797–801), erhalten.

[13] Vgl. Fr. Unterkircher, Die Glossen des Psalters von Mondsee (= Spicilegium Friburgense 20, Freiburg/Schweiz 1974). Die Vorlage der Handschrift dürfte wegen der Verwendung des Psalterium Romanum durch angelsächsische Mönche (vgl. Unterkircher a.a.O. 17 f.) nach Regensburg gekommen sein und nicht durch oberitalienische Kleriker, wie Unterkircher 27 f. vermutet. Daß erst in Baiern Psalterium Romanum und Erklärungen (»interpretationes«) vereinigt worden sind (letztere setzen nämlich das Psalterium Gallicanum voraus), ist wenig wahrscheinlich. Diese Überarbeitung dürfte schon in England geschehen sein. Die Vorlage war auf jeden Fall, wie Lesefehler beweisen, in insulärer Schrift geschrieben (Unterkircher 14 und 28).

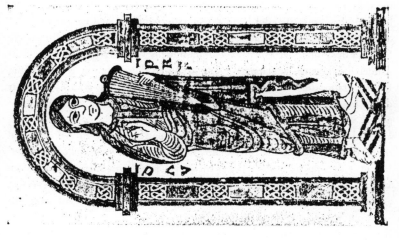

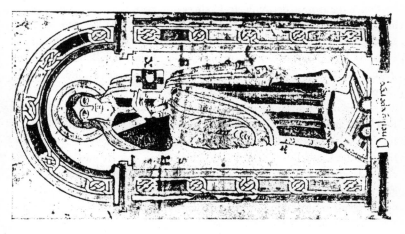

Abb. 24   Tassilo-Psalter in Montpellier (vor 788) Christus und David

Schrift ist in unseren Fragmentblättern jedoch etwas größer und kräftiger als im Psalter[14].

In beiden Fällen finden wir bei *a* die unziale und die *cc*-Form (oben offen) vor, ähnlich beim *d* die unziale und die Minuskel-Form. Es erscheinen auch die gleichen Wortverbindungen und Ligaturen. Besonders auffällig ist die häufige Verschmelzung des *n* mit dem gestürzten *t*. Einige Ligaturen sind jedoch dort seltener als bei uns, wie die *en*- und *em*-Ligatur. Bei ihr ist die Schlinge des *e* über der Mittellänge und mit dem Mittelstrich an den nachfolgenden Buchstaben angehängt. Doch kommen diese Ligaturen regelmäßig bei der Hand, die den 1. Teil des Psalters geschrieben hat, vor. Typisch für die Evangelienhandschrift ist ferner die *ro*-Ligatur mit dem nach oben gezogenen Strich des *o*, die auch im Psalter zu finden ist[15].

Die Abkürzungsstriche sind in den Fragmentblättern nur selten wie dort steil nach oben gezogen, so vor allem beim Namen *ihs*, sonst sind sie liegend angebracht. Kürzungen kommen bei uns, außer den Nomina sacra, relativ selten vor, jedenfalls weit seltener als im Psalter. Hinsichtlich der Interpunktion ist zu sagen: wie dort dient der halbhohe Punkt als Komma: ein Strichpunkt steht regelmäßig am Ende eines Satzes.

Zu Beginn der einzelnen Kapitel steht in der Evangelienhandschrift jeweils am linken Rand die in den Vulgata-Codices übliche Kapitelzahl und zwar bei uns zuerst die des betreffenden Evangeliums, so z. B. bei Matth 23,37: Mt CCXLI. Darunter wird in Rot durch die weitere Zahlenangabe V auf die synoptische Canontafel V des Eusebius verwiesen, die sich sicher ehedem zu Beginn des Codex befunden hat. Während in den meisten anderen alten Evangelien-Handschriften zusätzlich keine weiteren Angaben mehr zu finden sind, wird bei uns noch die aus dieser Canontafel gezogene Parallelstelle Lc LXXV genannt. Fehlt in anderen Fällen eine synoptische Parallele, ist zur Kapitelzahl *sol* (= solum) vermerkt.

Im Falle des Kapitels CCXLI, wo die schmucklose Initiale im Gegensatz zu den anderen mit roter Farbe ausgefüllt ist, erscheint über die genannten Angaben hinaus am Rand die Zahl XXV. Sie steht an erster Stelle, ist größer als die übrigen Angaben und in Rot geschrieben. Es handelt sich um eine andere Kapitelseinteilung und zwar um die Capitula Commentarii in Evangelium

---

[14] Vgl. Unterkircher, Die Glossen (Anm. 13) Tafel VIII und IX; Lowe, CLA VI Nr. 795.
[15] Vgl. Unterkircher, Die Glossen 5–7.

Matthaei des Ps.-Hilarius[16]. Diese tritt auch in einer weiteren bairischen Evangelienhandschrift, nämlich in dem bereits erwähnten Ingolstädter Evangeliar, auf. Hier stimmen die Angaben am Rand nicht nur den Zahlen, sondern auch dem Schriftcharakter nach genau mit denen in unserem Fragment überein[17].

Durch den hier mitgeteilten Neufund zweier Doppelblätter eines Regensburger Evangeliars fällt neues Licht auf die Schrift-Heimat des genannten Psalters in Montpellier. Seit den Untersuchungen von B. Bischoff wird das unter Tassilo III gegründete Kloster Mondsee (bei Salzburg) als Entstehungsort angenommen. Der Grund ist an sich einleuchtend: die Hand, die den 1. Teil dieses Codex geschrieben hat, ist identisch mit einer Hand, auf die eine Apostolus-Handschrift zurückgeht. Diese befand sich (zuletzt) im Kloster Mondsee, bis sie nach Wien (Ö. Nationalbibliothek, ser. nov. 2065) gelangte[18]. Direkte Hinweise, die für Mondsee als Entstehungsort sprechen, lassen sich jedoch nicht feststellen, wenn auch die Herkunft des Codex aus der Bibliothek dieses Klosters einiges Gewicht hat.

Durch die Erkenntnisse, die sich aus dem neu entdeckten Evangeliar ergeben, besonders auch hinsichtlich der Verwandtschaft der Schrift mit dem genannten Psalter, wird es notwendig sein, die Frage der Schriftheimat sowohl des Psalters als auch der Apostolus-Handschrift neu zu überdenken. Wenn tatsächlich das Evangeliar in Regensburg geschrieben worden ist – was sowohl durch die Schrift[19] als auch durch die spätere Bibliotheksheimat nahegelegt wird –, dann könnten auch diese sowie andere verwandte Prachthandschriften, auf die K. Holter aufmerksam gemacht hat[20], so vor allem das oben genannte Ingolstädter Evangeliar (Abb. 25), in Regensburg entstanden sein. Warum sollte Tassilo den Auftrag zur Anfertigung eines Gebetbuches für sich oder die Herzogin gerade an das damals erst gegründete Kloster Mondsee gegeben haben, wenn er an seinem Hof in Regensburg bzw. an der Kathedrale oder auch im Kloster St. Emmeram eine Schreibschule zur Verfügung gehabt hat?

Das Vorhandensein der genannten Apostolus-Handschrift in Mondsee läßt sich durch die naheliegende Annahme erklären, daß Bischof Baturich

---

[16] Vgl. Migne, PL 9, 915–918; H. Jeannotte, in: Biblische Zeitschrift 10 (1912) 36–45.
[17] Nach Photographien im Liturgiewissenschaftlichen Institut Regensburg.
[18] Vgl. Unterkircher, Die Glossen 5.
[19] Vgl. oben Anm. 3.
[20] Vgl. Neumüller – Holter, Der Codex Millenarius 129–185 (mit Ausnahme der sicher in Salzburg entstandenen Handschrifren).

Abb. 25   Sog. Ingolstädter Evangeliar (Clm 27270) Canonseite mit Evangelisten-
symbolen (vor 800)

(817–848), oder einer seiner Nachfolger, in das ihm von Königin Hemma im
Tausch gegen Obermünster überlassene Kloster[21] eine Reihe älterer Handschriften, die in der Bischofsstadt nicht mehr gebraucht wurden, bringen ließ.

[21] Vgl. Janner, Bischöfe 162.

Konkret wissen wir dies im Fall eines von Baturich verfaßten und unter seiner Regierung geschriebenen Pontifikale[22].

Auf anderem Weg wiederum dürfte der oben erwähnte Codex Millenarius, eine mit Evangelistenbildern und deren Symbolen kunstvoll ausgestattete Evangelienhandschrift (vgl. Abb. 26–28), nach Kremsmünster gelangt sein. Dieser bildet entweder ein Geschenk Tassilos an das von ihm gegründete Kloster oder er wurde vorher – was wahrscheinlicher ist – in der herzoglichen Pfalzkapelle in Regensburg als Evangelienbuch verwendet[23]. Dieses hätten dann beim Sturz Tassilos im Jahr 788 einige seiner Getreuen zusammen mit dem berühmten Kelch und dem Zepter des Herrschers in seine Lieblingsstiftung Kremsmünster gebracht, wo sie heute noch gelegentlich in der Liturgie Verwendung finden[24]. Aus dem Zepter hat man später zwei Altarleuchter gemacht[25]. Somit wären damals einige der wertvollsten Stücke des »ornatus palatii« nach Kremsmünster in Sicherheit gebracht worden – eine sicher nicht unbegründete Annahme.

Der oben ebenfalls erwähnte Psalter hingegen, den Tassilo oder seine Frau Luitpirc oder auch eine seiner Töchter (Cotani bzw. Rotrud) als Gebetbuch benützt hat, ist in die Verbannung ins westliche Frankenreich mitgenommen worden. Hier wird das Büchlein heute noch aufbewahrt. Das Sakramentar der Pfalzkapelle ist, wie oben eingehend dargelegt wurde, ebenfalls erhalten. Da es weniger kostbar war als die genannten Stücke, wurde es damals in der Sakristei dieser Kirche zurückgelassen.

Wenn der Codex Millenarius tatsächlich, wie wir vermuten, im Gottesdienst der Kapelle des Palatiums Tassilos verwendet wurde, dann wäre damit auch die umstrittene Frage nach der genauen Entstehungszeit dieser Handschrift entschieden, nämlich vor 788 und nicht erst um 800, wie verschiedentlich angenommen wird[26]. Psalter und Evangeliar müssen schon aufgrund der Mi-

[22] Herausgegeben von Fr. Unterkircher, Das Kollektar-Pontifikale des Bischofs Baturich von Regensburg (= Spicilegium Friburgense 8, Freiburg/Schweiz 1962); ferner oben S. 48.

[23] Vgl. W. Neumüller – K. Holter, Codex Millenarius. Vollständige Faksimile-Ausgabe (= Codices selecti phototypice impressi, Vol. XLV, Graz 1974).

[24] Vgl. Neumüller – Holter a.a.O. 13. – Die Zusammengehörigkeit von Evangelienbuch (Codex Millenarius) und Tassilo-Kelch sowie der Leuchter hat bereits J. Sighart, Geschichte der Bildenden Künste im Königreich Bayern (München 1862) 31 erkannt: ». . . die Leuchter und das Plenarium (Evangelienbuch) . . ., welche mit jenem Kelch eine ganze Kapellenausstattung bilden«.

[25] Vgl. P. Stollenmayer, Tassilo-Leuchter, Tassilo-Zepter (= 102. Jahresbericht des Öffentl. Gymnasiums der Benediktiner in Kremsmünster 1959).

[26] Vgl. Neumüller – Holter (oben Anm. 23) 32 f.

Abb. 26   Codex Millenarius in Kremsmünster (vor 788) Evangelist Matthäus

Abb. 27   Codex Millenarius Adler (Evangelisten-Symbol des Johannes)

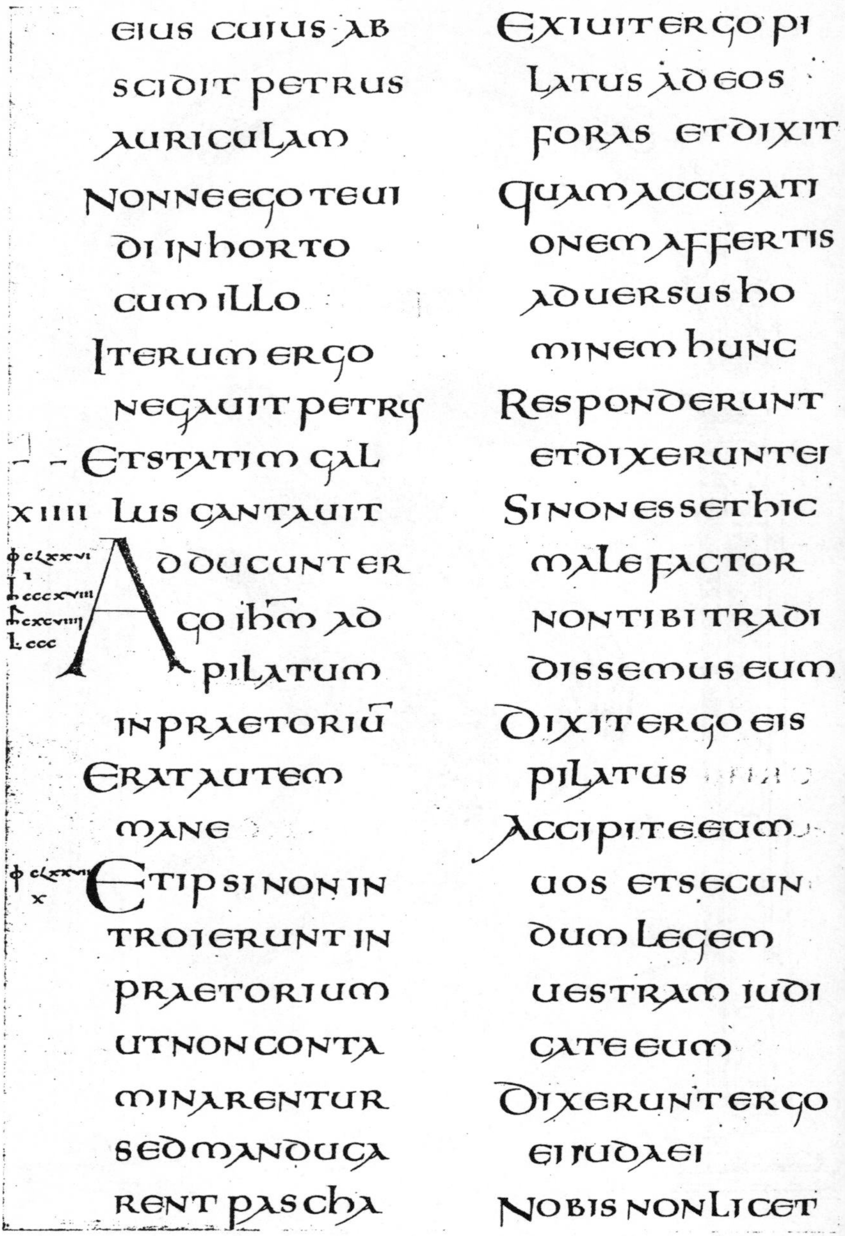

EIUS CUIUS AB
SCIDIT PETRUS
AURICULAM
NONNEEGO TEUI
DI INHORTO
CUM ILLO
ITERUM ERGO
NEGAUIT PETRS
ETSTATIM GAL

XIIII LUS CANTAUIT

A DDUCUNT ER
GO IHM AD
PILATUM
INPRAETORIU
ERATAUTEM
MANE
ETIPSI NON IN
TROIERUNT IN
PRAETORIUM
UTNON CONTA
MINARENTUR
SEDMANDUCA
RENT PASCHA

EXIUIT ERGO PI
LATUS ADEOS
FORAS ETDIXIT
QUAM ACCUSATI
ONEM AFFERTIS
ADUERSUS HO
MINEM HUNC
RESPONDERUNT
ETDIXERUNTEI
SINONESSETHIC
MALE FACTOR
NONTIBI TRADI
DISSEMUS EUM
DIXIT ERGO EIS
PILATUS
ACCIPITEEUM
UOS ETSECUN
DUM LEGEM
UESTRAM IUDI
CATE EUM
DIXERUNT ERGO
EI IUDAEI
NOBIS NONLICET

Abb. 28   Codex Millenarius (fol. 340)

niaturen fast gleichzeitig entstanden sein. Ersterer ist jedoch sicher noch unter der Herrschaft Tassilos geschrieben[27]. Das gleiche gilt für das genannte Sakramentar.

Zwischen diesem und dem Psalter bzw. dem Codex Millenarius bestehen übrigens nicht übersehbare Ähnlichkeiten hinsichtlich der künstlerischen Ausgestaltung der Handschrift[28], was abermals auf eine Entstehung der genannten Codices in Regensburg hinweist. Eine eingehende Untersuchung darüber steht jedoch noch aus.

In den Einbänden des Bischöflichen Zentralarchivs wurden in den letzten Jahren Fragmente weiterer wertvoller Handschriften aus dem 9. Jahrhundert entdeckt. So das Doppelblatt sowie vier Einzelblätter eines mit Goldinitialen prachtvoll ausgestatteten Psalteriums mit Erklärungen aus den Schriften der Kirchenväter, das jedoch einen völlig anderen Typus als das Tassilo-Psalterium darstellt. Der Codex war im Kloster Reichenau geschrieben und wahrscheinlich durch König Ludwig den Deutschen, der mit Vorliebe in Regensburg residiert und das Stift der Alten Kapelle gegründet hat, in den Dom und später in die Dombibliothek gekommen (jetzt in der Bischöfl. Zentralbibliothek, Cim. 3)[29].

Ein weiteres Doppelblatt aus der gleichen Handschrift ist schon länger bekannt; es lag viele Jahre in der Provinzialbibliothek in Amberg (jetzt in München)[30]. Es enthält eine durch Arkadenbögen reich verzierte Allerheiligenlitanei und andere Gebete, die ehedem wohl zu Beginn des Psalteriums gestanden haben.

Abschließend dürfen wir sagen: Die Tatsache, daß der Handschriftenbestand der Regensburger Dombibliothek als Ganzes verloren gegangen ist, darf uns nicht hindern, in Regensburg wegen der Bedeutung, die diese Metropole in der Zeit der Agilolfinger und Karolinger hatte, auch den zentralen Ort der

---

[27] Vgl. Unterkircher, Die Glossen des Psalters (Anm. 13) 31.

[28] Vor allem gilt dies für die Zierbuchstaben auf fol. 40r, 57v und 76r im Prager Sakramentar sowie für die Ausgestaltung der größeren Initialen; vgl. auch die Abbildung in: Scriptorium 30 (1976) Pl. 1 (Überschrift »Incipiunt orationes de aduentu dni«) mit Tafel VI (fol. 17r) bei Unterkircher, Die Glossen (oben Anm. 13).

[29] Vgl. B. Bischoff, Die mittelalterlichen Bibliotheken Regensburgs, in: VO 113 (1973) 49–58, hier 51. – Hingewiesen sei hier auf einen weiteren Psalter, der ebenfalls an Ludwig den Deutschen gegeben wurde, jetzt in Berlin, Preußischer Kulturbesitz, Staatsbibliothek, Ms. Theol. lat. fol. 58; Abbildung in: J. Hubert, Die Kunst der Karolinger (München 1969) 171.

[30] Vgl. A. Beck, Kirchliche Studien und Quellen (Amberg 1903) 382–388 (mit Facsimile am Schluß).

bairischen Handschriften-Produktion des 8./9. Jahrhunderts, vor allem was die Prachthandschriften betrifft, zu sehen. Es werden jedoch weitere Handschriftenfunde und genaue Einzeluntersuchungen notwendig sein, bis wir in der Frage einer Kathedral- bzw. Hofschreibschule schon in der 2. Hälfte des 8. Jahrhunderts etwas Sicheres wissen.

Das altbairische Petrus-Lied und das kulturelle Leben in Regensburg im 9. Jahrhundert*

Das älteste deutsche »Kirchenlied« ist als Nachtrag des beginnenden 10. Jahrhunderts auf der letzten Seite einer Freisinger Handschrift (Cod. Fris. 60, jetzt München, B. Staatsbibliothek, Clm 6260) überliefert. Der althochdeutsche Text zeigt den bairischen Dialekt des 9. Jahrhunderts und ist mit linienlosen Neumen versehen. Das Lied hat drei Strophen und schildert in den beiden ersten die außerordentlichen Vollmachten des heiligen Petrus als des Himmelspförtners, deretwegen in der dritten Strophe um Verzeihung und Gnade gebetet wird[1].

Der althochdeutsche Text, den wir anschließend in Verbindung mit dem Entzifferungsversuch der Neumen durch O. Ursprung bringen, lautet in neuhochdeutscher Übersetzung:

> Unser Herr hat übergeben dem heiligen Petrus Gewalt,
> daß er kann erretten den auf ihn vertrauenden Mann.
> Kyrie eleison. Christe eleison.
>
> Er hält auch mit Worten des Himmelreichs Pforte,
> dahinein mag er scharen, den er will erretten.
> Kyrie eleison. Christe eleison.
>
> Bitten wir den Gottes Trauten allesamt überlaut,
> daß er uns Verlorenen geruhe, gnädig zu sein.
> Kyrie eleison. Christe eleison[2].

---

* Herrn Prof. Dr. Klaus Matzel, Regensburg bin ich für verschiedene Hinweise zu Dank verpflichtet.

[1] Zahlreiche Literatur, u. a. H. F. Massmann, Die deutschen Abschwörungs-, Glaubens-, Bericht- und Betformeln vom achten bis zum zwölften Jahrhundert (Quedlinburg und Leipzig 1839) 52 f., 172, Facsimile auf Taf. V; G. Ehrismann, Geschichte der deutschen Literatur bis zum Ausgang des Mittelalters I (München 1918) 195–199; im folgenden »Ehrismann« abgekürzt (mit weiterer Literatur).

[2] Text im Anschluß an O. Ursprung, Die Kirche und die Musikkultur, in: M. Buchberger, Eineinhalb Jahrtausend kirchliche Kulturarbeit in Bayern (München 1950) 357–396, hier 364. Aus dieser Studie auch die folgende Entzifferung der Neumen (Bildtafel 50).

Dieses Lied gehört in die Gruppe der sog. »Leise«. Man versteht darunter jene Gesänge des Mittelalters, die, wie in userm Fall, am Schluß der einzelnen Strophen mit »Kyrie eleison« bzw. abgekürzt »Kirieleis« enden. Daher auch ihr Name. Am bekanntesten sind das Osterlied »Christ ist erstanden«, spätestens aus dem 12. Jahrhundert, das vielerorts am Schluß der Oster-Matutin (nach dem Te Deum) vom Volk gesungen wurde[3], und das Weihnachtslied »Gelobet seist du Jesu Christ«, das etwas jünger sein dürfte und das im Anschluß an die Weihnachts-Sequenz »Grates nunc omnes« erklang[4].

Es galt bisher als ausgemacht, daß das Petrus-Lied in der 2. Hälfte des 9. Jahrhunderts in Freising entstanden ist. O. Ursprung hat näherhin vermutet, daß es unter Bischof Erchambert (836–854) im Zusammenhang mit der Einweihungsfeier einer Peterskirche auf dem Domberg in Freising erstmals gesungen wurde[5].

Dazu ist folgendes zu sagen: Daß der neumierte Text in einer Freisinger Handschrift überliefert wird, muß nicht bedeuten, daß dieser selbst auch in Freising entstanden ist. Es handelt sich nämlich deutlich um eine Abschrift. Zwischen der Zeit der Niederschrift und der Abfassung des Liedes liegen etwa 30–50 Jahre. Zudem ist nach B. Bischoff nicht einmal sicher, ob dieser Nachtrag überhaupt von einer Freisinger Hand erfolgte[6] (Abb. 29).

Es läßt sich zeigen, daß eine Abfassung des Liedes in Freising unwahrscheinlich ist – vorausgesetzt freilich, daß die Germanisten mit ihrem Ansatz einer Entstehung des Liedes noch im 9. Jahrhundert recht haben. Unser Petrus-Leis ist bekanntlich sowohl formal als auch textlich abhängig vom gereimten althochdeutschen Evangelienbuch (»Evangelium theodiscum«) des Otfrid von Weissenburg, das zwischen 863 und 871 entstand[7].

Nun ist es aber fast ausgeschlossen, daß eine Kopie dieses Evangelienbuchs schon in der 2. Hälfte des 9. Jahrhunderts in Freising vorhanden war. Wir

[3] Vgl. K. Gschwend, Die Depositio und Elevatio crucis im Raum der alten Diözese Brixen (Sarnen 1965) 73–81 (mit weiterer Literatur); vgl. auch unten S. 273.

[4] Vgl. C. Blume, Unsere liturgischen Lieder (Regensburg 1932) 10.

[5] O. Ursprung, Freisings mittelalterliche Musikgeschichte, in: J. Schlecht, Wissenschaftliche Festgabe zum zwölfhundertjährigen Jubiläum des heiligen Korbinian (München 1924) 245–278, hier 247.

[6] Vgl. B. Bischoff, Die südostdeutschen Schreibschulen und Bibliotheken in der Karolingerzeit I (Wiesbaden 1960) 121, im folgenden »Bischoff, Schreibschulen« abgekürzt.

[7] Vgl. Ehrismann 1960: »Verfaßt ist (das Lied) gegen Ende des 9. Jahrhunderts, denn es steht unter dem Einfluß des durch Otfrid eingeführten christlichen deutschen Kunststils.« So hat die 3. Strophe des Petrus-Lieds als Vorlage Otfrid, Evangelienbuch I 7, 53–56; vgl. auch Ph. Wackernagel, Das deutsche Kirchenlied II (Leipzig 1867) 22, dazu S. 6.

1. Un-sar troh-tin hat far- salt
2. Er ha- pet ouh mit vuor-tun.
3. Pit-te- mes den go- tes trut

san-cte pe- tre gi- uualt
hi- mil-ri- ches por- tun
al- la sa- mant upar lut

1. daz er mac gi- ne- rian
2. dar in mach er ske- rian
3. daz er uns fir- ta- nen

ze [i-]mo ding- en- ten man.
den er uui- li neri- an.
gi-uuer- do gi- na- den.

1-3. kyrie e-leyson, christe e-leyson.

(Hier sind die Neumen zur ersten Strophe
wiedergegeben; Zeichen, die undeutlich sind,
klären sich an den Neumen der andern Strophen.)

besitzen nämlich zufällig die Freisinger Abschrift dieses Werkes (jetzt in
München, Cgm 14) und wissen Näheres über ihre Entstehung[8]. Sie wurde,
wie ein lateinischer Vers am Schluß des Codex besagt, unter Bischof Waldo

[8] Vgl. Ehrismann 173; Daniel, Handschriften des 10. Jh. aus der Freisinger Dombibliothek (= Münchener Beiträge zur Mediävistik und Renaissance-Forschung 11,
München 1973) 63 65.

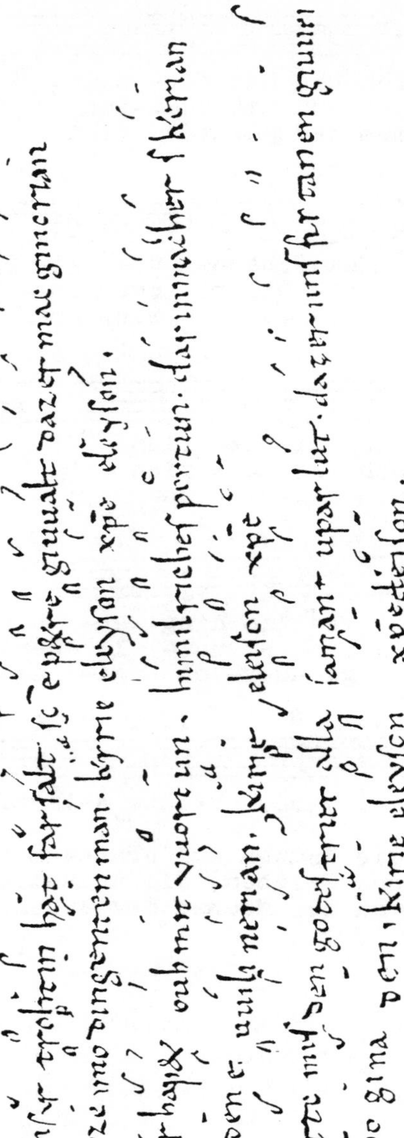

Abb. 29   Petrus-Lied (in Clm 6260, fol. 158 v)

von Freising (884–906) angefertigt[9]. Wir wissen auch, woher Waldo seine Vorlage bezogen hat, nämlich direkt vom Kloster Weißenburg (im Elsaß). In einem Ausleihverzeichnis der Klosterbibliothek (jetzt in Wolfenbüttel, Cod. 35) findet sich aus der Zeit bald nach 900 die Eintragung, daß ein »Evangelium theodiscum« ausgeliehen worden sei. Der Name des Empfängers wird mit »Frisingensis episcopus« angegeben. Man schließt daraus, daß die Handschrift zwischen 902 und 905 in Freising abgeschrieben wurde[10].

Da man mit Recht ausschließen darf, daß 30 Jahre zuvor bereits eine Kopie des umfangreichen Otfrid-Werkes nach Freising gekommen war – man hätte sonst sicher diese kopiert und nicht eine Handschrift von auswärts angefordert –, kann das Petrus-Lied wegen seiner Abhängigkeit vom »Evangelium theodiscum« nicht in Freising gedichtet worden sein – vorausgesetzt immer, daß es noch vor 900 entstand, woran bis jetzt noch nicht gezweifelt wurde.

Otfrid hat, wie aus der umfangreichen Dedicatio zu Beginn des Evangelienbuches hervorgeht, sein Werk König Ludwig dem Deutschen († 876) gewidmet[11]. Dieser war seit 826 ostfränkischer König und residierte meist in Regensburg. Als sein Erzkaplan fungierte Bischof Baturich, der im Kloster Fulda studiert hatte[12]. Wenn aber Ludwig vor allem in Regensburg Hof gehalten hat, dürfen wir annehmen, daß die Widmungshandschrift Otfrids hierher gekommen war. Vielleicht liegt sie im berühmten Codex 2687 der Ö. Nationalbibliothek vor[13].

Eine Entstehung des Petrus-Liedes in Baiern ist, wie angedeutet, aufgrund der Sprache gesichert[14]. Für eine Entstehung in Regensburg wären demnach, im Gegensatz zu Freising, die Voraussetzungen durchaus gegeben gewesen. Hinzukommt, daß hier eine besondere Petrus-Verehrung zu verzeichnen ist.

[9] »Waldo episcopus istud euangelium fieri iussit. Ego Sigihardus indignus presbyter scripsi.«
[10] Vgl. Ehrismann 173; vgl. jedoch auch K. Matzel, Untersuchungen zur Verfasserschaft, Sprache und Herkunft der ahd. Übersetzungen der Isidor-Sippe (Bonn 1970) 481.
[11] Vgl. Ehrismann 171–195, hier 175. Ältere Ausgabe von J. G. Schilter, Thesaurus Antiquitatum teutonicarum I (Ulm 1728), jüngere Ausgabe u. a. von O. Erdmann, Otfrids Evangelienbuch (= Germanistische Handbibliothek V, Halle 1882), weitere Ausgaben bei Ehrismann 171.
[12] Vgl. Janner, Bischöfe 162–200, hier 163.
[13] Zur Handschrift vgl. O. Erdmann, Die Wiener und Heidelberger Handschrift des Otfrid, in: Abhandlungen der k. Akademie d. W., Phil.-hist. Klasse (Berlin 1879) mit 5 Tafeln; Ehrismann 171 f.
[14] Vgl. Ehrismann 196: »Der Dialekt des Liedes ist bairisch.«

Dem Apostelfürsten war bekanntlich von altersher die Regensburger Kathedrale geweiht[15].

Es lassen sich jedoch weitere Gründe anführen, die für eine Entstehung unseres Liedes in Regensburg – damals Hauptstadt des ostfränkischen Reiches – sprechen; vor allem ist es das rege geistige Leben, das zur Zeit Ludwigs und Bischofs Baturich hier geherrscht hat. Dies geht aus den Handschriften, die damals in dieser Metropole geschrieben oder aufbewahrt wurden, hervor[16]. In ihnen wird deutlich, daß hier die lateinische und althochdeutsche Dichtung sowie die kirchliche Musik in besonderem Maße gepflegt wurden.

So ist, um nur einige zu nennen, aus den Beständen der Klosterbibliothek von St. Emmeram aus der Zeit um 850 eine Vergil-Handschrift in Fragmenten erhalten, welche die Aeneis mit Scholien zum Inhalt hat (jetzt in verschiedenen Bibliotheken, u. a. in München, Clm 19005)[17]. Erst jüngst wurden aus der ehemaligen Dombibliothek im Bischöflichen Zentralarchiv Reste einer Adlhelm-Handschrift des 9. Jahrhunderts mit dem »Carmen de virginitate« gefunden[18]. Aus dem Stift Obermünster sind Bruchstücke einer Prudentius-Handschrift der gleichen Zeit erhalten.

Vom regen geistigen Leben in Regensburg zur Zeit des Bischofs Baturich zeugt schließlich auch das oben schon genannte Pontifikale. Dieses Liturgiebuch stellt nicht einfach eine Abschrift dar, sondern ist eine Neuschöpfung Baturichs, ganz auf die kirchlichen Verhältnisse in seiner Bischofsstadt ausgerichtet. Der Codex war später ins Kloster Mondsee gekommen und wanderte von hier in die Ö. Nationalbibliothek in Wien (Ser. n. 2762)[19].

Aus Regensburg stammen auch, wie oben S. 47 gezeigt wurde, die vielleicht ältesten bekannten Neumen. Sie finden sich über dem Text einer Sequenz für das Kirchweihfest »Psalle modulamina«[20], die von einem Kleriker namens Engildeo, einem unter Baturich tätigen Schreiber an der Dombibliothek, nie-

---

[15] Vgl. oben S. 39 ff.

[16] Vgl. B. Bischoff, Die mittelalterlichen Bibliotheken Regensburgs, in: VO 113 (1973) 46–58, hier 50 f.

[17] Vgl. Bischoff, Schreibschulen 219 f.

[18] Vgl. K. Gamber, Regensburger Dombibliothek im Mittelalter in: Alt-Bairische Heimat (= Beilage der »Mittelbayerischen Zeitung«) Nr. 5/1975. Die gleiche Bibliothek bewahrt Fragmente einer lateinischen Homer-Handschrift des 10. Jahrhunderts auf. Das Kloster St. Emmeram besaß eine Abschrift der Werke der Hrosvita von Gandersheim (jetzt Clm 14485); vgl. H. Menhardt, in: Zeitschrift für deutsches Altertum 62 (1925) 233 ff.

[19] Vgl. Fr. Unterkircher, Das Kollektar-Pontifikale des Bischofs Baturich von Regensburg (= Spicilegium Friburgense 8, Freiburg/Schweiz 1962) 39–46.

[20] Vgl. Bischoff, Schreibschulen 204 f., 271 und Tafel VId.

dergeschrieben wurden. Möglicherweise war Engildeo sogar Cantor an der Domkirche.

In Regensburg wurde vielleicht auch das Sakramentar angefertigt, von dem nur mehr zwei Blätter erhalten geblieben sind; sie enthalten Teile der Karsamstagsliturgie und sind um oder bald nach 800 geschrieben. Das »Exultet« ist hier mit Neumen versehen[21]. Auch in der im vorausgegangenen Kapitel besprochenen Evangelien-Handschrift finden wir Neumen eingetragen.

Die frühe Bezeugung neumierter Texte in Regensburg – sie stammen alle aus dem Anfang des 9. Jahrhunderts – läßt auf eine besondere Pflege der Musik schließen und spricht zugleich für eine Abfassung der Melodie des Petrus-Liedes in dieser Metropole[22].

Für unsere Vermutung, daß dieser Leis in Regensburg entstanden ist, spricht weiterhin die Pflege althochdeutscher Übersetzungen biblischer und kirchlicher Texte sowie althochdeutscher Poesie in der »civitas regia«. Zu nennen sind hier an erster Stelle die berühmten »Fragmenta theodisca«, die alle aus einer einzigen Handschrift des beginnenden 9. Jahrhunderts stammen, die sich zuletzt im Kloster Mondsee befand (heute in Wien)[23].

Wir wissen nicht, ob diese auch dort geschrieben wurde. Eine Entstehung in Regensburg ist denkbar, da das Kloster seit Baturich im Besitz der Regensburger Bischöfe war[24] und auch das Baturich-Pontifikale dorthin kam[25]. Auffällig ist jedenfalls, daß uns Mondsee immer wieder im Zusammenhang mit (vermutlich) Regensburger Handschriften begegnet.

Zu den »Fragmenta theodisca« gehören neben theologischen Traktaten Bruchstücke einer Übersetzung des Matthäus-Evangeliums. Die Vorlage stammt aus dem Oberrheingebiet und könnte durch Karl d. Gr. nach Re-

---

[21] Vgl. K. Gamber, Sacramentaria Praehadriana. Neue Zeugnisse der süddeutschen Überlieferung des vorhadrianischen Sacramentarium Gregorianum, in: Scriptorium 27 (1973) 3–15, hier 13–15 und Facsimile auf Pl. 3.
[22] Aus dem 10. Jahrhundert stammt das für die Choralgeschichte bedeutungsvolle Regensburger Graduale und Prosar im Bamberg, Staatl. Bibliothek, Lit. 6; vgl. B. Bischoff, Mittelalterliche Studien II (Stuttgart 1967) 79.
[23] Vgl. Ehrismann 263–275.
[24] Vgl. Janner, 182 ff.
[25] Zur Frage der Überbringung von Handschriften aus der Dombibliothek in das Kloster Mondsee, die noch einer eingehenden Klärung bedarf, vgl. Gamber, Das Bonifatius-Sakramentar (oben Fußnote 21) 21–26. Zum Kloster Mondsee im Hochmittelalter vgl. C. Pfaff, Scriptorium und Bibliothek des Klosters Mondsee im Hohen Mittelalter (= Österreich. Akademie d. W. Veröffentlichungen der Kommission für Geschichte Österreichs, 2, Graz–Wien–Köln 1967).

gensburg gelangt sein, wo der Text dem bairischen Dialekt angepaßt wurde[26].
Im Gegensatz zum »Heliand« und zu Otfrieds Evangelienbuch sind hier die
biblischen Worte nicht dichterisch bearbeitet, sondern wörtlich übersetzt.
Neben dem althochdeutschen Text steht in der Handschrift jeweils (links) der
lateinische[27], ähnlich wie dies in einigen gotischen Bibel-Handschriften der
Fall ist[28].

Weitere althochdeutsche Literaturdenkmäler, die mit Sicherheit in Regensburg geschrieben wurden, sind eine Auslegung des Paternoster im Clm 14510
(fol. 78) aus der Zeit Baturichs[29] (vgl. Abb. 30), sowie zwei Prosa-Gebete.
Das eine Zeugnis befindet sich in der St. Emmeramer Handschrift Clm
14468, die laut Notiz auf fol. 1r im Jahre 821 auf Befehl des Bischofs Baturich
angefertigt wurde (fol. 110r)[30], das andere, »St. Emmeramer Gebet« genannt,
ist in einer ehemaligen Handschrift dieses Klosters, die sich jetzt im Stift Tepl
befindet, niedergeschrieben[31].

Am bekanntesten ist jedoch das Gedicht »Muspilli« in altgermanischer Stab-
reimdichtung, in dem das Schicksal der Seele nach dem Tode behandelt wird.
Es wurde in einen St. Emmeramer Codex (Clm 14098) nachgetragen[32]. Die
Handschrift selbst war von Bischof Adalram von Salzburg (821–836) König
Ludwig dediziert worden. Der Nachtrag erfolgte in Regensburg, was jedoch
nicht unbedingt heißen muß, daß das Gedicht selbst ebenfalls hier entstand,

[26] Vgl. Ehrismann 271: »Sie ist also die Umschreibung eines mit fränkischen Be-
standteilen gemischten alemannischen Textes ins Bairische.«
[27] Vgl. K. Matzel, Der lateinische Text des Matthäus-Evangeliums der Mondseer
Fragmente, in: Beiträge zur Geschichte der deutschen Sprache und Literatur 87 (1965)
289–363.
[28] Vgl. Gamber, CLLA Nr. 087 und 089. – Eine Verwendung derartiger Übertra-
gungen des Bibeltextes in die Volkssprache im Gottesdienst ist zwar für die damalige
Zeit nicht bezeugt, jedoch nicht auszuschließen. Dagegen scheint zu sprechen, daß nur
das Matthäus-Evangelium übersetzt ist. Leider wurden später diese auf die Initiative
Karls d. Gr. zurückgehenden Bestrebungen nicht weitergeführt. Ehrismann 275
spricht sogar von den »Anfängen einer wissenschaftlichen Theologie in deutscher
Sprache.« – Hinsichtlich der slawischen Übersetzung der Heiligen Schrift durch die
Brüder Cyrillus (Konstantin) und Methodius und deren Verwendung im Gottesdienst
vgl. unten S. 159ff.
[29] Vgl. Bischoff 205 f.; Inhaltsangabe der Handschrift bei M. Andrieu, Les Ordines
Romani du haut moyen age (= Spicilegium Sacrum Lovaniense 11, Louvain 1931)
232–241; zum Text vgl. Ehrismann 293, wo auch eine Freisinger Fassung (im Clm 6330)
zum Vergleich herangezogen wird.
[30] Vgl. Bischoff, Schreibschulen 200; Ehrismann 325.
[31] Bischoff 266; Ehrismann 325–329.
[32] Vgl. Ehrismann 141, wo die verschiedenen Ausgaben genannt werden.

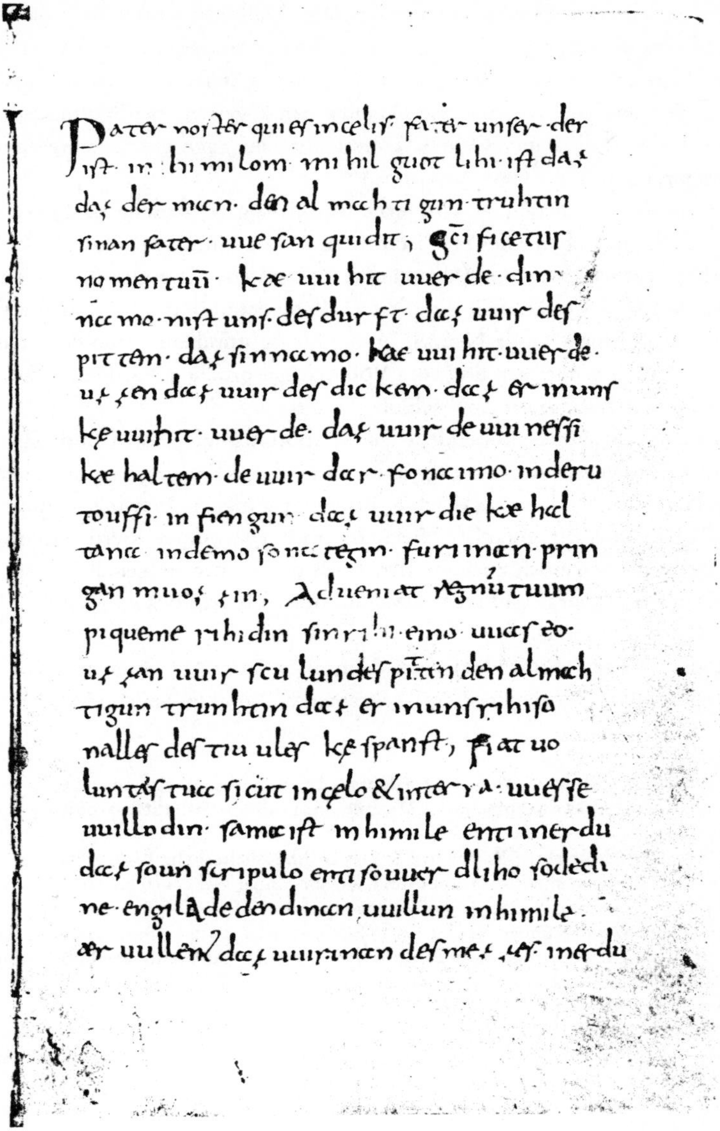

Pater noster qui es in celis pater unser der
ist in himilom inu hil guot lihi ist das
das der man den almahtigun truhtin
sinan fater uuesan quidit, ſcī ficetur
nomen tuū kae uuihit uuer de din
naemo nist uns der durft das uuir des
pittan das si namo kae uuihit uuer de
uf sen das uuir der dic kan das er in uns
kae uuihit uuer de das uuir de uuinessi
kae haltem de uuir dar fo na emo inderu
touffi in fiengun das uuir die kae hel
tanta indemo so na tegin furi man prin
gan muos sin, Adueniat regnu tuum
piqueme rihhi din sin rihhi emo uuas eo
uf san uuir scu lun des pittan den almah
tigun truhtan das er in uns rihi so
nalles der tiu ular kae spanft, fiat uo
lunteſ tue si cut in çelo & inter r a uuesse
uuillo din ſame ist m himile enti in erdu
das soun scrupulo em so uuer dliho so dedi
ne engila de dan dinan uuillun m himile
er uullen das uuir anan des mes er in erdu

Abb. 30 Facsimile aus Clm 14510 (fol. 78) (Erklärung des Paternoster aus der Zeit
des Bischofs Baturich)

149

obwohl dies durchaus möglich erscheint[33]. Vielleicht wurde auch das sog. Wessobrunner Gebet, das in einer unter Bischof Sintbert († 810) geschriebenen Handschrift des Insel-Klosters Neuburg im Staffelsee erhalten ist (Clm 22053)[34], aus einer Regensburger Handschrift abgeschrieben[35]. Vom Schreiber des Wessobrunner Gebets stammt übrigens auch ein Sacramentarium Gregorianum (jetzt Clm 29164 I/1c)[36].

Regensburger Entstehung wird ferner für die sog. »Bairische Beicht« angenommen, die sich in einer Handschrift zu Orleans (ms. 184) findet[37]. Es bestehen deutliche Beziehungen zum oben genannten St. Emmeramer Gebet[37].

Die Bairische Beicht stellt eine Art »Offene Schuld« dar, wie sie im Mittelalter bis hinein in die Neuzeit im Sonntagsgottesdienst nach der Predigt vom Priester vorgelesen und vom Volk nachgesprochen wurde und die mit der Meß-Absolutionsformel schloß.

Auch die bekannte althochdeutsche »Exhortatio ad plebem christianam« muß keineswegs, wie meist angenommen wird, aus Freising stammen, zumal die Handschrift (Clm 6244) nach B. Bischoff gar nicht in Freising geschrieben ist[39]. Die Übersetzung dürfte vielmehr ein Regensburger Kleriker gemacht haben und zwar noch zu Lebzeiten Karls d. Gr., der einigemal für längere Zeit in Regensburg residiert hat und auf dessen Befehl bekanntlich die »Exhortatio« zurückgeht[40].

Zu den ältesten althochdeutschen Zeugnissen aus Regensburg gehören die (eingeritzten) Glossen im Prager Sakramentar[41] und im angebundenen Poe-

---

[33] Der Dialekt des Gedichtes ist jedenfalls bairisch, vgl. Ehrismann 142; R. Bergmann, Zum Dialekt der Sprache des Muspilli, in: Frühmittelalterliche Studien 5 (1971) 304–316.

[34] Vgl. Bischoff 18ff.; R. Bauerreiß, Das frühmittelalterliche Bistum Neuburg im Staffelsee, 2. Die heimatlose Gruppe des »Wessobrunner Gebet« (Clm 22053), in: Studien und Mitteilungen OSB 60 (1946) 424–433.

[35] Zum Wessobrunner Gebet vgl. Ehrismann 131–141 (mit weiterer Lit.); U. Schwab, Die Sternrune im Wessobrunner Gebet (= Amsterdamer Publikationen zur Sprache und Literatur 1, Amsterdam 1973); hinsichtlich einer möglichen Entstehung in Regensburg vgl. Baesecke (Fußnote 6) 288–290.

[36] Vgl. Gamber, CLLA Nr. 710 (mit weiterer Literatur).

[37] Vgl. Ehrismann 310f.; H. Eggers, PBB (Tübingen 1955) 89ff.; 80 (Tübingen 1959) 272ff., 81 (Tübingen 1960) 78ff. (mit weiterer Lit.).

[38] Vgl. Ehrismann 311.

[39] Vgl. Bischoff, Schreibschulen 137.

[40] Vgl. Ehrismann 291–293. Am Schluß des Textes ist vom »mandatum dominationis nostrae« die Rede.

[41] Vgl. B. Bischoff, in: A. Dold – L. Eizenhöfer, Das Prager Sakramentar (= Texte und Arbeiten 38–42, Beuron 1949) 37, Fußnote 2.

nitentiale[42]. Sie stammen aus der Zeit kurz vor 800 und sind zugleich die ältesten Zeugnisse des bairischen Dialekts. Das Prager Sakramentar war, wie oben S. 69 gezeigt, zu Ende der Regierungszeit des Herzogs Tassilo III (abgesetzt 788) in Regensburg entstanden[43]. Die genannten Glossen sind unter König Karl d. Gr. in den Codex eingetragen worden. Sie sind im Rahmen der Bestrebungen zu sehen, die dieser Herrscher zur Pflege der deutschen Sprache unternommen hat[44], wie er bekanntlich auch die alten germanischen Heldenlieder sammeln ließ. Sein Sohn und Nachfolger Ludwig der Fromme hat in dieser Hinsicht weniger Interesse gezeigt, dagegen scheint Ludwig der Deutsche diesbezügliche Bestrebungen mehr gefördert zu haben, wie die Tatsache beweist, daß Otfrid sein Evangelienbuch ihm gewidmet hat. Unter diesem Herrscher († 876) dürfte auch das Petrus-Lied entstanden sein.

Offen blieb die Frage, zu welchem Zweck das Lied verfaßt wurde. War es für den Gesang des einfachen Volkes bestimmt oder zum Gebrauch der Kleriker? Zu letzterer Ansicht möchte man hinneigen vor allem wegen der reichen Melodie, die auf den meisten Silben zwei Noten aufweist. Vielleicht war, wenn überhaupt, nur der Refrain »Kyrie eleison, Christe eleison« als Gesang des Volkes vorgesehen, nachdem dieser Ruf als Volksgesang auch sonst bezeugt ist.

So wurde nach der Cosmas-Chronik bei der Einführung des Bischofs Dietmar in die Kathedrale von Prag (angeblich im Jahr 967) nach dem »Te Deum« des Klerus von den Vornehmen »Christe keinado, Kyrie eleison und die hailligen alle helfuent unse, Kyrie eleison« gesungen; die einfachen Leute aber, die diesen Ruf nicht kannten, sangen nur »Kyrie eleison«[45]. Prag unterstand bekanntlich bis dahin dem Regensburger Bischof, sodaß es sich bei diesen Gesängen durchaus um einen Brauch handeln könnte, wie er in der Donaustadt üblich war. Ähnlich finden wir nämlich in einem aus Baiern (Regensburg?) stammenden Graduale des 10./11. Jahrhunderts (jetzt in Udine, Bibl.

---

[42] Vgl. E. Steinmeyer, Die althochdeutschen Glossen IV (Berlin 1898) 331 und 602f.; R. Bergmann, Verzeichnis der ahd. und as. Glossenhandschriften (Berlin-New York 1973) 93.

[43] Vgl. Gamber, CLLA Nr. 630 (mit weiterer Literatur).

[44] Vgl. K. Matzel, Das Problem der »karlingischen Hofsprache«, in: Mediaevalia litteraria, Festschrift H. de Boor (München 1971) 15–31; ders., Karl der Große und die Lingua theodisca, in: Rheinische Vierteljahrsblätter 34 (1970) 172–189.

[45] Vgl. Ehrismann 197; dazu Fr. Mayer, Die Errichtung des Bistums Prag, in: Millenium Ecclesiae Pragensis (= Schriftenreihe des Regensburger Osteuropainstituts 1, Regensburg 1973) 23–42, hier 24f. (mit lateinischem Text der Chronik).

Arcivescovile, Cod. 234) bei der »Visitatio sepulchri« in der Osternacht den Vermerk: »Chorus: Te deum laudamus. Populus: Kyrieleison alta voce«[46]. Offen bleibt auch der Zweck des Liedes. Ich glaube nicht, daß es, wie R. Bauerreiß meint, als »ein Prozessionslied oder noch wahrscheinlicher ein Pilgerlied, und zwar nicht zu einem Petrusheiligtum der Heimat . . . sondern für die große Romfahrt zum Petrusgrab« bestimmt war[47]. Für diese Annahme fehlt jeder konkrete Hinweis.

Vielleicht bestehen jedoch Beziehungen des Liedes zu dem Hexameter, der in der Freisinger Handschrift dem Lied-Text voransteht und der folgenden Wortlaut hat:

Omnipotens dominus cunctis sua facta rependit
(Der allmächtige Herr wiegt allen ihre Taten auf)

in dem Sinn nämlich: weil Gott streng mit uns ins Gericht geht, brauchen wir die Fürbitte des heiligen Petrus, dem die Himmelsschlüssel übertragen worden sind. Wahrscheinlich haben die beiden Stücke jedoch nichts miteinander zu tun. Das Petrus-Lied könnte in der Vorlage einen Nachtrag am unteren Rand einer Handschrift mit Hexameter-Versen gebildet haben[48]. Der Schreiber hätte dann aus Versehen die untere Zeile der betreffenden Seite mitabgeschrieben.

Falls unsere Vermutung richtig ist, daß das Petrus-Lied im Zusammenhang steht mit dem Petrus-Patrozinium der Regensburger Kathedrale, müssen wir uns fragen, an welcher Stelle in der Liturgie dieser Gesang seinen Platz gehabt haben könnte. Möglich wäre, daß der Leis in der Vesper des Festes des heiligen Petrus am 29. Juni vom Klerus gesungen worden ist, etwa im Anschluß an das Magnifikat, dessen Antiphon »Tu es pastor ovium« ähnliche Gedanken wie das Petrus-Lied aufweist. Ebenso möglich ist jedoch, daß dieses im Anschluß an die Predigt in der Festmesse, deren Evangelium ebenfalls von der Übergabe der Schlüsselgewalt an den Apostelfürsten handelt, seinen Platz hatte.

Das Petrus-Lied bildet jedenfalls ein einsames Denkmal volkssprachlicher li-

---

[46] Vgl. K. Gschwend, Die Depositio (oben Fußnote 3) 76. Für Regensburg als Entstehungsort der Handschrift spricht das Fest des heiligen Florinus, das vom Ende des 10. Jh. an regelmäßig in Regensburger Kalendarien erscheint. Regensburg besitzt eine große Reliquie des Heiligen; vgl. J. R. Schuegraf, Geschichte des Domes zu Regensburg II (Regensburg 1849) 273.

[47] R. Bauerreiß, Kirchengeschichte Bayerns I (St. Ottilien ²1974) 154.

[48] Eine erste Vermutung, daß es sich um einen Text aus Aldhelm handelt, hat sich bei einer Durchsicht seiner Gedichte nicht bestätigt.

turgischer Gesänge aus der Frühzeit der bairischen Kirche. Das Zentrum für die Pflege der Muttersprache war unter Ludwig dem Deutschen Regensburg mit seinem königlichen Hof und seinem literarisch aufgeschlossenen Bischof Baturich. Hier wurde, wie wir sahen, deutsches Liedgut gepflegt, vor allem jedoch die von Karl d. Gr. begonnene Übersetzungstätigkeit aus dem Lateinischen in die »lingua theodisca« fortgeführt. Ob freilich die Übersetzung des Evangeliums sowie die Lieder und Gebete auch für das einfache Volk und nicht nur für den damals im Lateinischen z. T. wenig gebildeten Klerus (Priester und Mönche) bestimmt war, können wir heute nicht mehr mit Sicherheit entscheiden. Es ist daher sicher zu viel gesagt, wenn man hier von frühen volksliturgischen Bestrebungen spricht.

Der Erzbischof Methodius von Mähren
vor der Reichsversammlung in Regensburg des Jahres 870

In den Novembertagen des Jahres 870 fand in Regensburg eine Reichsversammlung statt, bei welcher der ostfränkische König Ludwig der Deutsche den Vorsitz führte. Hauptpunkt dieser Zusammenkunft der Großen des Reiches war die Anklage gegen den mährischen Fürsten Rastislav wegen Bruches des Treueeids vom Jahr 864. Ihn hatte Karlmann, der Sohn des Königs, nach einem mißglückten Feldzug von 869 besiegt und im Frühjahr 870 gefangen genommen. Er wird vom Gericht zum Tod verurteilt, vom König jedoch begnadigt und in Klosterhaft genommen, nachdem man ihn vorher noch geblendet hatte[1].

Im Zuge der Entmachtung Rastislavs ist auch der damals in Mähren wirkende Grieche Methodius, Erzbischof von Sirmium und päpstlicher Legat für das mährische Gebiet[2], verhaftet und nach Regensburg gebracht worden. Urheber war vermutlich Hermanrich, der Bischof von Passau, der Nord-Mähren als sein Missionsgebiet betrachtet und Methodius deshalb als Eindringling in seine Diözese angesehen hat[3]. Verhandelt wurde wohl einige Tage nach der Verurteilung des Fürsten Rastislav, der ein Protektor des Erzbischofs war, und zwar mit großer Sicherheit in Regensburg[4].

---

[1] Vgl. P. Schmid, Die Regensburger Reichsversammlungen im Mittelalter, in: VO 112 (1972) 31–130, hier 48f. (mit Quellenangaben).

[2] Die meisten Quellen zur Methodius-Frage sind veröffentlicht von F. Grivec – Tomšič, Constantinus et Methodius Thessalonicenses: Fontes (Zagreb 1960). Die Literatur ist fast unübersehbar; unbedingt notwendig: F. Grivec, Konstantin und Method (Wiesbaden 1960) mit weiterer Literatur; Z. R. Dittrich, Christianity in Great-Moravia (Groningen 1962); K. Bosl, Böhmen und seine Nachbarn (München-Wien 1976) 38–87; F. Grivec, in: Münchener Theol. Zeitschrift 6 (1955) 167–176.

[3] Vgl. Grivec, Konstantin und Method (Anm. 2) 95.

[4] Vgl. V. Burr, Anmerkungen zum Konflikt zwischen Methodius und den bayerischen Bischöfen, in: M. Hellmann u. a., Cyrillo-Methodiana. Zur Frühgeschichte des Christentums bei den Slaven (= Slavistische Forschungen 6, Köln-Graz 1964) 39–56, hier 48: »Man darf als wahrscheinlich annehmen, daß im Anschluß an diese Verurteilung (nämlich des Rastislav) auf der Reichsversammlung in Regensburg der bayerische Episkopat sich in Anwesenheit des Königs als Gerichtshof konstituierte, um den Fall Methodius zu untersuchen und abzuurteilen«; ähnlich J. Maß, Bischof Anno von Frei-

Bei dieser Sitzung dürften in erster Linie die fünf bairischen Bischöfe (von Salzburg, Regensburg, Freising, Passau und Säben) anwesend gewesen sein. Wie es in einem späteren päpstlichen Schreiben heißt, hat es sich um ein »episcoporum concilium« gehandelt[5]. König Ludwig nahm mit seinem Hofstaat nur als Beobachter teil. Den Vorsitz führte Bischof Anno von Freising – er hatte die päpstliche Patrimonienverwaltung im Lande inne, was seine Stellung erhöhte – und zwar im Auftrag des Erzbischofs Adalwin von Salzburg, der als Kläger auftrat[6].

Zum Prozeß hatte Adalwin eine eigene Dokumentation zusammenstellen lassen; sie ist erhalten und trägt den Titel »De conversione Bagoariorum et Carantanorum«. In dieser Prozeßunterlage wird u. a. ausgesagt, daß Methodius während seiner Tätigkeit im mährischen Gebiet »alles durcheinander gebracht habe«, vor allem wegen des Gebrauchs der slavischen Sprache im Gottesdienst[7].

Es war noch gar nicht lange her, nämlich 845, daß 14 böhmische Edelleute mit ihrem Gefolge hier in Regensburg getauft wurden[8]. Und erst vor vier Jahren (866) waren bulgarische Gesandte zu König Ludwig gekommen, die um Missionare für ihr Volk baten. Damals hatte König Ludwig den Bischof von Passau, den oben genannten Hermanrich, mit mehreren Priestern und Diakonen nach Bulgarien geschickt. Doch mußte diese Abordnung bald wieder umkehren, weil ihnen Kleriker aus Rom zuvorgekommen waren[9].

sing, Richter über Methodius in Regensburg, in: Methodiana. Beiträge zur Zeit und Persönlichkeit, sowie zum Schicksal und Werk des hl. Method (= Annales Instituti Slavici 9, Wien-Köln-Graz 1976) 31–44, hier 37f.; Grivec, Konstantin und Method (Anm. 2) 96f. – Hingegen bezweifelt J. Staber, Regensburg und Böhmen bis 870, in: Beiträge zur Geschichte des Bistums Regensburg 6 (1972) 11–16, näherhin 15f., daß der Prozeß in Regensburg stattgefunden hat. Dabei wird darauf verwiesen, daß der Regensburger Bischof Ambricho später vom Papst nicht getadelt wurde. Dies ist richtig; doch hatte dieser sich nicht zu Gewalttätigkeiten gegen Methodius hinreißen lassen. Ambricho war insofern auch nicht direkt am Prozeß interessiert, als Mähren, im Gegensatz zu Böhmen, nicht zum Regensburger Missionsgebiet gehörte; dazu P. Mai, Regensburg als Ausgangspunkt der Christianisierung Böhmens, in: J. Staber u. a., Millenium Ecclesiae Pragensis 973-1973 (= Schriftenreihe des Regensburger Osteuropainstituts 1, Regensburg 1973) 9–21. Neuerdings hat sich Staber der Regensburg-These angeschlossen; vgl. Regensburgs politisch-geschichtlicher und sozialer Aufstieg im 9. Jahrhundert, in: Methodiana 22–30.

[5] Vgl. Grivec, Konstantin und Method (Anm. 2) 96: »... in episcoporum concilium tractum« (MGH Epp VII Nr. 22 S. 285).

[6] Vgl. Maß, Bischof Anno von Freising, Richter über Methodius in Regensburg (oben Anm. 4) 38; Fr. Mayer, Causa Methodii, in: Welt der Slaven (1970) 335ff.

[7] Vgl. MGH, Scriptores XI, 4–15; Grivec, Konstantin und Method 92.

[8] Vgl. Janner, Bischöfe 194f. und oben S. 127.

[9] Vgl. Janner, Bischöfe 218f.; J. Staber, Regensburgs politisch-geschichtlicher und

Heute steht Methodius, der Freund und Lehrer der Slaven, vor Gericht[10]. Hermanrich kann sich nun für die damals erlittene Schlappe rächen. Die Anklage lautet: »Du lehrst in unserm Gebiet«[11]; was an sich der Wahrheit entspricht, da die Gebiete nördlich der Drau, seit dem Entscheid Karls des Großen auf dem Reichstag zu Aachen des Jahres 810, vom Patriarchat Aquileja, das Pannonien seit dem Untergang der Metropole Sirmium verwaltet hatte, getrennt und den Diözesen Salzburg und Passau als Missionsgebiet zugesprochen worden waren[12].

Methodius beruft sich auf die »heiligen kanonischen Bestimmungen« und verteidigt sich geschickt mit dem Hinweis auf seine Ernennung durch den Papst als Erzbischof der umstrittenen Gebiete: »Das Gebiet, in dem ich lehre und das ihr für euch in Anspruch nehmt, gehört dem heiligen Petrus (d. h. es untersteht dem Apostolischen Stuhl); anderenfalls werde ich ohne weiteres von dort weichen.« Er zitiert aus der Collectio Hadriana, einer Sammlung von kirchlichen Rechtsvorschriften, die der Papst ihm in Rom geschenkt und die er bei seiner Verhaftung mitgenommen hatte[13].

Die Bischöfe drohen ihm: »Es wird dir schlecht ergehen.« Methodius darauf: »Ich spreche die Wahrheit vor Gott und dem König und schäme mich nicht. Ihr aber tut mir an, was ihr wollt. Ich bin ja nicht besser als jene, die ihr Leben unter vielen Qualen für die Wahrheit hingegeben haben.«

Der Streit wird immer heftiger. Die anklagenden bairischen Bischöfe können nicht gegen die Argumente des gebildeten sensiblen Griechen ankommen. Da schaltet sich König Ludwig ein und meint mit leichtem Spott: »Ärgert mir meinen Methodius nicht! Seht ihr denn nicht, wie er schwitzt, so als ob er in einem Backofen säße?« Darauf Methodius: »Mein König! Mir geht es nicht

sozialer Aufstieg im 9. Jahrhundert, in: Methodiana (oben Anm. 4) 22–30, hier 26 (mit weiterer Literatur).

[10] Vgl. A. W. Ziegler, Die Absetzung des Erzbischofs Methodius im Lichte der altkirchlichen Rechtsgeschichte, in: Beiträge zur altbayerischen Kirchengeschichte 24,1 (München 1965) 11–24.

[11] Von dem Prozeß berichtet lediglich die pannonische Methodius-Legende, die von einem seiner Schüler verfaßt ist; sie ist nur altslavisch erhalten. Übersetzung von J. Bujnoch, Zwischen Rom und Byzanz. Leben und Wirken der Slavenapostel Kyrillos und Methodios nach den Pannonischen Legenden und der Klemensvita (= Slavische Geschichtsschreiber 1, Graz-Wien-Köln 1958) 92f.

[12] Vgl. V. Popovic, Le dernier évêque de Sirmium, in: Revue des Etudes Augustiniennes (1975) 91–110: Fr. Zagiba, Die Missionierung der Slaven aus »Welchland« (Patriarchat Aquileja) im 8. und 9. Jahrhundert, in: Cyrillo-Methodiana (oben Anm. 4) 274–311.

[13] Vgl. W. Lettenbauer, Eine lateinische Kanonessammlung in Mähren im 9. Jahrhundert, in: Orientalia Christiana Periodica 18 (1952) 246–269.

anders als jenem Philosophen, den Leute auf der Straße trafen und die ihn fragten, warum er denn so schwitze. Worauf dieser zur Antwort gab: Weil ich mit dummen Menschen einen Streit gehabt habe[14].«
Das freilich hätte der Angeklagte nicht sagen dürfen. Nun geht Bischof Hermanrich mit der Peitsche auf ihn los und kann nur mit Mühe von Tätlichkeiten zurückgehalten werden. Schon auf dem Transport von Mähren nach Regensburg hatte er Methodius mehrmals geschlagen und in der Haft den Unbilden der Witterung ausgesetzt, wie wir aus einem späteren päpstlichen Schreiben erfahren[15].
Bischof Anno von Freising verkündet schließlich das Urteil. Es lautet, wie vorauszusehen war, auf Absetzung (»deiectio«) und Verbannung in ein Kloster. Dies alles stand in eklatantem Widerspruch zu den geltenden Bestimmungen, weil das »concilium« der bairischen Bischöfe für eine Verurteilung eines auswärtigen Erzbischofs, der zudem noch als Legat des Papstes fungierte, nicht zuständig war[16]. Methodius appelliert, wie schon zu Beginn des Prozesses, nochmals an den Apostolischen Stuhl. Doch wird seinem Antrag nicht stattgegeben.
Erst viel später gelingt es dem Gefangenen aus der Klosterhaft in Schwaben (Kloster Ellwangen?)[17] mehrere Beschwerdebriefe nach Rom zu schicken, die dann alles ins Rollen bringen. Papst Johannes VIII (872–882) greift ein, sodaß Methodius nach zweieinhalbjähriger Haft entlassen werden muß.
Gleich nach seiner Verurteilung in Regensburg dürfte man ihm den Codex mit der Rechtssammlung, auf die er sich bei seinem Prozeß berufen hatte, abgenommen haben. Das Buch kam jedenfalls später in die Bibliothek des Klosters St. Emmeram und blieb so erhalten (heute in der B. Staatsbibliothek in

[14] Die Ähnlichkeiten, die J. Schröpfer, Eine armenische Quelle der slavischen Vita Methodii, in: Cyrillo-Methodiana 432–439 mit einer antiken Quelle sieht und auf die Staber (oben Anm. 4) hinweist, beweisen nicht die Ungeschichtlichkeit dieser so lebendig geschilderten Verhandlung.
[15] Vgl. G. Friedrich, Codex diplomaticus et epistolae regni Bohemicae I (1906/07) Nr. 20 S. 15 oder MGH Epp. VII, Nr. 21 S. 283–285; Nr. 23, S. 286; Nr. 20 S. 283; Nr. 22, S. 285f. Abgedruckt auch bei H. Löwe, Der Streit um Methodius (= Kölner Hefte für den akad. Unterricht. Hist. Reihe); dazu Grivec, Konstantin und Method (oben Anm. 2) 97f.
[16] Vgl. Fr. Kober, Die Deposition und Degradation nach den Grundsätzen des kirchlichen Rechts, historisch-dogmatisch dargestellt (Tübingen 1867) 430; Ziegler, Die Absetzung des Erzbischofs Methodius (oben Anm. 10).
[17] Vgl. A. W. Ziegler, Der Slavenapostel Methodius im Schwabenland, in der Festschrift: Dillingen und Schwaben (1949) 169–189; ders., Methodius auf dem Weg in die schwäbische Verbannung, in: Jahrbücher für die Geschichte Osteuropas 1 (1953) 369–382; Grivec, Konstantin und Method (oben Anm. 2) 100.

München. Clm 14008)[18]. Wahrscheinlich gehen die Glossen in slavischer Sprache, die sich im Codex finden, noch auf Methodius zurück[19].
Es liegt eine große Tragik über der Gestalt dieses Griechen. Sein großes Missionswerk, die Christianisierung der Slaven, ist umschattet von Krieg und Politik, vor allem auch von der Rivalität zwischen dem Papst in Rom und dem Patriarchen von Konstantinopel in der Frage der Zugehörigkeit des Gebietes des früheren römischen Illyricums[20].
Der mährische Fürst Rastislav hatte der Bindung an die bairischen Bistümer entgehen wollen und deshalb beim byzantinischen Kaiser Michael III um Slavisch sprechende Priester gebeten. Dieser schickte ihm 863 den Erfinder der slavischen (glagolitischen) Schriftzeichen, den hochgelehrten griechischen Priestermönch Konstantinus[21], zusammen mit seinem vor allem in Rechtsfragen bewanderten älteren Bruder Methodius. Dieser, ein ehemaliger hoher Staatsbeamter, der dann aber Abt eines der Klöster auf dem kleinasiatischen Olympos wurde, war noch nicht Priester[22]. Der Kaiser hatte bei der Aussendung sicher den Hintergedanken, auch politisch Einfluß auf das umstrittene Gebiet zu gewinnen[23].
Die beiden Brüder hatten schon in Griechenland und auf diplomatischen Missionen Verbindung zu Bulgarien und beherrschten deshalb die slavische Sprache vortrefflich. Sie begannen in Mähren ihr Werk mit deren Einführung in der Predigt und im Gottesdienst. Es war bekanntlich in der byzantinischen Kirche schon immer Sitte gewesen, sich der jeweiligen Volkssprache im Got-

---

[18] Vgl. Bosl, Böhmen und seine Nachbarn (oben Anm. 2) 82; Zagiba, Die Missionierung der Slaven aus »Welchland« (oben Anm. 12) 310; B. Bischoff, Die südostdeutschen Schreibschulen und Bibliotheken in der Karolingerzeit I (²Wiesbaden 1960) 225 f. dachte zuerst an einen oberitalienischen Ursprung der Handschrift.

[19] Vgl. Zentralblatt für Bibliothekswesen 54 (1937) 175 f. Die Glossen befinden sich fol. 28v in spröder, eckiger Griffelschrift eingetragen und zwar bei dem Kapitel XXXV. De primatu episcoporum; dazu Lettenbauer (oben Anm. 13).

[20] Vgl. K. Gamber, Zur Liturgie Illyriens, in: Gamber, Sakramentarstudien (= Studia patristica et liturgica 7, Regensburg 1978) 145–161.

[21] Vgl. W. Lettenbauer, Bemerkungen zur Entstehung der Glagolica, in: Cyrillo-Methodiana 401–410.

[22] Vgl. Grivec, Konstantin und Method 26, 47 f., 58; D. Tschiževskij, Der heilige Method-Organisator, Missionar, Politiker und Dichter, in: Methodiana. Beiträge zur Zeit und Persönlichkeit, sowie zum Schicksal und Werk des hl. Method (= Annales Instiuti Slavici 9, Wien-Köln-Graz 1976) 7–21.

[23] Vgl. K. Bosl, Probleme der Missionierung des böhmisch-mährischen Herrschaftsraumes, in: Cyrillo-Methodiana 1–38; Fr. Zagiba. Die bairische Slavenmission und ihre Fortsetzung durch Konstantin (Cyrill) und Method, in: Jahrbücher für Geschichte Osteuropas NF 9 (1961) 1–35.

tesdienst zu bedienen, zum mindesten beim Vortrag der biblischen Lesungen[24].

Nach mehrjähriger erfolgreicher Missionstätigkeit zogen Konstantinus und Methodius nach Venedig, damals Metropole des Patriarchats Aquileja. Sie hatten sicher gehört, daß die Gegend, in der sie lehrten, zum Missionsgebiet von Aquileja gehörte[25]. Vielleicht waren sie auch ausdrücklich vom Patriarchen vorgeladen worden. Hier in Venedig verteidigten sie sich wegen der Verwendung der slavischen Sprache im Gottesdienst, bekamen aber schon bald, wohl Ende des Jahres 867, eine Einladung nach Rom. Dem Papst war daran gelegen, daß das Gebiet des römischen Illyricum, das seit Kaiser Konstantins Zeiten zum römischen Patriarchat gehört hatte, nicht an Byzanz verloren geht.

In den Weihnachtstagen desselben Jahres kamen Konstantinus und Methodius in Rom an. Die Kunde war ihnen vorausgeeilt, daß sie Reliquien des heiligen Papstes Klemens († um 95), die sie auf der Krim bei Cherson aufgefunden hatten[26] – Klemens war seinerzeit dorthin verbannt worden –, mit sich führten. Man empfing die beiden Brüder daher in feierlicher Prozession vor den Toren der Stadt; auch Papst Hadrian II (867–872) nahm sie ehrenvoll auf.

In Rom folgten lange Gespräche wegen des Gebrauchs der slavischen Sprache im Gottesdienst. Es gelang ihnen, den Papst und den römischen Klerus – darunter Anastasius Bibliothecarius und Arsenius – von der Notwendigkeit dieser Maßnahme zu überzeugen. Methodius wurde im März 868 zum Priester geweiht und durfte zusammen mit seinem Bruder in verschiedenen römischen Kirchen in slavischer Sprache die Messe feiern[27]. Konstantinus trat schließlich in ein griechisches Kloster in Rom ein, wo er den Namen Cyrillus annahm. Er war schwerkrank und starb nach kurzer Zeit im Jahr 869.

Nach dem Tode seines Bruders wurde Methodius vom Papst mit einem offi-

[24] So hatten die im 4. Jahrhundert zum Christentum bekehrten arianischen Goten die byzantinisch-thrakische Liturgie in gotischer Sprache gefeiert; vgl. K. Gamber, Die Liturgie der Goten, in: Liturgie und Kirchenbau (= Studia patristica et liturgica 6, Regensburg 1976) 72–96. Hinsichtlich der katholischen Goten in Konstantinopel, wo Bischof Joh. Chrysostomus ihnen eine eigene Kirche für ihren Gottesdienst zur Verfügung gestellt hatte, vgl. Ch. Baur, Der heilige Johannes Chrysostomus und seine Zeit II (München 1930) 69 f.
[25] Vgl. Zagiba, Die Missionierung der Slaven aus »Welchland« (oben Anm. 12) 295–298.
[26] Vgl. A. Esser, Wo fand der hl. Konstantin-Kyrill die Gebeine des hl. Clemens von Rom, in: Cyrillo-Methodiana 126–147.
[27] Vgl. J. Bujnoch, Zwischen Rom und Byzanz (oben Anm. 11) 76.

ziellen Missionsauftrag für Mähren und mit einem Begleitschreiben an die slavischen Fürsten Rastislav, Sventopulk und Kocel (Kozel) zurückgeschickt. Der Papst hatte sich darin befriedigt geäußert, daß die Gesandten des oströmischen Kaisers die Zugehörigkeit der Länder an der mittleren Donau zur Jurisdiktion des römischen Patriarchen anerkannt haben. Er hatte weiterhin in diesem Brief den Gebrauch der slavischen Sprache im Gottesdienst genehmigt; doch sollten die Lesungen auch in lateinischer Sprache – und zwar an erster Stelle – vorgetragen werden[28].

Wegen des inzwischen ausgebrochenen Krieges zwischen dem Fürsten Rastislav und dem deutschen König Ludwig blieb Methodius vorerst im Gebiet des Fürsten Kocel in Pannonien, näherhin in dessen Residenz Mosapurc. Kocel war erst einige Jahre zuvor in Regensburg als Hilfesuchender erschienen, wo er Schenkungen »ad sanctum Emmeramum« machte[29], und die Oberhoheit des deutschen Königs über sein Gebiet anerkannte. Nun wollte er einen eigenen Bischof für sein Reich. Da aber Methodius nur einfacher Priester war, schickte er ihn mit vornehmem Geleit nach Rom zurück, um sich dort vom Papst zum Bischof von Pannonien weihen zu lassen. Was denn auch geschah.

Mit der neuen Würde eines Erzbischofs von Sirmium – diese Metropole war seit der Einnahme und Zerstörung durch die Awaren 582 vakant – und eines päpstlichen Legaten für Mähren kehrte er 870 in sein Missionsgebiet zurück. Diese Ernennung war primär nicht gegen die bairische Kirche gerichtet – der Erzbischof von Salzburg hatte in Mosapurc einen Erzpriester sitzen –[30], sondern gegen den Patriarchen von Konstantinopel, der Ansprüche auf Sirmium erhob. Noch im gleichen Jahr wurde Methodius, wie eingangs dargelegt, in Mähren gefangen genommen und in Regensburg vor Gericht gestellt. Schließlich siegte doch die Gerechtigkeit. Hermanrich, der sich am meisten durch ungerechtes Verhalten hervorgetan hatte und an den der Papst deshalb ein in scharfen Worten gehaltenes Schreiben richtete, wurde »a divinis« sus-

[28] Vgl. Grivec, Konstantin und Method 257–261 (Die Echtheit des päpstlichen Briefes); S. Sakač, Die kürzere slavische Fassung des Briefes »Gloria in excelsis Deo« Hadrians II, in: Cyrillo-Methodiana 411–431.

[29] Vgl. J. Widemann, Die Traditionen des Hochstifts Regensburg und des Klosters St. Emmeram (München 1943) Nr. 37 S. 43; Maß, Bischof Anno von Freising (oben Anm. 4) 33 f.

[30] Vgl. Conversio Bagoariorum c.12 (MGH, Scriptores 11,13): »Post illum vero Altfridum presbyterum et magistrum cuiusque artis Liuphrammus direxit, quem Adalwinus successor Liuphrammi archipresbyterum ibi (sc. Mosapurc) constituit, commendans illi claves ecclesiae curamque post illum totius populi gerendam. Similiter eo defuncto Rihpaldum constituit archipresbyterum.«

pendiert. Bischof Anno von Freising kam mit einer schweren Rüge und der Androhung der Suspension davon[31]. Auch König Ludwig unterwarf sich dem Urteilsspruch des Papstes, den dessen Legat, Bischof Paulus von Ancona, überbrachte[32]. Der am Prozeß mehr passiv beteiligte Regensburger Bischof Ambricho wird vom Papst nicht getadelt.

Der byzantinische Kaiser Basilius, der Nachfolger Michaels, bemühte sich damals um die Freundschaft des deutschen Königs Ludwig und schickte im Januar 872 und dann nochmals im November 873 Gesandte mit Geschenken an den Königshof in Regensburg[33]. An der Spitze der zweiten Gesandtschaft stand Agathon, der neue Erzbischof von Sirmium. Dieser war kurz vorher vom Patriarchen Ignatios von Konstantinopel, wohl im Zusammenhang mit der Absetzung des Methodius, ernannt worden[34]. Es dürfte bei den Gesprächen in Regensburg auch um Methodius und die endgültige Abgrenzung seines Missionsgebietes gegangen sein.

Zwar war Methodius durch den Papst wieder rehabilitiert worden; er wird jedoch im betreffenden päpstlichen Schreiben jetzt nicht mehr Erzbischof von Sirmium, sondern Erzbischof von Mähren (»archiepiscopus sanctae Ecclesiae Marabensis«) genannt. Auch wurde in diesem Schreiben ein formelles Verbot der Verwendung der slavischen Sprache in der Liturgie erlassen, wodurch man anscheinend den bairischen Bischöfen entgegenkommen wollte[35].

In Mähren, wohin ihn der päpstliche Legat, Bischof Paulus von Ancona, begleitet hatte, konnte Methodius seine rege Missionstätigkeit jetzt wieder ungehindert fortsetzen, wenn ihm Svatopulk auch nicht so gewogen war wie vorher Rastislav. Dabei wurde er von mehreren slavischen Priestern, die er herangebildet hatte, unterstützt. Diese haben auch weiterhin trotz des päpstlichen Verbotes die Messe in der Volkssprache gefeiert.

Dies brachte dem Erzbischof manchen Ärger mit dem lateinischen Klerus ein, der vor ihm hier gewirkt hatte und der auch jetzt in Mähren verblieben war[36]. Heute noch zeugt von dieser bairischen Mission der Kelch von Pe-

---

[31] Vgl. Friedrich, Codex diplomaticus (oben Anm. 15) Nr. 20 und 23 S. 15 bzw. 18.
[32] Vgl. MGH, Ep. VII, Nr. 15; Grivec, Konstantin und Method 98.
[33] Vgl. Janner, Bischöfe 223.
[34] Vgl. Fr. Zagiba, Neue Probleme der kyrillo-methodianischen Forschung, in: Ostkirchl. Studien 11 (1962) 97–130, hier 123.
[35] Vgl. L. E. Havlík, Das pannonische Erzbistum im 9. Jahrhundert im Lichte der wechselseitigen Beziehungen zwischen Papsttum und den ost- und weströmischen Imperien, in: Methodiana (= Annales Instituti Slavici 9, Wien-Köln-Graz 1976) 45–60, vor allem 59.
[36] Vgl. Fr. Zagiba, Regensburg und die Slaven im frühen Mittelalter, in: VO 104

töháza, der seiner Form nach dem berühmten Tassilo-Kelch in Kremsmünster gleicht, nur daß er kleiner ist (heute im Liszt-Ferenc-Museum in Ödenburg)[37]. Papst Johannes VIII, der dem Erzbischof wohlgesinnt war, billigte schließlich durch die Bulle »Industriae tuae«, wenn auch unter Einschränkungen, wieder den Gebrauch der slavischen Sprache im Gottesdienst[38]. Doch gab er ihm in dem Schwaben Wiching einen lateinischen Suffraganbischof an die Seite[39].

Während man früher annahm, die Brüder Konstantinus und Methodius hätten in Mähren die Messe ausschließlich nach byzantinischem Ritus gefeiert, wissen wir heute, daß sie sich weitgehend an die Gebräuche des Landes gehalten und deshalb von den hier wirkenden Priestern aus Aquileja und Salzburg den römischen Ritus übernommen haben[40]. Nach Angabe der oben erwähnten »Conversio Bagoariorum et Carantanorum« hat Methodius ein (lateinisches) Lektionar und ein Sakramentar ins Slavische übertragen[41]. Da-

(1964) 223–233; ders., Zur Geschichte Kyrills und Methods und der bairischen Mission, in: Jahrbücher für Geschichte Osteuropas NF 9 (1961) 247–276.

[37] Auf ihm findet sich der bairische Name Cundbald; Abbildung in: Bayerische Frömmigkeit – 1400 Jahre christliches Bayern (München 1960) Tafel 17.

[38] Vgl. Fr. Zagiba, Das Slavische als Missionssprache (lingua quarta) und das Altkirchenslavische als lingua liturgica im 9.–10. Jahrhundert, in: Studia palaeoslovenica (Praha 1971) 404–414; Grivec, Konstantin und Methodius 109–119.

[39] Vgl. Grivec, Konstantin und Methodius 124–127; J. Kadlec, Die sieben Suffragane des hl. Methodius in der Legende des sogenannten Christian, in: Methodiana (oben Anm. 4) 61–70.

[40] Das sehr wahrscheinlich auf die beiden Brüder zurückgehende altslavische »Euchologium Sinaiticum« enthält Rituale-Texte nach östlichem und westlichem Ritus, darunter ein St. Emmeramgebet; vgl. Fr. Repp, Zur Kritik der kirchenslavischen Übersetzung des St. Emmeramer Gebetes im Euchologium Sinaiticum, in: Zeitschrift für slavische Philologie 22 (1955) 315–332; Zagiba, Regensburg und die Slaven im frühen Mittelalter (oben Anm. 36) 231 f. Wahrscheinlich haben letzteres Gebet die Slavenlehrer in ihrem Missionsgebiet vorgefunden und ihrer liturgischen Sammlung eingereiht. Es geht auf eine lateinische Vorlage zurück, die bairische (Regensburger?) Missionare nach Mähren gebracht haben. Hier war in Neutra eine Kirche dem heiligen Emmeram geweiht; vgl. Bosl, Probleme der Missionierung des böhmisch-mährischen Herrschaftsraumes (oben Anm. 23) 9.

[41] Vgl. c.12 (MGH, Scriptores XI,13): ». . . usque dum quidam Graecus Methodius nomine noviter inventis sclavinis litteris linguam Latinam doctrinamque Romanam atque litteras auctorales Latinas philosophice superducens vilescere fecit cuncto populo ex parte (sc. Sclavorum) missas (= Meßformulare) et evangelia (= ein Evangelien-Perikopenbuch) ecclesiasticumque officium (für den Vesper-Gottesdienst?) illorum qui hoc Latine celebraverunt«; vgl. L. C. Mohlberg, Il messale glagolitico di Kiew (= Atti della Pont. Acc. di Archeologica III, Memorie II) 207–320, vor allem 224, 280–283. Die Gebete sind nicht immer wörtlich übersetzt. Der Autor muß, wie Mohlberg a.a.O. gezeigt hat, der lateinischen Sprache nicht vollkommen mächtig und ein Priester des by-

bei hat er, wie es scheint, den damals bereits leise gesprochenen Canon missae[42] unübersetzt gelassen.

Letzteres können wir aus einer Handschrift erschließen, die auf diese slavische Übersetzung des Methodius zurückgeht und uns glücklicherweise erhalten geblieben ist (heute in der Geistlichen Akademie in Kiew). Es handelt sich um einen Libellus des 10. Jahrhunderts (Abb. 31), der aus vier Doppelblättern besteht und außer einigen Meßformularen zu Ehren der Heiligen, darunter des heiligen Klemens, die für das Gebiet von Aquileja und Salzburg typischen sechs Werktagsmessen (»Orationes cottidianae«) enthält[43]; jedoch bezeichnenderweise ohne die siebente Messe, mit der regelmäßig der Canon verbunden war[44].

Zu Ende seines Lebens hat Methodius nochmals die Reise in seine Heimat Konstantinopel gemacht. Kaiser Basilius und Patriarch Methodius nahmen ihn hier in Ehren auf. Man hatte dort seit dem Anschluß Bulgariens an die Kirche von Byzanz – die Mission der römischen Kleriker war gescheitert – großes Interesse an der slavischen Bibelübersetzung der beiden Brüder. Hier soll Methodius in kurzer Zeit mit Hilfe von Schnellschreibern die Übertragung der ganzen Heiligen Schrift vollendet haben[45]. Dann zog er in sein Missionsgebiet zurück, wo er 885 starb.

So spannte sich der Lebensbogen dieses großen Mannes von Konstantinopel über Rom bis nach Regensburg, von der Kaiserstadt am Bosporus über die Stadt der Päpste am Tiber bis hin zur Königsstadt (»civitas regia«) an der Donau – vom Ruhm zur Schmach. Der Riß zwischen Rom und Byzanz, zwischen der Ost- und der Westkirche, war damals noch nicht vollzogen, wenn er sich auch bereits drohend ankündigte.

zantinischen Ritus gewesen sein; er hat nämlich eine Sentenz aus der Chrysostomus-Liturgie in eine Präfation dieser Meßformulare eingefügt (Formel 18).

[42] Vgl. J. A. Jungmann, Missarum Sollemnia II (⁵Wien-Freiburg-Basel 1962) 131.

[43] Vgl. Mohlberg, Il messale glagolitico (oben Anm. 41); K. Gamber, Die Kiewer Blätter in sakramentargeschichtlicher Sicht, in: Cyrillo-Methodiana 362–371. Während ich hier annahm, daß es sich bei diesen Blättern um die Schlußlage eines größeren Liturgiebuches handelt, bin ich inzwischen zur Überzeugung gekommen, daß es sich um einen vollständigen Libellus handelt (die erste Seite ist nämlich nicht abgeschabt, wie ich meinte, sondern war anfänglich unbeschrieben).

[44] So im Sakramentar von Padua, herausgegeben von K. Mohlberg (= Liturgiegeschichtliche Quellen 11/12, Münster 1927) 71–76; sowie im Sakramentar von Salzburg (nach 800), herausgegeben von A. Dold – K. Gamber (= Texte und Arbeiten, 4. Beiheft, Beuron 1960) Formeln 463 ff. (S. 43*); vgl. auch den Text des Ordo Romanus VII nach der Handschrift S; herausgegeben von M. Andrieu, Les Ordines Romani II (1948) 295–305.

[45] Vgl. Grivec, Konstantin und Method 128–132; hinsichtlich der erhaltenen Handschriften ebd. 193–195.

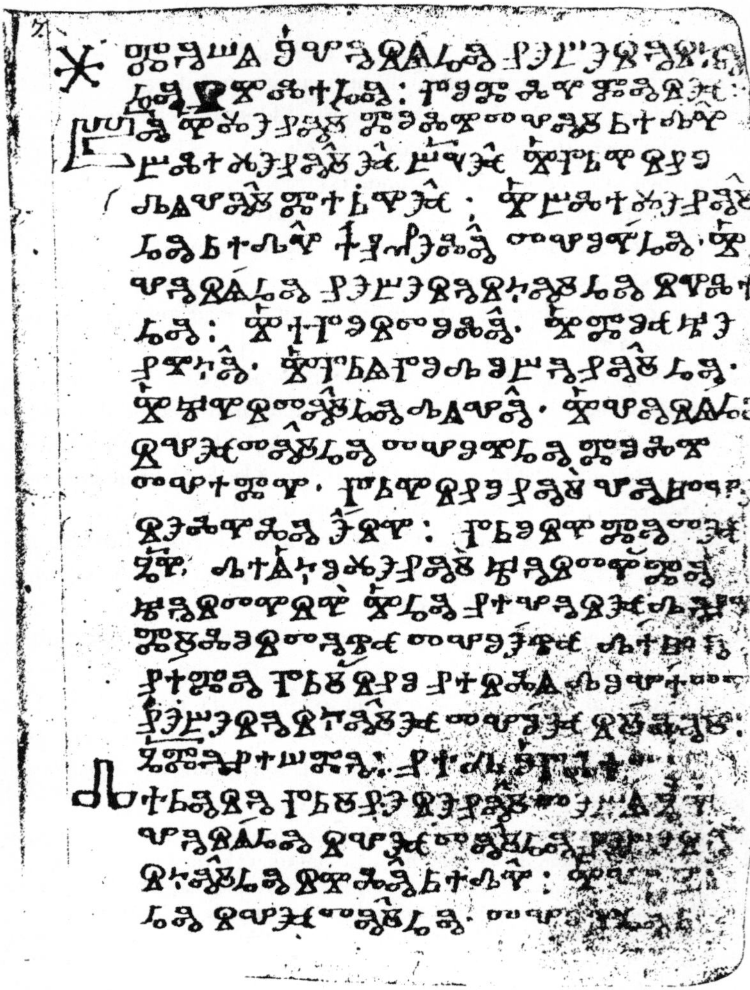

Abb. 31　Glagolitischer Meß-Libellus in Kiew (fol. 7 r), 10. Jahrh.

Zwischen beiden erhob sich als dritte Kraft die wachsende slavische Völker-familie, in deren Siedlungsraum verschiedene Staaten aneinander grenzten. Ihre großen Lehrer Konstantinus (Cyrillus) und Methodius haben östliches und westliches Gedankengut in sich vereinigt und es diesen Völkern als kostbares Erbe hinterlassen.

Die Pfalz Kaiser Arnulfs in Regensburg und ihr künstlerischer Schmuck

Wie M. Piendl in seiner Untersuchung »Die Pfalz Arnulfs bei St. Emmeram in Regensburg« zeigen konnte[1], ließ Kaiser Arnulf (887–899), der in der Hauptsache in Regensburg residierte, wohl schon bald nach seiner Wahl zum König des ostfränkischen Reiches und noch vor seiner Kaiserkrönung (891), unmittelbar bei der St. Emmeramskirche eine neue Königspfalz errichten. Damit scheiden früher vermutete Standorte, etwa bei der Kirche St. Ägid[2], aus. Piendl konnte darauf hinweisen, daß auch in anderen Königspfalzen der Karolingerzeit, so in Ingelheim, die gleiche Nordlage zur Basilika wie in Regensburg zu beobachten ist.

Das älteste Zeugnis stammt von Arnold, Propst von St. Emmeram, der in seinen um 1035 geschriebenen Libri de sancto Emmeramo die Pfalz Arnulfs ein »grande palatium« nennt; sie sei »in der Nachbarschaft« (»in vicinitate«) des Klosters gelegen[3]. Dieses Palatium hat in der Hauptsache aus einem zweigeschoßigen Bau bestanden, wobei sich im Erdgeschoß die Repräsentationssäle und im Obergeschoß die Wohn- und Schlafräume für den König und seine Begleitung befunden haben.

Das heutige äußere Portal der St. Emmeramskirche steht an der gleichen Stelle, an der sich der Eingang zur Vorhalle (aula bzw. salutatorium) der Pfalz befand. Es weist noch heute durch seine doppelgeschoßige Anlage auf eine Zweigeschoßigkeit des ehemaligen Hauptgebäudes hin. Neben diesem Portal sind Teile des Thronsaals (sala regia) mit seiner Doppelnische erhalten geblie-

---

[1] M. Piendl, Die Pfalz Arnulfs bei St. Emmeram in Regensburg, in: Thurn und Taxis-Studien II (Kallmünz 1962) 95–126 und Abbildungen 1–8.

[2] Vgl. M. Heuwieser, Die Entwicklung der Stadt Regensburg im Frühmittelalter, in: VO 76 (1925) 137ff.

[3] »Arnolfus elegit beatum Emmerammum vitae suae ac regno patronum, adeoque illi adhesit, ut in vicinitate monasterii regio cultui aptum construeret grande palatium« (MGH, Scriptores IV 551). Zu vergleichen ist auch die Stadtbeschreibung des Emmeramer Mönches Otloh aus dem 11. Jahrhundert: »Aspice inquit pergrande palacium orientem versus. Hic sedes est augustorum, ibi aula regni late porrigitur, hic curiae dux residens omnium negotiorum civilium publice et privatim ut nobilissimus moderamina disponit« (MGH, Scriptores XI 353).

ben. Es steht ferner ein Teil der Westmauer der Pfalz. Die ehemaligen hoch-liegenden Rundbogenfenster sind jetzt bis auf eines zugesetzt.

Die genannten Stücke, außer der Doppelnische des Thronsaals, gehen auf ei-nen Neubau des Palatiums zurück, wie er von Rüdan, dem Baumeister der Schottenkirche II, 1166 im romanischen Stil nach einem Brand neu errichtet wurde[4]. Fast hundert Jahre später ließ König Konrad IV. das ganze Gebäude niederreißen, aus Rache für einen Mordanschlag, der bei seinem Aufenthalt in der Pfalz 1250 auf ihn verübt wurde. Das erwähnte Eingangsportal hat man etwas später an der gleichen Stelle im frühgotischen Stil neu aufgebaut (vagl. Abb. 32).

Die Länge und Breite der Anlage, wie sie durch die angegebenen Punkte ge-wonnen wird, sind die gleichen wie in der Pfalz zu Ingelheim, nämlich 170:50 karolingische Schuh, das sind 57,8:17 m. Dies legt den Schluß nahe, daß in karolingischer Zeit für Königspfalzen bestimmte Planschemata verwendet wurden[5]. Die Übereinstimmung auch in den Maßen zwischen den Königs-pfalzen von Regensburg und Ingelheim beweist nicht zuletzt die Richtigkeit der These von Piendl.

Von den zum Palatium gehörenden Heiligtümern stand bis 1892 die zweige-schoßige Michaelskapelle. Vermutlich handelte es sich ehedem, ähnlich wie in Lorsch, um eine Torkapelle, in der nur das Obergeschoß als Kultraum diente[6], der von den Wohnräumen des Obergeschoßes der Pfalz zugängig war. Eine Apsis wurde erst in romanischer Zeit angefügt, als man den Bau zu einem Karner (Ossarium) umgestaltete. Über das Alter des Turmes der Michaelskapelle läßt sich nichts Sicheres ausmachen[7].

Eine Marienkapelle, die für den Gottesdienst des königlichen Hofes be-stimmt war, wird in einem Verzeichnis von 993 erwähnt – damals ließ Abt Ramwold einen goldenen Altar anfertigen[8] –; sie hatte als eigentliche Pfalz-kapelle das gleiche Patrozinium wie die Kirche der Kaiserpfalz in Aachen und die der Königspfalz Ludwigs des Deutschen in Regensburg, die »Alte Ka-pelle«. In gotischer Zeit mußte sie der Rupertikirche weichen.

---

[4] Frdl. Mitteilung von Frz. Dietheuer.
[5] Vgl. Piendl, Die Pfalz Arnulf 114.
[6] Vgl. Piendl, Zur Früh- und Baugeschichte von St. Emmeram in Regensburg, in: Zeitschrift für bayerische Landesgeschichte 28 (1965) 32–46, hier 42f.
[7] Vgl. Piendl, Die Pfalz Arnulfs 117–120 und Tafel 8a.
[8] Vgl. Piendl, Die Pfalz Arnulfs 121.

Abb. 32   Äußeres Portal von St. Emmeram (Eingang zum Palatium)

I

Soviel in Kürze zur Kaiserpfalz Arnulfs. Im einzelnen sei auf die Studie von Piendl verwiesen. Im folgenden geht es um den künstlerischen Schmuck und das Altargerät des Palatiums.

Wie oben gesagt, ist die jetzige Vorhalle der St. Emmeramskirche als ein Teil des Thronsaales anzusehen. Vor allem sind es die beiden halbkreisförmigen Nischen, die noch in die Zeit Arnulfs zurückgehen. Sie haben in den Nischen der St. Stephanskapelle eine Entsprechung. Der Eingang der Basilika lag damals noch nicht an dieser Stelle, auch nicht, wie Piendl meint, an der Nordseite[9] – hier befand sich die Pfalzkapelle St. Maria –, sondern von Anfang an im Westen des Gotteshauses. Ein westliches Querschiff fehlte damals noch; an seiner Stelle war ein Atrium (Paradies) der Basilika vorgelagert (vgl. Abb. 33).[10]

Der Thronsaal der Pfalz Arnulfs war, ebenso wie der Neubau in der romanischen Zeit, zweischiffig angelegt. Von den ehemals sieben Jochen sind noch zwei gut erhalten. An der Stirnseite der Aula regia befinden sich drei Steinreliefs: in der Mitte das Bild des thronenden Christus, die »Maiestas Domini«, angetan mit der Stola als Zeichen des Priestertums[11] und in der Hand das Evangelienbuch als Zeichen des Lehramts; links davon das Bild des heiligen

[9] Vgl. oben Anm. 6.
[10] Vgl. Frz. Schwäbl. Die vorkarolingische Basilika St. Emmeram in Regensburg und ihre baulichen Änderungen (Regensburg 1919) 6 mit Grundriß I.
[11] Vgl. Frz. Rademacher. Die Gustorfer Chorschranken (Bonn 1975) 112.

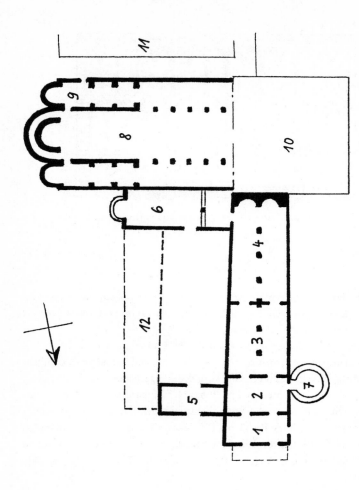

Abb. 33   Rekonstruktionsversuch eines Grundrisses der Arnulfs-Pfalz bei St. Emmeram
(Grafik von Robert E. Dechant)

1 Vorhalle
2 Salutatorium
3 Consistorium
4 Thronsaal (Sala Regia)
5 Torkapelle St. Michael
6 Pfalzkapelle St. Maria
7 Brunnen- und Badehaus?
8 Klosterkirche St. Emmeram
9 Kapelle St. Georg
10 Atrium (Paradies)
11 Kreuzgang des Klosters
12 Wirtschaftsräume der Pfalz?

Emmeram, rechts das des heiligen Dionysius. Alle drei Steinreliefs besitzen rechteckiges Format und sind etwas über 1 m hoch.

Die Entstehung dieser Plastiken wurde bisher von den Kunsthistorikern allgemein in die Zeit des Abtes Reginward (1049–1064) gesetzt[12]. Auch Piendl hat nicht gewagt eine frühere Datierung anzunehmen, obwohl er den ursprünglichen Zweck des Raumes klar erkannte. Die traditionelle Annahme gründet sich auf eine Inschrift am Fuß der mittleren Plastik, wo der Kopf des genannten Abtes als Medaillon erscheint, zusammen mit der Umschrift: »Abba Reginwardus hoc force iussit opus« (Der Abt Reginward hat dies Werk machen lassen).

Was hat jedoch Reginward tatsächlich damals bauen lassen? Doch nicht die Vorhalle – er hat sie nur umgebaut –, sondern den Dionysiuschor im Westen der Basilika sowie die Wolfgangskrypta[13]. Reginward war es auch, der die beiden Nischen durchbrechen ließ, um neue Eingänge für die Basilika um den Dionysius-Chor zu schaffen, nachdem die bisherigen Eingänge durch den Bau des Westwerks weggefallen waren.

Die drei Skulpturen sind als Eingangsfiguren wenig sinnvoll. Die Maiestas Domini war vom Frühmittelalter an bis in die Zeit der Gotik das typische Apsisbild der abendländischen Kirchen (im Osten finden wir dagegen meist die Darstellung Mariens als »Ecclesia orans«). Erst nach 1100 kommt die Maiestas Domini auch als Plastik im Bogenfeld des Eingangsportals einiger romanischer Dome vor[14], niemals jedoch außerhalb dieses Bogenfelds wie bei uns, wo der thronende Christus zentral zwischen zwei Nischen, die man nachträglich zu Portalen umgestaltet hat, erscheint.

Eine spezifische Bedeutung erhalten unsere Darstellungen aber, wenn man sie als Schmuck der Stirnwand des zweischiffigen Thronsaales der Pfalz sieht: in der Mitte, genau über dem Sitz des Herrschers, das Bild des thronenden Christus. Ein solcher Sessel war, wie eine Darstellung aus dem 18. Jahrhun-

---

[12] Vgl. Kdm., Oberpfalz XXII,1 (München 1933) 291–293 mit Tafel XXXIV; K. Zahn, Die Klosterkirche St. Emmeram und ihr Doppelnischenportal, in: Münchener Jahrbuch der bildenen Kunst, N. F. 8 (1931) 69–86.

[13] Vgl. Schwäbl, Die vorkarolingische Basilika 12 ff.

[14] Vgl. G. Schiller, Ikonographie der christlichen Kunst III (Gütersloh 1971) 228 f. – Ähnlich wie bei uns, findet sich eine Christus-Darstellung innerhalb eines rechteckigen Rahmens als Relief auch auf einem Steinkreuz in Ruthwell (Northumbrien) aus dem Ende des 7. Jahrhunderts; Abbildung in: P. Kidson, Romanik und Gotik (= Schätze der Weltkunst 6) 39. Ob in den Regensburger Steinplastiken angelsächsischer Einfluß sich geltend macht?

dert zeigt (vgl. Abb. 34), hier noch lange aufgestellt. Heute befindet sich dieser sogenannte Heinrichsstuhl in der Wolfgangskrypta.

Als Assistenz-Figuren Christi sind die beiden Patrone Arnulfs zu sehen: links der von ihm besonders verehrte Emmeram, rechts Dionysius, der fränkische Heilige, von dem er wahrscheinlich Reliquien (und nicht, wie man später behauptete, den ganzen Leib) nach Regensburg gebracht hatte[15]. Diese Figuren sind in Beziehung zu bringen mit den hohen Beamten des Kaisers, die zu Füßen der Heiligen links und rechts des Thrones in den Nischen Aufstellung genommen haben. Wie Emmeram und Dionysius Christus assistieren, so die Beamten dem Kaiser.

Wären die Plastiken des heiligen Emmeram und des heiligen Dionysius erst unter Abt Reginward, also um 1052, fertiggestellt worden, bliebe es zum mindesten unverständlich, warum nicht auch der heilige Wolfgang, dessen Reliquien damals gerade erhoben worden waren, am Eingang seiner Grabstätte eine bildliche Darstellung erhalten hat.

Das Abt-Medaillon, das bisher den Ausgangspunkt für die Datierung des Kunstwerks abgegeben hat, scheint erst etwa 150 Jahre nach der Fertigstellung des Maiestas-Bildes in das vorhandene Relief eingemeißelt worden zu sein und zwar nach Beendigung der umfangreichen Baumaßnahmen im Zusammenhang mit der Errichtung des Dionysius-Chores. Das notwendige Steinmaterial für dieses Brustbild des Abtes war durch die Stärke des Fußschemels Christi gegeben.

Vielleicht wurde dadurch das (Bild oder das) Namenszeichen des Kaisers Arnulf entfernt. Auffällig ist jedenfalls, daß der Abstand der Fußspitze vom vorderen Rand des Fußschemels im mittleren Relief geringer ist als in den beiden analog angelegten Seitenbildern. Dies läßt darauf schließen, daß hier Veränderungen am Stein vorgenommen wurden. Auch scheint das Abtbild einen anderen (jüngeren) Stil wiederzugeben als die Figuren selbst.

Durch Reginward dürften weitere Veränderungen an den Tafeln vorgenommen worden sein. Außer einer neuen Bemalung stammen aus dieser Zeit schon aufgrund paläographischer Überlegungen, die Umschriften; so wenn beim heiligen Emmeram an die in der Kirche Eintretenden gedacht wird: »Cunctos intrantes benedic audique precantes Emmeramme . . .« (Alle Eintretende segne, Emmeram, und erhöre die Bittenden[16]).

---

[15] Vgl. A. Kraus, Die Translatio S. Dionysii Areopagitae von St. Emmeram in Regensburg (= Bayerische Akademie d. W., Phil.-hist. Klasse, Sitzungsberichte 1972, Heft 4, München 1972).
[16] Vgl. Kdm, Oberpfalz XXII,1 (1933) 292.

Abb. 34 Nischenportal (mit Heinrichsstuhl) im 18. Jahrh.

Da aus karolingischer Zeit nur wenige Steinplastiken auf uns gekommen sind, können stilistische Vergleichsmöglichkeiten nicht angestellt werden. Vielleicht gehört eine Figur in der Kirche von Mustair (Graubünden) noch dem 9. Jahrhundert an[17]. Wir besitzen ferner Reste einiger Stuckreliefs aus der Klosterkirche Disentis und aus St. Benedikt Mals (Vinschgau)[18]. Dagegen kann die Elfenbeinkunst nutzbringend zum Vergleich herangezogen werden. So bestehen vom Stil her Beziehungen zum Elfenbeindeckel des Tuotilo aus der Zeit um 900, jetzt in der Stiftsbibliothek von St. Gallen (Abb. 35). Hier erscheint im oberen Teil der Komposition übrigens ein ähnliches Ziermuster wie an den Fußschemeln der beiden Seitenfiguren Emmeram und Dionysius[19].

Vor allem entscheidend ist aber der Hinweis, daß deutliche Zusammenhänge zwischen dem Maiestas-Bild und dem Königsthron bestehen. Nach byzantinischer Auffassung regiert der Kaiser als Stellvertreter Christi auf Erden. In Konstantinopel war deshalb die linke Seite des kaiserlichen Thrones Christus geweiht. Sie wurde bei großen Kirchenfesten frei gelassen, vom Kaiser aber als Stellvertreter Christi dann eingenommen, wenn er auswärtige Gesandtschaften empfing.

Das Maiestas-Bild erscheint folgerichtig auch auf der deutschen Kaiserkrone, wo man die Inschrift liest: »Per me reges regnant« (Durch mich regieren die Könige). Es fehlt ebenfalls nicht auf dem prächtig geschmückten Deckel des Codex aureus, von dem gleich die Rede sein wird (vgl. Abb. 38).

Am eindringlichsten ist jedoch der Vergleich mit der »Capella Palatina« (12. Jahrhundert) von Palermo. Hier ist der Thron des Herrschers mit der Westwand der Kirche verbunden, deren ganze Länge er einnimmt. Über dem Thron befindet sich als Mosaik ein großes Maiestas-Bild. Ähnlich wie in Regensburg ist die Person Christi von zwei Heiligen flankiert; doch sind es diesmal andere Assistenten, nämlich Petrus und Paulus[20].

Die These, daß die Figuren im Thronsaal der Regensburger Pfalz noch aus der Zeit ihrer Erbauung stammen, ist demnach durchaus begründet. Durch

[17] Vgl. P. Deschamps, A propos des Pierres à Décor d'Entrelacs et des Stucs de Saint-Jean de Mustair, in: Frühmittelalterliche Kunst (= Actes du IIIe Congrès international pour l'étude du haut moyen âge 1951, Olten-Lausanne 1954) 253–270, hier 265 mit Figur 110.

[18] Vgl. I. Müller, Beiträge zum byzantinischen Einfluß in der früh- und hochmittelalterlichen Kunst Rätiens, in: Zeitschrift für schweizerische Archäologie und Kunstgeschichte 24 (1965/66) Tafeln 62 und 64.

[19] Vgl. H. Schnitzler, Mittelalter und Antike (München 1949) Abb. 11.

[20] Abbildung in: Chr. Schug-Wille, Byzanz und seine Welt (Baden-Baden 1969) S. 191.

Abb. 35   Diptychon des Tuotilo in St. Gallen (um 900)

sie gewinnt auch eine Anekdote, die der eingangs erwähnte Arnold von König Otto I. erzählt, an Lebendigkeit. Der Regensburger Bischof Michael
hatte um 954 den Herrscher und seine Begleitung »in quodam monasterii pa-
latio«, also in der mit dem Kloster verbundenen Königspfalz, zu einem Fest-
mahl (»convivium«) eingeladen. Zum Schluß rief der König den Anwesenden
zu, es sei nun billig, die Minne des heiligen Emmeram zu trinken und damit
das Mahl zu beschließen. Einer der Gäste, der bereits angetrunken war, führte
daraufhin eine frevelhafte Rede gegen den Heiligen. Der so Gelästerte ließ
zum großen Schrecken der Teilnehmer die Strafe auf der Stelle folgen. Er ver-
setzte dem Frevler »von der Wand her« (»e pariete«), wie es heißt, einen derartigen Schlag, daß dieser von seinem Platz in die Mitte des Saales geschleu-
dert wurde[21].

Da der Schlag »von der Wand her« erfolgt ist, dürfen wir konkret an das Re-
lief-Bild des heiligen Emmeram denken, das sich links vom Maiestas-Bild befindet. Es liegt hier die Vorstellung zugrunde, die sich auch anderswo, so etwa
in einer Legende vom Berge Athos, nachweisen läßt, daß ein Heiligenbild
schlagen kann[22]. In unserm Fall ist demnach vorauszusetzen, daß das genannte Relief bereits damals, also in der Mitte des 10. Jahrhundert, vorhanden war und nicht erst hundert Jahre später entstanden ist.

Außer den drei besprochenen Plastiken in der jetzigen Vorhalle von St. Emmeram sind von der künstlerischen Ausstattung der Pfalz vermutlich auch
einige verzierte Tonfliesen erhalten geblieben. Sie wurden, meist in zerbro-
chenem Zustand, nach 1864 bei Reparaturarbeiten in der Basilika auf dem
östlichen Gewölbe der Seitenschiffe gefunden. Einige Jahre später sind, wie
H. von Walderdorff berichtet, beim Umbau eines Regensburger Privathau-
ses, in einer Fensternische angenagelt, weitere Reste der gleichen Fliesen festgestellt worden (vgl. Abb. 36)[23].

Es ist naheliegend daran zu denken, daß es sich um Stücke aus dem Umbau
der Königspfalz vom Jahr 1166 handelt, zumal die sich darauf findenden Verzierungen typische Herrschersymbole darstellen. So ist der Doppeladler ein
byzantinisches Herrschaftszeichen, der Greif symbolisiert den Wächter des
Reichs; das in sich geschlossene Flechtornament bedeutet (fließendes) Wasser

[21] Vgl. Piendl, Die Pfalz Kaiser Arnulfs 117; MGH, Scriptores IV 552.
[22] Vgl. Frz. Spunda, Legenden und Fresken vom Berge Athos (Stuttgart 1962) 106:
»An einem hohen Festtag vergaß der für die Beleuchtung zuständige Diakon das Licht
vor der Muttergottes-Ikone anzuzünden. Als er daran vorüberging, erhielt er von der
Panagia eine kräftige Ohrfeige. Geschehen im Jahr 1664.«
[23] Walderdorff, Regensburg 313 (mit weiterer Literatur). Walderdorff setzt die
Tonfliesen in die Zeit um 1200.

Abb. 36   Tonfliesen von St. Emmeram

(hier Leben, Gnade), während das Pflanzenwerk den biblischen Lebensbaum in starker Stilisierung darstellt (Mitteilung von Frz. Dietheuer). Letzterer begegnet uns in ganz ähnlicher Weise auf dem oben genannten Elfenbeindeckel des Tuotilo.

Damit sind die baulichen Reste der Pfalz Arnulfs und ihres Schmuckes beschrieben. Diese vermitteln uns leider nur noch ein schwaches Bild von der ursprünglichen Pracht des Palatiums. Da aber aus der Wende des 9. zum 10. Jahrhundert, im Gegensatz etwa zur Zeit der Romanik und Gotik, nur wenige Kunstwerke erhalten geblieben sind, sollten diese Zeugnisse für uns umso wertvoller sein.

II

Wir kommen nun zum Altargerät, dem eigentlichen »ornatus palatii« Arnulfs. Der Mönch Arnold berichtet darüber Einzelheiten in seiner Lebensbeschreibung des heiligen Emmeram. Danach schenkte der Kaiser nach der glücklichen Heimkehr vom Feldzug gegen Swatopluk von Mähren 893 den gesamten Schmuck seiner Pfalz (»ornatus palatii«) an das Kloster St. Emmeram, darunter das berühmte Ziborium (ciborium), ferner den sogenannten Codex aureus (»liber evangeliorum plenarius«), eine silberne »Craticula« (Rundleuchter) sowie »Pallia«, das sind kostbare (Altar-)Decken[24].
Erhalten sind nur das Ziborium, jetzt in der Schatzkammer der Residenz in München, sowie der Codex aureus, jetzt in der Bayerischen Staatsbibliothek (Clm 14000). Die beiden Stücke gehören dem Stil und der Technik nach zusammen; sie stammen aus der Zeit um 870 und waren im Auftrag von Kaiser Lothar, dem Herrscher über das karolingische Mittelreich (»Lotharingien«), angefertigt worden. Durch König Odo oder Karl den Einfältigen wurden sie an König Arnulf weitergegeben.
Von diesen und den übrigen erwähnten, jedoch verloren gegangenen Kir-

---

[24] »Speciali autem patrono suo Emmerammo pro gratiarum actione contulit totum palatii ornatum. In quo erat ciborium quadratum, cuius auro tectum tabulatum, fastigium serto gemmarum redimitum . . . Erant etiam in eo evangeliorum libri plenarii. auro et gemmis tecti. scripti, picti ac omnimodis ornati. E quibus unus est cubitalis, opere, precio, pondere siquidem talis, ut ei non facile inveniri potest aequalis . . . Pro dono addidit argenteam craticulam predicto ciborio subponendam. Adiecit et pallia coloratu paria et varia, inter quae unum unius texturae longitudinem habuit cubitorum triginta.« (MGH, Scriptores IV 551). Auch die Weiheinschrift des Ziboriums ist erhalten: »Rex Arnulfus amore dei perfecerat istud – Ut fiat ornatus sc(is par)tibus istis – Quem xps cum discipulis componat ubique« (König Arnulf ließ das Werk aus Gottesliebe vollenden, auf daß es dieser heiligen Stätte zur Zier gereiche. Ihn möge Christus, wo auch immer, mit seinen Jüngern vereinen); vgl. H. Thoma – H. Brunner, Schatzkammer der Residenz München (München 1964) 17–21.

chengeräten bzw. Textilien ist eine ziemlich getreue Abbildung aus dem
11. Jahrhundert erhalten. Der »ornatus palatii« befindet sich hier »in situ«,
d. h. in der Aufstellung, die er damals in der Klosterkirche hatte. Diese Abbildung begegnet uns im berühmten Uta-Codex aus Niedermünster, der im
11. Jahrhundert in der Mal- und Schreibschule von St. Emmeram entstanden ist und jetzt in der B. Staatsbibliothek in München liegt (Clm 13601). Es
ist die Miniatur auf fol. 4r, »Messe des heiligen Erhard« genannt[25].
Man sieht hier Bischof Erhard im vollen Ornat zusammen mit einem Diakon
unter einem Altar-Baldachin stehen. Vor ihm, mit kostbaren Decken geschmückt, der Altar. Ob es sich dabei um die »Pallia« handelt, die Arnulf dem
Kloster geschenkt hat? Auf dem Altar steht das oben genannte Ziborium, zusammen mit Meßkelch und Patene sowie Evangelienbuch, allem Anschein
nach dem Codex aureus. Über (eigentlich neben) dem Ziborium die nicht
mehr erhaltene »Craticula«, der Rundleuchter: also der gesamte von Kaiser
Arnulf überlassene »ornatus palatii«, soweit er von Arnold erwähnt wird
(vgl. Abb. 37).

Über den Codex aureus, ein Evangelienbuch mit prächtigen Miniaturen und
einem vergoldeten und mit vielen Edelsteinen geschmückten Einband,
braucht hier nicht eigens gehandelt zu werden, da sich in diesem Zusammenhang keine neuen Gesichtspunkte ergeben und über die kostbare Handschrift
bereits eine umfassende Literatur vorliegt[26]. Ein Evangeliar gehörte in dama-
liger Zeit zur festen liturgischen Ausstattung des Altares; aus ihm sang der
Diakon im feierlichen Gottesdienst das Evangelium. Da es die Worte des
Herrn erhielt, war man bemüht, ein möglichst kostbares Exemplar zu erwer-
ben[27]. Doch waren nicht alle Evangeliare so prachtvoll ausgestattet wie der
Codex aureus, der für den Gottesdienst des Kaisers bestimmt war (vgl.
Abb. 38)[28].

[25] Vgl. A. Boeckler, Das Erhardbild im Uta-Kodex, in: Studies and Literature for
Belle da Costa Greene (Princeton (1954) 219–230. Farbige Abbildung in: A. Grabar
– C. Nordenfalk, Das frühe Mittelalter (Genève 1957) 211. Eingehende Beschreibung
des Uta-Codex von G. Swarzenski, Die Regensburger Buchmalerei des X. und
XI. Jahrhunderts (²Stuttgart 1969) 88–122.
[26] Vgl. C. Sanftl, Dissertatio in aureum ac pervetustum SS. Evangeliorum codicem
ms. Monasterii S. Emmerami Ratisbonae (Regensburg 1786); Facsimile-Ausgabe von
G. Leidinger (1921–1925) 5 Bände und 1 Textband. Kurze Beschreibung von
F. Dressler, Cimelia Monacensia (Wiesbaden 1970) Nr. 13 S. 18 (weitere Literatur).
[27] Vgl. St. Beißel, Geschichte der Evangelienbücher in der ersten Hälfte des Mittelalters (= Ergänzungshefte zu den »Stimmen aus Maria Laach« 92/93, Freiburg 1906).
[28] Kaiser Arnulf hat damals außer dem Codex aureus weitere weniger kostbare
Evangeliare dem Kloster geschenkt, vgl. den obigen Bericht von Arnold von St. Emmeram (Anm. 24).

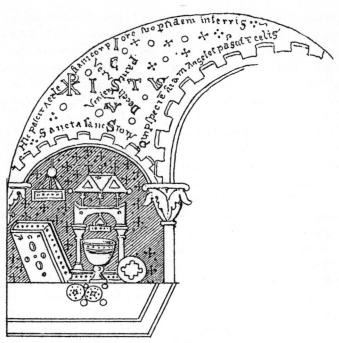

Abb. 37   Altar und Altargerät aus der Erhardsmesse des Uta-Codex (11. Jahrh.)

Über das Arnulf-Ziborium ist ebenfalls schon einiges geschrieben worden, jedoch fast ausschließlich aus der Sicht des Kunsthistorikers und weniger im Hinblick auf seine liturgische Verwendung[29]. So wurde dieses Sakralgerät bisher meist als Tragaltar (altare portatile) angesehen, obwohl dieser Meinung bereits in dem 1761 erschienenen Büchlein »Bericht von den heiligen Leibern und Reliquien«, die in der Abtei St. Emmeram aufbewahrt werden, ausdrücklich widersprochen wird[30]. Da unter der rechteckigen Porphyr-Platte am Fuß des Ziboriums Reliquien eingeschlossen sind, konnte dieses auf den Reisen des Kaisers auch als Altar verwendet werden[31]. Dies war jedoch, wie zu zeigen sein wird, nicht sein primärer Zweck.

[29] Vgl. H. Thoma – H. Brunner (oben Anm. 24) 17–24 (mit weiterer Lit.).
[30] Ein Verfasser des in Regensburg 1761 erschienenen Büchleins wird im Titelblatt nicht genannt. Im Exemplar der B. Zentralbibliothek ist handschriftlich nachgetragen: »Verfasser war Fürst Johann Baptist († 1762)«. Über das Ziborium wird S. 82f. gehandelt.
[31] Vgl. Braun, Altar I, 447.

Abb. 38   Codex aureus von St. Emmeram (Buchdeckel) (nach einem alten Stich)

Wozu diente das Ziborium dann? Bei der Lösung dieser Frage kann uns die genannte Abbildung aus dem 11. Jahrhundert helfen, da sie dieses noch in seiner ursprünglichen Gestalt zeigt. Darauf erkennt man ein Stück, das jetzt fehlt, nämlich ein kleines Kästchen, das an (vier) Ketten befestigt ist und von der Decke des Baldachins herabhängt.

Der Miniator selbst hat die Verwendung dieses Kästchens erklärt, wenn er über das Ziborium in das innere Gewölbe des Altar-Baldachins die Worte geschrieben hat: »Jesus Christus verus panis veniens de celis« (Jesus Christus, wahres Brot, kommend vom Himmel). Damit will er den Inhalt des Kästchens angeben: das himmlische Brot. Es handelt sich demnach um eine Pyxis zur Aufbewahrung der Eucharistie. In diesem Sinn heißt es weiter: »Hic pascit aeclesiam corpore suo per fidem in terris, qui per speciem suam angelos pascit in celis« (Hier nährt mit seinem Leib die Kirche auf Erden, der im Himmel die Engel nährt durch seinen Anblick).

Wenn das Ziborium vom Kaiser auf Reisen mitgenommen wurde – was nicht sicher ist –, könnte es als tragbarer Tabernakel (»ciborium itinerarium«) gedient haben. Bekanntlich geht der Brauch, die Eucharistie auf Reisen mit sich zu führen, ins frühe Christentum zurück[32]. Bis ins 18. Jahrhundert ließen sich zahlreiche Päpste das Allerheiligste in einem Tabernakel oder später in einer Monstranz vorantragen. In dieser Weise reiste z. B. Papst Stephan II. 753 zu König Pippin oder Leo III. 799, von Karl dem Großen kommend, nach Rom zurück[33].

Die Ausstattung des Altars mit Evangelienbuch und Ziborium, wie sie die Erhardsmesse des Uta-Codex zeigt, stellt keinen singulären Brauch der kaiserlichen Pfalz dar. So befindet sich in den byzantinischen Kirchen bis heute auf dem Altar außer dem (meist kostbar gebundenen) Evangeliar ein dem Arnulfs-Ziborium sehr ähnliches »Artophorion« (ἀρτοφόριον = Brotbehälter), das ebenfalls der Aufbewahrung der Eucharistie (für die Krankenkommunion) dient. Gelegentlich trägt es auch einfach die Bezeichnung »Kibotos« (κιβωτός = Lade, Kästchen)[34].

Was die abendländische Kirche betrifft, so kann hier die Vorschrift des Papstes Leo IV. (847–855) angeführt werden, in der es heißt: »Auf den Altar darf

[32] Vgl. C. Nußbaum, Art. Geleit, in: Reallexikon für Antike und Christentum IX, 993 f.

[33] Vgl. F. Raible, Der Tabernakel einst und jetzt (Freiburg 1908) 94 f. (mit Abbildung).

[34] Vgl. Fr. Heiler, Urkirche und Ostkirche (München 1937) 290 und M. Rajewsky, Euchologion der orthodox-katholischen Kirche (Wien 1861) S. XVII (mit Abbildung).

nichts gelegt werden außer Reliquienbehältern, dem Evangeliar und der Pyxis mit dem Leib des Herrn«[35]. Letztere war wohl nicht immer so künstlerisch ausgestaltet wie unser Ziborium. Meist waren es nur einfache Kästchen in der Form eines kleinen Hauses[36]. Die »capsa aurea cum altari subposito innitens quattuor columnis argenteis«, die Kaiser Lothar der Abtei Prüm schenkte, dürfte dem Arnulf-Ziborium jedoch recht ähnlich gewesen sein[37].

Auf seine Verwendung als Behälter zur Aufbewahrung der Eucharistie weisen ferner die Darstellungen des »Agnus Dei« und der anbetenden Cherubim hin, die sich in der Mitte oben bzw. links und rechts an der Vorderseite des Ziboriums finden. Die Cherubim zeigen die Beziehung zur alttestamentlichen Bundeslade (arca =κιβωτός) auf. Den Namen »arca« trägt im Frühmittelalter, wie verschiedentlich bezeugt ist, die (eucharistische) Pyxis auf dem Altar[38]. Auch in der Ostkirche wird eine Beziehung zwischen dem Artophorion und der Bundeslade gesehen[39].

In der Darstellung der Erhardsmesse im Uta-Codex finden wir über dem Ziborium außerdem noch die Inschrift »Sancta sanctorum« (das Allerheiligste). Damit ist, wie auch sonst, sicher nicht nur das Ziborium gemeint, sondern der ganze Altarraum[40]. Ausschlaggebend für diese vor allem in der gallikani-

[35] »Super altare nihil ponatur nisi capsae, et reliquiae et quattuor Evangelia, et pyxis cum corpore Domini ad viaticum infirmis« (PL 115,667f.); vgl. Raible, Der Tabernakel einst und jetzt 130.

[36] Nicht selten wurden Reliquien zusammen mit der Eucharistie im gleichen Kästchen aufbewahrt. In Regensburg besitzen wir ein solches aus dem Anfang des 14. Jahrhundert im Domschatz-Museum; vgl. A. Hubel, der Regensburger Domschatz (München-Zürich 1976) Nr. 64 und farbige Abbildung VIII–IX.

[37] Vgl. Braun, Altar II, 208. Hinsichtlich der späteren Zeit vgl. Braun II, 623–626, wo vor allem auf einen beweglichen Altartabernakel aus dem frühen 13. Jahrhundert in S. Sepolcro zu Barletta (Süditalien) hingewiesen wird (S. 624); Abbildung in: M. D'Elia, Mostra dell' arte in Puglia. Catalogo (Bari 1964) 17 mit Fig. 19. Dieser Tabernakel ist turmartig und hat wie der des Kaisers Arnulf quadratische Form.

[38] Vgl. P. Bloch, Das Apsismosaik von Germigny-des-Prés. Karl der Große und der Alte Bund, in: Karl der Große III (Düsseldorf 1965) 234–261. Noch Durandus spricht in seinem Rationale (1,2 n. 5) von einem »tabernaculum«, das in einigen Kirchen auf dem Altar steht und das auch »arca« genannt werde, worin der Leib des Herrn und Reliquien aufbewahrt würden; vgl. J. Sauer, Symbolik des Kirchenbäudes und seiner Ausstattung in der Auffassung des Mittelalters (Freiburg 1924) 175; ferner F. X. Kraus, Real-Encyklopädie der christlichen Altertümer I, 73, wo darauf hingewiesen wird, daß schon zur Zeit Cyprians das Gefäß, in dem in den Häusern die Eucharistie aufbewahrt worden ist, ebenfalls »arca« genannt wurde.

[39] Vgl. J. Tyciak, Der christliche Osten – Geist und Gestalt (Regensburg 1939) 250f.

[40] Vgl. K. Gamber, Liturgie und Kirchenbau (= Studia patristica et liturgica 6, Regensburg 1976) 117f.

schen Liturgie gebrauchte Bezeichnung sowie für die Symbolik des christlichen Altarraums dürfte die Stelle Hebr 9,3–5 gewesen sein, wo es vom Tempel in Jerusalem heißt:

> Hinter dem zweiten Vorhang befand sich das »tabernaculum«, das »sancta sanctorum« genannt wurde, darin das goldene Rauchfaß und die Bundeslade (»arcam testamenti«). Diese war auf allen Seiten mit Gold überzogen und hatte eine goldene »urna« mit dem Manna . . . und darüber befanden sich die Cherubim der Herrlichkeit, die den Gnadenthron (»propitiatorium«) überschattet haben.

Ein Vorhang zur Abtrennung des Altarraum zum Kirchenschiff fehlte in den Kirchen des Frühmittelalters sowohl im Osten wie im Westen nie[41]. Meist waren es sogar zwei, wie im Tempel zu Jerusalem: einer an den Schranken (»Cancelli«) und einer um den Altarbaldachin, wie auch Hebr 9,3 von einem »zweiten Vorhang« vor dem Allerheiligsten die Rede ist. Es fehlte im Gottesdienst natürlich auch das Rauchfaß nicht[42].

Hinsichtlich der Bundeslade gilt in unserem Fall: wie diese, so war auch das (hölzerne) Ziborium »auf allen Seiten mit Gold überzogen«. Es hatte außerdem eine goldene »urna« und eine Darstellung der »Cherubim der Herrlichkeit«; es bildete den »Gnadenthron« des Neuen Bundes, die Herzmitte des Gotteshauses.

Im oben zitierten »Bericht von den heiligen Leibern und Reliquien« wird unter den Schätzen des Klosters St. Emmeram auch eine »goldene Blatten« (von 6,3 cm Durchmesser) erwähnt und abgebildet (vgl. Abb. 39)[43]. Es handelt sich dabei nicht um die Darstellung einer »Weibs-Person«, wie der Verfasser meinte, sondern um die in der byzantinischen Kunst typische Darstellung eines Erzengels, hier des heiligen Michael[44].

Diese Emailarbeit, die vielleicht in einer deutschen Werkstätte (in Regensburg?) entstanden ist, könnte noch aus der Zeit Arnulfs und aus dessen Pfalz stammen. Die übliche zeitliche Ansetzung »um 1000« ist beim Fehlen direkt

[41] Vgl. Gamber, Liturgie und Kirchenbau 140 ff.

[42] Die Verwendung von »Weihrauch, der dem Ruhme Gottes geboten wird«, bezeugt bereits Gregor von Nyssa in seiner Erklärung des Hohen Liedes (hom. IX).

[43] »Bericht von den Heiligen Leibern und Reliquien, welche in dem Fürstlichen Reichs-Gottes-Hauß S. Emmerami . . . aufbehalten werden« (Regensburg 1761) 83 f. mit Tab. IX.

[44] Vgl. H. Schnell, Bayerische Frömmigkeit. Kult und Kunst in 14 Jahrhunderten (München-Zürich 1965) Tafel XI. Die Platte befindet sich jetzt im Bayerischen National-Museum.

Abb. 39 Email-Goldplatte, vermutlich aus der Kaiserpfalz
Erzengel Michael

Vergleichbarens im weiten Sinn zu verstehen. Die kleine Goldplatte hat ehedem sicher einen Teil eines größeren Kunstwerks, vielleicht eines Altars (der
Michaelskapelle?) gebildet.
Diese wenigen erhaltenen und von uns beschriebenen Stücke aus dem »ornatus palatii« des Kaisers Arnulf vermitteln eine Vorstellung von der Pracht des
Gottesdienstes, wie er in karolingischer Zeit in Anwesenheit des Königs und
seines Hofes gefeiert wurde. Leider fehlen uns Zeugnisse der Ausgestaltung
der Kirchen und Kapellen dieser Zeit mit Wandmalereien fast ganz. Wie die
wenigen Reste, so in Naturns, Mustair und Mals deutlich machen[45], waren
in den einzelnen Kirchen alle Wände mit Bildern geschmückt und zwar in
ganz ähnlicher Weise wie in den Kirchen des Ostens. Hier finden wir noch
heute eine streng liturgische, d. h. typische Malerei vor[46], während der Westen seit der Spätgotik von der Tradition abgewichen ist und die kirchliche
Kunst weitgehend dem subjektiven Empfinden des Künstlers überlassen hat.
In karolingischer Zeit war die Einheit zwischen Ost und West, wie wir sahen,
auch hier noch ungebrochen.

[45] Vgl. Gamber, Liturgie und Kirchenbau 107–110 (mit weiterer Literatur).
[46] Vgl. A. Hackel, Der Kirchenbau als Symbol, in: Tyciak, Der christliche Osten
(Anm. 39) 245–258. Über die Ausmalung der Basiliken von Nola zur Zeit des hl. Paulinus († 431) berichtet dessen Ep. 32 (PL 61,330–343).

Das Superhumerale der Regensburger Bischöfe in seiner liturgiegeschichtlichen Entwicklung[1]

Über das Superhumerale, auch Rationale genannt, ein mittelalterliches bischöfliches Ornatstück im Regensburger Domschatz ist schon einiges geschrieben worden[2], so daß es fast müßig erscheinen möchte, abermals dieses Thema aufzugreifen. Dies ist jedoch notwendig geworden, nachdem Klemens Honselmann kürzlich über diese Insignie, die von den Oberhirten einer Reihe von Diözesen im Gebiet des alten fränkischen Reiches – und nur hier – bis in die Neuzeit, zum Teil sogar bis in die Gegenwart als Schulterschmuck getragen wurde bzw. wird[3], eine umfangreiche Arbeit veröffentlicht hat[4]. In seinem Buch versucht der Autor neues Licht in die Entstehung und Entwicklung des Superhumerale zu bringen. Die zahlreichen sich hier findenden Quellenauszüge (S. 91–149) sowie der umfangreiche, wenn auch keineswegs vollständige Bildnachweis (nach S. 155) regen zu weiterer Verfolgung der aufgeworfenen Fragen an. Honselmann wendet sich dabei gegen die vielfach geäußerte Annahme einer »Entstehung des Rationale aus dem römischen Pallium der Erzbischöfe« (S. 9). Er hat hierin, wie wir im folgenden sehen werden, jedoch nur zum Teil Recht. Bevor wir aber auf diese Frage eingehen, sind zuerst die Begriffe »(Pallium) Superhumerale« und »Rationale«, die beide im Mittelalter für diesen Schulterschmuck verwendet wurden, zu erklären.

[1] Für verschiedene Hinweise bin ich Dr. P. Leo Eizenhöfer OSB, Stift Neuburg bei Heidelberg, zu Dank verpflichtet.

[2] Vgl. A. Ebner, Das dem Bischof Berthold von Eichstätt zugeschriebene Rationale im Domschatz zu Regensburg, in: Sammelblatt des Hist. Vereins für Eichstätt 7 (1892) 102–110; B. Kleinschmidt, Das Rationale im Domschatz zu Regensburg, in: Kirchenschmuck 35 (1904) 39–52; A. Hubel, Der Regensburger Domschatz (Regensburg 1976) 219–229 (mit vollständiger Literatur).

[3] Vgl. N. N., Zur Geschichte des bischöflichen Rationale, in: Kirchenschmuck 4 (Bonn 1860) 81–86; Fr. Bock, Geschichte der liturgischen Gewänder des Mittelalters II (Bonn 1866) 194–205; L. Eisenhofer, das bischöfliche Rationale. Seine Entstehung und Entwicklung (= Veröffentlichungen aus dem kirchenhistorischen Seminar München II, 4 München 1904); ders., Handbuch der Liturgik I (Freiburg 462–462; J. Braun, Die liturgische Gewandung im Occident und Orient (Freiburg 1907) 676–700; ders., Die liturgischen Paramente in Gegenwart und Vergangenheit (²Freiburg 1924) 151–153.

[4] K. Honselmann, Das Rationale der Bischöfe (Paderborn 1975), abgekürzt »Honselmann, Rationale«.

Isidor von Sevilla († 633) unterscheidet bei der Behandlung der Kleidung des Hohenpriesters im Alten Testament (Ex 28,6ff.)[5] zwischen dem Ephod, dem »Pallium superhumerale«, »das in vier Farben gewebt und mit Goldfäden durchzogen war und das auf jeder Schulter zwei in Gold gefaßte Smaragdsteine besaß, in dem die Namen der (zwölf) Patriarchen eingetragen werden«, und dem »Logion« λόγειον hebr. Choschen)[6], »das lateinisch ›Rationale‹ genannt wird: ein doppeltes Tuch, das ebenfalls in vier Farben gewebt und mit Goldfäden durchzogen war, von quadratischem Format in der Größe einer Hand und mit 12 Edelsteinen besetzt. Dieser Schmuck wurde vom Hohenpriester auf der Brust getragen«[7].

Von einem Gebrauch dieser beiden Gewandstücke durch die Bischöfe sagt Isidor nichts. Sie waren in Spanien offensichtlich nicht üblich gewesen, sonst hätte er dies sicher erwähnt.

Über den liturgischen Gebrauch des Pallium (superhumerale) handelt hingegen (Ps-)Germanus von Paris († 576)[8] in seiner Erklärung der gallikanischen Meßfeier, wenn er bei der Aufzählung der Meßgewänder vom Pallium des Bischofs spricht, »das um den Hals getragen wird und bis zur Brust reicht und das im Alten Testament ›Rationale‹ genannt wird«[9]. Er erwähnt in diesem Zusammenhang eigens die Fransen (»fimbria«) am Saum dieses Ornatstücks[10]. Germanus verwechselt jedoch ganz deutlich den Ephod (Pallium

---

[5] Vgl. auch Fr. Bock, Geschichte der liturgischen Gewänder des Mittelalters I (Bonn 1866) 364–383.

[6] Richtiger wäre λογείον (so in den meisten LXX-Handschriften) = oraculum.

[7] Vgl. PL 82, 684; Honselmann, Rationale 102 Nr. 13.

[8] Zur Verfasserfrage sagt O. Heiming, in: Archiv für Liturgiewissenschaft II, 1 (1961) 210: ». . . das Hindernis einer Abhängigkeit der Expositio von Isidor von Sevilla scheint nicht mehr zu bestehen.«

[9] Expositio antiquae liturgiae gallicanae II,16: »Pallium vero, quod circa collum usque ad pectus venit, rationale vocabatur in veteri (testamento), scilicet signum sanctitatis super memoriam pectoris dicente propheta ex persona domini: Spiritus super me. Et post pauca: Ut onerem gloriam legentibus Sion et darem eis coronam pro cinere, oleum gaudii pro luctu, pallium laudis pro spiritu reges et sacerdotes circumdati erant pallio (super) vestem fulgentem, quod gratiam praesignabat.«; vgl. E. C. Ratcliff, Expositio antiquae liturgiae gallicanae (= HBS 98, London 1971) 23; Honselmann, Rationale 103 Nr. 15.

[10] »Quod autem fimbriis vestimenta sacerdotalia adnectuntur, dominus Moysi praecepit in Numeris (15,38), ut per quattuor angulos palliorum filii Israel fimbrias facerent, ut populus domini non solum opere, sed etiam vestitu mandatorum dei signum portaret« (II 17).

superhumerale) mit dem Choschen (Rationale). Die gleiche Verwechslung begegnet uns auch im Mittelalter.

Etwa zur gleichen Zeit, als Germanus seine Meßerklärung schrieb, erinnert die Synode von Mâcon vom Jahre 581/83 die Bischöfe an die Pflicht zum Tragen dieses Gewandes bei der Meßfeier, wenn sie im Canon 6 befiehlt:».. . ut episcopus[11] sine pallio missas dicere non praesumet«[12]. Einige hundert Jahre später nennt Walafried Strabo († 849) noch als Pontifikalschmuck neben »dalmatica, alba, mappula, orarium, cingulum, sandalia, casula« auch das »pallium« und bringt diese wie Germanus in Beziehung zur Kleidung des alttestamentlichen Hohenpriesters[13].

Die Rückbesinnung auf den jüdischen Kult ist typisch für die gallikanische Liturgie etwa seit dem 6. Jahrhundert[14]. Dies machen nicht nur verschiedene Stellen in der oben erwähnten Meßerklärung des Germanus, sondern auch weitere Beobachtungen, nicht zuletzt kunsthistorischer Art, deutlich[15]. Der Altarraum wird, wie das Allerheiligste des Tempels zu Jerusalem, »sancta sanctorum« (vgl. Hebr. 9,3) genannt; wir finden die »arca« (Bundeslade), den siebenarmigen Leuchter und die beiden Cherubim des Salomonischen Tempels[16]. Über den »Einfluß des Alten Testaments auf Recht und Liturgie des frühen Mittelalters«, besonders im irischen Raum, hat R. Kottje eine eigene Studie geschrieben[17].

[11] Die älteste Handschrift (9. Jahrhundert) liest richtig »episcopus«, während der jüngere Vatikanische Codex (9./10. Jahrhundert) »archiepiscopus« schreibt; vgl. Corpus Christianorum Band 148 A, 224; Honselmann, Rationale 24 und 101 Nr. 11; E. Loening, Geschichte des deutschen Kirchenrechtes (1878) II,94f.

[12] Vgl. Migne, PL 72,97.

[13] Vgl. Honselmann, Rationale 105 Nr. 19. Auch der Ordo VIII »De vestimentis pontificis« (Andrieu, Ordines Romani II,321), der den Brauch zu Ende des 9. Jahrhunderts in Alemannien wiedergeben dürfte, zählt unter den Pontifikalgewändern eigens das Pallium auf: »Post haec planeta et supermittitur pallium«; vgl. auch P. Salmon, Mitra und Stab. Die Pontifikalinsignien im römischen Ritus (Mainz 1960) 26f.

[14] In Rom ist erst im 13. Jahrhundert ein ähnlicher Rückgriff auf den alttestamentlichen Ephod zu beobachten, von welchem Zeitpunkt an die Päpste ein eigenes Schultergewand, den »Fanon« (ursprünglich »Orale« genannt) getragen haben; vgl. J. Braun, Die pontificalen Gewänder des Abendlandes nach ihrer geschichtlichen Entwicklung (= Ergänzungshefte zu den »Stimmen aus Maria-Laach« 73, Freiburg 1898) 176, im folgenden »Braun, Die pontificalen Gewänder« abgekürzt.

[15] Vgl. P. Bloch, Das Apsismosaik von Germigny-des-Pres, in: Karl der Große III (Düsseldorf 1965) 234–261.

[16] Vgl. K. Gamber, Liturgie und Kirchenbau. Studien zur Geschichte der Meßfeier und des Gotteshauses in der Frühzeit (= Studia patristica et liturgica 6, Regensburg 1976) 113–119 und oben S. 181 ff.

[17] R. Kottje, Studien zum Einfluß des Alten Testaments auf Recht und Liturgie des frühen Mittelalters (= Bonner Historische Forschungen 23, Bonn 1964). Hinsichtlich

Die Tatsache, daß im Gebiet des gallikanischen Ritus – er war im frühen Mittelalter (bis etwa 750) neben dem fränkischen Reich auch in Bayern und in Oberitalien üblich[18] – bei der Meßfeier der Bischof das Pallium getragen hat, während im übrigen Abendland anfänglich allein der römische Bischof als Patriarch des Abendlandes dieses Recht für sich in Anspruch nahm, läßt darauf schließen, daß das gallikanische Pallium, wie Honselmann richtig gesehen hat, nicht von der späteren (vom Papst verliehenen) Insignie der Metropoliten abzuleiten ist.

Man ist aufgrund der Meßerklärung des Germanus deshalb geneigt, an eine direkte Ableitung vom entsprechenden Gewandstück des jüdischen Hohenpriesters, dem Ephod, zu denken. Diese Annahme verbietet jedoch die Tatsache, daß das Pallium nicht nur in Gallien oder in Rom bei der Meßfeier üblich war. So kennt auch die Ostkirche die gleiche bischöfliche Insignie (vgl. Abb. 40). Sie wird hier »Omophorion« (ὠμοφόριον) genannt und wie in Gallien über der Kasel getragen[19]. Sie weist neben den auch in Rom üblichen Kreuzen weitere Verzierungen sowie am unteren Rand Fransen auf[20].

Eine Beziehung zum alttestamentlichen Kultgewand ist im Osten nicht zu erkennen. Das Omophorion dürfte auf eine Art Schärpe der weltlichen Dignitäre, »Lorum« genannt, zurückgehen, wie sie vor allem die Konsuln getragen haben (vgl. Abb. 41). Sie wurde in der Zeit nach Konstantin von den Bischöfen übernommen, wozu sie anscheinend der byzantinische Kaiser ermächtigt hatte[22]. Schon zu Beginn des 5. Jahrhunderts wird sie als ein Symbol für die Hirtensorge der Bischöfe angesehen. Das Omophorion soll das Bild des verlorenen Schäfleins darstellen, das vom Bischof in der Nachfolge Jesu, des Guten Hirten, auf den Schultern zur Herde zurückgetragen wird[23].

Äthiopiens vgl. E. Hammerschmidt, Stellung und Bedeutung des Sabbats in Äthiopien (Stuttgart 1963).

[18] Vgl. K. Gamber, Ordo antiquus Gallicanus (= Textus patristici et liturgici 3, Regensburg 1965) 7–12.

[19] Vgl. M. Rajewsky, Euchologium der orthodox-katholischen Kirche (Wien 1861) XXXf.

[20] Vgl. u. a. die Abbildung der drei griechischen Kirchenväter in der Capella Palatina in Palermo, in: J. Lassus, Frühchristliche und byzantinische Welt (= Schätze der Weltkunst Band 4, 1974) 85.

[21] Vgl. H. Leclercq, Pallium, in: Dictionnaire d'archéologie chrétinne et de liturgie XIII 937; J. Braun, Die liturgischen Paramente in Gegenwart und Vergangenheit (²Freiburg 1924) 148f. mit Abb. 124.

[22] Th. Klauser, Der Ursprung der bischöflichen Insignien und Ehrenrechte (Krefeld 1953) zeigt, daß die Bischöfe im 4. Jahrhundert gewissen hohen Staatsbeamten gleichgestellt wurden und die entsprechenden Ehrenrechte und Abzeichen erhielten.

[23] Vgl. Isidor von Pelusium, Epist I,136 ad Herm. comit. (PG 78,271); Braun, Die pontificalen Gewänder 155 mit Anm. 2.

Es hindert nichts anzunehmen, daß das gallikanische Pallium eine direkte Übernahme der Insignie der orientalischen Bischöfe darstellt. Eine solche Übernahme hielt schon L. Eisenhofer für wahrscheinlich[24]. Auch bei anderen im gallikanischen Ritus verwendeten Meßkleidern ist nämlich eine Abhängigkeit vom Osten zu beoachten. So werden von Germanus in seiner Meßerklärung neben dem »Amfibal(l)us« (Meßgewand)[25] auch »Manualia« (bzw. »Manicae«) genannt[26]. Diese entsprechen den orientalischen Epimanikien, einer Art Stulpen[27]; sie sind im römischen Ritus unbekannt. Die Rückbesinnung auf den alttestamentlichen Ephod ist deutlich sekundär und kaum älter als das 6. Jahrhundert. Von diesem Zeitpunkt an kann man, wie bereits gesagt, im gallikanischen Liturgiebereich in stärkerem Maße ein Wiederaufleben alttestamentlicher Kultgedanken beobachten.

Im Osten wurde, wie im gallikanischen Ritus, das Omophorion von allen Bischöfen getragen und nicht nur von den Patriarchen und Metropoliten[28]. Diese Insignie ist hier seit dem 4. Jahrhundert üblich geworden. Sie wird schon zu Beginn des 5. Jahrhunderts in den Akten der sog. Eichensynode vom Jahr 403 und etwas später durch Isidor von Pelusium († um 440) als ein den Bischöfen eigenes und sie auszeichnendes Ornatstück bezeugt. Nach der Vita des Petrus von Alexandrien († 311) soll bereits dieser Bischof das Omophorion getragen haben[29].

Das römische Pallium wird dagegen erst im 6. Jahrhundert erwähnt[30]. Wann

[24] »Es deuten manche Anzeichen darauf hin, daß vom Orient her das Pallium nicht bloß in die römische, sondern auch in andere Kirchen des Abendlandes Eingang gefunden hat«; vgl. Handbuch der Liturgik I (Freiburg 1932) 459; ähnlich Eisenhöfer, Das bischöfliche Rationale (1904) 31: »Will man . . . nicht zu der in der liturgischen Tradition nicht begründeten und historisch sehr anfechtbaren Hypothese seine Zuflucht nehmen, daß das Rationale seine Entstehung einer gewissen Konkurrenz gegen das erzbischöfliche Pallium verdankt, so sieht man sich zur Annahme genötigt, daß das Pallium-Rationale nach Deutschland kam aus einem Lande, wo dasselbe schon längst bekannt und in Gebrauch war.«
[25] Diese Bezeichnung hängt mit dem griechischen Wort ἀμφιβάλλω für »umhängen« zusammen.
[26] »Manualia vero id est manicas induere sacerdotibus mos est instar armillarum quibus regum vel sacerdotum brachia constringebantur« (II,18).
[27] Vgl. Rajewsky, Euchologium (oben Anm. 19) XXVII; J. Braun, Die liturgische Gewandung im Occident und Orient (Freiburg 1907) 362 f.
[28] Auch die in den letzten Jahren in Nubien aufgedeckten Bischofsbildnisse des 9.–11. Jahrhunderts zeigen diese Insignie; vgl. K. Michalowski, Farras die Kathedrale aus dem Wüstensand (Einsiedeln 1967) Abb. 37,59 und 83. Hier sind die Omophorien besonders reich verziert.
[29] Vgl. J. Braun, Die liturgischen Paramente (Freiburg ²1924) 149.
[30] Vgl. G. Morin, Le Pallium, in: Rev. Bénéd. 6 (1889) 258–266; Braun, Die pontificalen Gewänder 132–174; ders., Die liturgische Gewandung (Freiburg 1907) 620–675;

dieses Gewandstück in Rom eingeführt wurde, wissen wir nicht. Sicher noch im 5. Jahrhundert. Obwohl das Pallium eine etwas andere Form zeigt als das griechische Omophorion – es ist schmäler als dieses und regelmäßig aus Wolle sowie außer (schwarzen) Kreuzen ohne Verzierung (vgl. Abb. 42 und 43) – handelt es sich doch um eine Übernahme aus dem byzantinischen Osten. Am Anfang wurde das Pallium den Päpsten wohl von den Kaisern direkt verliehen[31], zumal es sich, wie Klauser zeigen konnte, um eine ursprünglich weltliche Insignie gehandelt haben dürfte.

Das orientalische Omophorion, das gallikanische Pallium (superhumerale) und das römische Pallium stellen also ihrem Ursprung nach die gleiche Insignie dar, ohne daß jedoch das gallikanische vom römischen abhängig wäre. Im Gebiet des Erzbistums Rom war das Tragen des Palliums im 5. Jahrhundert dem Papst vorbehalten, während es im Orient und in Gallien zum Pontifikalschmuck jeden Bischofs gehört hat. Darin liegt der Hauptunterschied.

Daß man in Gallien schon früh das Omophorion aus dem Osten übernommen hat, darf uns nicht wundern. Im gallikanischen Ritus – um darauf nochmals zurückzukommen – ist auch sonst ein starker Einfluß vonseiten der orientalischen Kirchen, vor allem Kleinasiens, festzustellen[32]. Ein solcher ist schon für das 2./3. Jahrhundert im Rhônegebiet nachweisbar, wo in den Städten hauptsächlich Griechisch gesprochen wurde[33].

Im 4. Jahrhundert war es Hilarius von Poitiers († 376), der in den damaligen arianischen Wirren lange Jahre in Kleinasien in der Verbannung gelebt und nach seiner Rückkehr nach Gallien wesentlich zur Ausbildung der Liturgie hier beigetragen hat[34]. Vielleicht ist sogar durch Hilarius selbst das orientalische Omophorion bei der Meßfeier in Gallien eingeführt worden.

Vom 6. Jahrhundert an haben abendländische Metropoliten vom Papst das (römische) Pallium verliehen bekommen, vor allem wenn sie als seine Beauftragte (Vikare) fungiert haben oder wenn dieser sie besonders auszeichnen

H. Leclercq, in: Dictionnaire d'archéologie chrétienne et de liturgie XIII 931–940; Klauser siehe oben Anm. 22.

[31] Vgl. Braun, Die pontificalen Gewänder (oben Anm. 14) 150–155.

[32] Ähnlich urteilt Eisenhofer, Handbuch der Liturgik I,459: »Von orientalischen Elementen war ferner die gallikanische Liturgie stark beeinflußt, so daß es nicht verwunderlich erscheinen darf, wenn im Gebiet des gallikanischen Ritus ein Pallium auftritt, das wie das griechische Omophorion auch von gewöhnlichen Bischöfen getragen wurde.«

[33] Vgl. J. B. Thibaut, L'ancienne liturgie gallicane, son origine et sa formation en province (Paris 1929).

[34] Vgl. K. Gamber, Sakramentarstudium (= Studia patristica et liturgica 7, Regensburg 1978) 10–19.

Abb. 40   Griechisches Omophorion
          (nach Rajewsky)

Abb. 41   Boethius als Konsul (nach
          Dict. d'archéologie chrét.)

Abb. 42   Römisches Pallium (ältere
          Tragweise), Papst Johannes IV.
          Mosaik aus S. Giovanni in
          Fonte (7. Jahrh.)

Abb. 43   Römisches Pallium (jüngere
          Tragweise), Gemälde in der
          Unterkirche von S. Clemente
          (beide nach Braun)

wollte. Die älteste sichere Nachricht stammt aus dem Jahr 513, als Papst Symmachus den heiligen Caesarius von Arles, den er zu seinem Vikar für Gallien bestellt hatte, mit dem Pallium schmückte[35].

Dagegen scheint der frühe Gebrauch dieser Insignie durch die ravennatischen Oberhirten nicht auf eine solche Verleihung durch den Papst zurückzugehen. Wegen der engen Beziehung Ravennas zu Byzanz – die Stadt war seit 540 Sitz des byzantinischen Exarchen (bis 751) – könnte er eine direkte Übernahme des entsprechenden ostkirchlichen Brauches darstellen[36]. Ähnlich haben damals einige der unter byzantinischer Herrschaft stehenden Bischöfe Siziliens das Omophorium ihrer orientalischen Amtsbrüder übernommen[37]. Bischof Johannes IV. von Ravenna (575–595) verteidigt den Gebrauch dieses Pontifikalschmucks energisch gegenüber Papst Gregor I., der ihm das Recht auf das Tragen des Palliums, besonders bei Prozessionen, streitig machen wollte, mit dem Hinweis auf eine in seiner Bischofstadt schon lange geübten Sitte[38]. Jedenfalls hat nachweislich bereits Bischof Maximianus (546–556) das Pallium getragen, wie die noch zu seinen Lebzeiten angefertigte Darstellung im Chor von San Vitale zeigt. Erst der Nachfolger des Johannes IV., Bischof Marinianus (595–606), hat um die entsprechende Erlaubnis bei Gregor nachgesucht, der sie, wie wir wissen, seinem Freund auch gewährt hat[39].

Das Bisherige zusammenfassend können wir sagen, daß die Bischöfe des gallikanischen Ritus vielleicht schon seit Hilarius von Poitiers, sicher jedoch seit dem 5./6. Jahrhundert das in den orientalischen Kirchen übliche Pallium (Omophorion) getragen haben. Dieses Ornatstück wurde in Gallien seit dem 6. Jahrhundert in Beziehung gebracht zum alttestamentlichen Ephod, dem »Pallium superhumerale« des jüdischen Hohenpriesters.

Dieser Schulterschmuck wurde verschiedentlich, so schon in der Meßerklärung des Germanus von Paris, verwechselt mit dem »Rationale« (Choschen), einem hohenpriesterlichen Brustschmuck mit 12 Edelsteinen (vgl. Ex 28,

---

[35] Vgl. Braun, Die pontificalen Gewänder (oben Anm. 14) 138.

[36] Wahrscheinlich haben die byzantinischen Kaiser diesen Pontifikalschmuck den Bischöfen Johannes III. (477–494) und Maximianus (546–556) direkt verliehen; vgl. Agnellus, Lib. pont. ravennat. 40 und 70 (MGH, SS. Lang. 305,326); J. Braun, Die liturgische Gewandung (Freiburg 1907) 653.

[37] Vgl. H. Grisar, Das römische Pallium, in: Festschrift zur 1100jährigen Jubelfeier des Campo Santo (Freiburg 1897) 110; Eisenhofer, Handbuch der Liturgik I,459.

[38] Vgl. sein Schreiben an Papst Gregor I.: ». . . iam de secretario descendentibus filiis ecclesiae et ingredientibus diaconibus ut mox procedatur, tunc primus diaconus episcopo Ravennatis ecclesiae pallium consuevit induere, quo et letaniis sollemnibus uti pariter consuevit«; vgl. Gregor., Reg. Epist. III,57 (PL 77,655 A).

[39] Vgl. Gregor., Reg. Epist. IV,34 bzw. V, 56 (PL 77,825.789.

15 ff.). Mancherorts wurden beide Ornatstücke auch gemeinsam getragen und zu einem einzigen Ornat zusammengefaßt. So heißt es im sog. Sacramentarium Ratoldi aus dem 10. Jahrhundert[40], wo vom Anlegen der Pontifikalkleidung die Rede ist: »Postea ministratur ei casula, tandem vero rationale cohaerens vinctim superhumerali«[41]. Wie Honselmann S. 34 ff. zeigt und durch Abbildungen deutlich macht, war in bestimmten Kathredralen, so in Reims und Köln, das alttestamentliche Rationale mit seinen 12 Edelsteinen neben dem (erzbischöflichen) Pallium getragen worden bzw. an dessen Stelle an kleineren Festtagen als Pektorale über der Kasel[42]. Um einen solchen Brustschmuck und nicht um das Superhumerale könnte es sich auch bei dem »Rationale« gehandelt haben, das Papst Agapit (946–955) dem Bischof von Halberstadt verliehen hat und von dem dieser eine Kopie für den Metzer Bischof anfertigen ließ[43].

Als dann im Jahre 1063 Papst Alexander II. dem Bischof Burchard von Halberstadt, obwohl er kein Erzbischof war, das römische Pallium verliehen hatte, legte dieser, wie wir aus einem Brief des Erzbischofs Siegfried I. von Mainz an den Papst wissen, das bisher getragene Superhumerale und das Rationale ab und »brüstete sich in der Kirche mit dem neuen Pallium«[44].

Das Rationale als Brustschmuck ist im 13. Jahrhundert wieder verschwunden. Es ist sicher nicht richtig, wenn Honselmann (S. 72) das mittelalterliche Pektorale (in Form eines auf der Brust an einer Kette getragenen Kreuzes) ganz allgemein vom alttestamentlichen Rationale ableitet. So trug nämlich bereits Gregor von Tours († 594) ein goldenes Kreuz mit Reliquien Mariens,

[40] Paris, B. N., ms. lat. 12052 (vgl. Gamber, CLLA Nr. 923); Honselmann, Rationale 105 Nr. 20.

[41] Dasselbe läßt sich schließen aus einer Stelle des Bischofs Ivo, wo es heißt: »sunt autem ad invicem concatenata rationale et humerale, quia cohaerere sibi invicem debent rationale et opera«, bei Fr. Bock, Geschichte der liturgischen Gewänder I (Bonn 1859) 383. – Vielleicht handelt es sich auf Bischofssiegeln von Hildesheim und Münster des 12. Jahrhunderts um ein derartiges Gewand (rechteckiger Brustschmuck mit langem herabhängenden Schmuckstreifen), bei Honselmann Rationale Abb. 11 und 12 bzw. 39 und 40 der Siegel. Auch ein unveröffentlichtes Siegel des Bischofs Siegfried von Regensburg vom Jahr 1234 weist den gleichen Brustschmuck auf (freundlicher Hinweis von Frau Dr. M. Popp).

[42] So gewährt 1027 Papst Johannes XIX. dem Patriarchen Poppo von Aquileja das Pallium, das er jedoch nur an bestimmten Festtagen tragen sollte, »de rationali idipsum praecipimus ut in ceteris festivitatibus utamini«; vgl. Honselmann, Rationale 107 Nr. 24.

[43] Vgl. Honselmann, Rationale 106 Nr. 23.

[44] »Novo in ecclesia pallio . . . gloriatur«; vgl. Honselmann, Rationale 110 Nr. 29.

der Apostel und Martins um den Hals, lange bevor es ein Rationale gab[45]. Zudem ist ein Pektorale (Enkolpion) auch bei den Orientalen, die nie das Rationale getragen haben, üblich[46].

II

So weit zum Rationale im engeren Sinn! Uns geht es im folgenden um das »Pallium superhumerale«, das man, wie erwähnt, verschiedentlich ebenfalls Rationale genannt hat, und zwar in erster Linie um seinen Gebrauch im Lauf der Jahrhunderte durch die Regensburger Bischöfe[47].

Eingangs wurde bereits darauf hingewiesen, daß Regensburg im frühen Mittelalter zum Bereich des gallikanischen Ritus gehört hat und zwar mindestens seit dem 7. Jahrhundert[48]. Damals haben gallische Bischöfe (Rupert, Emmeram und Erhard) Liturgiebücher aus ihrer Heimat in Bayern eingeführt[49]. Auch die Priester und Mönche, die vom Süden, von Verona her nach Bayern kamen und hier Seelsorge ausübten, haben den gleichen Ritus praktiziert[50]. Es ist durchaus möglich, m. E. sogar wahrscheinlich, daß der Gebrauch des Superhumerale in Regensburg noch auf die gallikanische Zeit zurückgeht. Direkt nachweisen läßt sich sein Gebrauch freilich erst seit dem 10. Jahrhundert, jedenfalls früher als in allen anderen deutschen Diözesen. Aus dieser Zeit stammt eine Boethius-Handschrift (Clm 14272). Das Dedikationsbild darin stellt den heiligen Emmeram dar; er trägt über der Kasel ein palliumartiges Gewand, das auf den Achseln links und rechts je ein kreisrundes Schul-

---

[45] De gloria martyr. I,11; vgl. Eisenhofer, Handbuch der Liturgik I,470.

[46] Vgl. O. Nußbaum, Das Brustkreuz des Bischofs. Zur Geschichte seiner Entstehung und Gestaltung (Mainz 1964)

[47] Diese Insignie ist zu Beginn der Neuzeit auch von Weihbischöfen und infulierten Äbten getragen worden, so vom Regensburger Weihbischof Georg Kalteysen (1552–1560); vgl. Honselmann, Rationale Abb. 83, und von Abt Johannes von Kastl bei Neumarkt (Opf.); vgl. ebd. Abb. 63.

[48] Vgl. K. Gamber, Die Meßfeier im Herzogtum der Agilolfinger im 6. und 7. Jahrhundert, in: Beiträge zur Geschichte des Bistums Regensburg 8 (1974) 45 f.

[49] Ein solches Sakramentar ist als Palimpset in einer Handschrift von St. Emmeram (Clm 14429) erhalten: herausgegeben von A. Dold – L. Eizenhöfer (= Texte und Arbeiten 53/54, Beuron 1964); von einem weiteren Meßbuch, das jedoch einen anderen Typus darstellt, ist die Martins-Messe im Tassilo-Sakramentar (8. Jahrhundert) übernommen worden; vgl. oben S. 82.

[50] Vgl. oben S. 106.

terstück aufweist. Eine Miniatur eines weiteren Bischofs in diesem Codex zeigt die gleiche Insignie (O-Initiale auf fol. iv)[51].

Das »Pallium gallicanum«, wie das Schultergewand der gallikanischen Bischöfe verschiedentlich genannt wird[52], unterscheidet sich durch diese, dem alttestamentlichen Ephod nachgebildeten Schulterstücke (vgl. Ex 28,11) deutlich vom »Pallium romanum« der Päpste und lateinischen Metropoliten als auch vom griechischen Omophorion. Dieselben Schulterstücke finden wir auch später regelmäßig im Regensburger Superhumerale. Auf einer Darstellung des heiligen Erhard im Uta-Codex aus der 1. Hälfte des 11. Jahrhunderts, einem Evangelistar aus Niedermünster (jetzt in München, Clm 13601), der sogenannten Erhardsmesse, ist ebenfalls das gallikanische Pallium deutlich zu erkennen[53]. In der Zeichnung hat jedoch der Künstler die kreisrunden Zierstücke nicht auf den Schultern, sondern links und rechts am vorn herabhängenden Teil der Insignie angebracht, wahrscheinlich deshalb, weil er diese mit erklärenden Worten (»doctrina« bzw. »veritas«) versehen wollte. Dies wäre bei einer Wiedergabe der Zierstücke auf den Schultern nur schwer möglich gewesen.

Auch sonst dürften einige zeichnerische Änderungen gegenüber der tatsächlich im Gottesdienst verwendeten Form des Superhumerale vorgenommen worden sein. So finden wir auf dem vorderen Teil des Palliums, der allein zu sehen ist, gleich drei kreisrunde Zierstücke, die erklärende Texte enthalten (»lux aeternae vitae«, »corde sancti«?[54], »umbra legis«). Auf dem Band selbst ist zu lesen: »Hierarchia« (in griechischen Buchstaben), »Sacer principatus«, »Ordo saeculorum«.

Daß der Illustrator jedoch ein Superhumerale darstellen wollte, zeigen die erwähnten Worte »doctrina« und »veritas« (hebr. Urim und Tummim)[55], die sich, wie Honselmann gezeigt hat (S. 45), als typische Ausdrücke auf mehre-

---

[51] Vgl. G. Swarzenski, Die Regensburger Buchmalerei des X. und XI. Jahrhunderts (Leipzig 1901 bzw. Nachdruck Stuttgart 1969) 56f. mit Abb. 9 und 10 auf Tafel III. – Ein Humerale in der Form des Palliums tragen ebenfalls die heiligen Dionysius, Emmeram und Wolfgang auf dem Widmungsbild eines Evangeliars aus St. Emmeram aus der Zeit um 1100 (jetzt in Krakau); Abbildung in: J. B. Mehler, Der heilige Wolfgang (Regensburg 1894) 117.

[52] Vgl. Fr. Bock, Geschichte der liturgischen Gewänder des Mittelalters II (Bonn 1866) 195.

[53] Vgl. Swarzenski, Die Regensburger Buchmalerei (oben Anm. 51) 98.

[54] Swarzenski liest »corpore sancti« (S. 98).

[55] Vgl. Ex 28,30: »Pones autem in Rationali iudici ›doctriniam‹ et ›veritatem‹ quae erunt in pectore Aaron, quando ingredietur coram domino et gestabit iudicium filiorum Israel in pectore suo.«

ren spätmittelalterlichen Rationale-Stücken finden[56]. Auch die alttestamentlichen »fimbria« (Fransen bzw. Glöckchen) fehlen am Pallium der Erhardsmesse nicht.

Die Beziehung zum Gewandschmuck des jüdischen Hohenpriesters ist in dieser Darstellung besonders stark betont, so daß man geneigt sein könnte, an eine rein symbolische Gewandung zu denken. Kleinschmidt spricht von einer »phantasievollen Kombination eines levitischen und christlichen Ornatstückes«[57]. So trägt der heilige Erhard außer dem Ephod auch den hohenpriesterlichen Kopfschmuck – oder handelt es sich doch schon um die Mitra eines Bischofs?[58] – sowie die goldene Stirnplatte, in der nach Ex 28,36 die Worte »Sanctum domino« eingraviert waren. Man sieht, wie stark man damals in Regensburg von Vorstellungen des alttestamentlichen Kultes beeinflußt war, wobei es sich nach der oben erwähnten Übernahme alttestamentlicher Kultformen im 6. Jahrhundert um eine neue derartige Beeinflussung gehandelt hat.

Denselben Typus wie das Pallium gallicanum auf der Miniatur der oben genannten Boethius-Handschrift (Clm 14270) finden wir – und dies scheint wichtig zu sein – auch auf einem Siegel des Bischofs Hartwig I. von Regensburg (1106–1126)[59]. Die beiden kreisrunden Schulterstücke sind hier genauso zu erkennen wie Verzierungen auf dem Band und die »fimbria«, lauter Dinge, die das gallikanische Pallium vom römischen unterscheiden.

Demgegenüber weisen die Siegel der Bischöfe Kuno I. vom Jahr 1129 und Heinrich I. vom Jahr 1132, wie es scheint, einen V-ähnlichen Palliumschmuck auf. Auf dem Siegel des Bischofs Kuno II. vom Jahr 1182 ist wieder das Superhumerale in der bekannten Gestalt zu erkennen[60].

[56] Hinsichtlich des byzantinischen Ritus, wo die beiden Brustschilder des bischöflichen Mantels (Mandyas) damit in Verbindung gebracht werden vgl. J. G. King, Die Gebräuche und Ceremonien der griechischen Kirche (Riga 1773) 35.
[57] Kleinschmidt, Das Rationale im Domschatz zu Regensburg (vgl. oben Anm. 2) 40.
[58] Wie der Vergleich mit der Abb. 3 S. 39 von Braun, Die pontificalen Gewänder (Rupertmesse) nahelegt. Es ist jedenfalls einer der beiden herabhängenden Streifen zu erkennen, wie sie für die Mitra typisch sind. – Von der Kopfbedeckung (»mitra«) und der Steinplatte (»lamina«) des alttestamentlichen Hohenpriesters, und wohl nicht von der des Bischofs, ist auch in einem Gedicht des Theodulph von Orleans die Rede PL 105,357. 360); vgl. Braun, Die pontificalen Gewänder 8 mit Anm. 4.
[59] Undatierte Urkunde im Bayer. Hauptstaatsarchiv München (KU Regensburg-Niedermünster 11; vgl. Honselmann, Rationale, Siegel 56.
[60] Die beiden erstgenannten als Abgüsse im BZA Regensburg, unveröffentlicht (freundliche Mitteilung von Frau Dr. M. Popp), das dritte bei Honselmann, Rationale, Siegel 57.

Diese bereits im Clm 14270 bezeugte Gestalt behält das Ornatstück der Regensburger Bischöfe bis auf Heinrich von Luppurg († 1313) bei. Die gleiche Insignie (in violetter bzw. grüner Farbe) befindet sich auch auf Glasgemälden des Domes aus dem Ende des 13. Jahrhunderts sowie aus der 1. Hälfte des 14. Jahrhunderts. Es sind mit dem Superhumerale dargestellt die Bischöfe Leo der Thundorfer († 1277) und Konrad V. von Luppburg († 1313)[61]. Auch hier kann man auf den Schultern kreisrunde Medaillons erkennen. Dazu kommt, ebenso bei der Bischofsbüste im Tympanon des Portals am südlichen Seitenchor, ein 3. Medaillon auf der Brust[62], das wir bereits bei der Darstellung der Erhardmesse im Uta-Codex beobachten konnten.

Das heute noch im Domschatz von Regensburg aufbewahrte kostbare Superhumerale stammt aus der 1. Hälfte des 14. Jahrhunderts[63]. Es gehört einem jüngeren Typus an. Im Domschatz-Inventar von 1507 wird es trotz seiner veränderten Gestalt immer noch »Pallium« genannt: »Item pallium von einem gulden stuckh das man braucht so ein heer (d. h. Bischof) (die Messe) singt, rationale genent«[64]. Daß man noch im 16. Jahrhundert dieses Gewandstück in Regensburg offiziell »Pallium« genannt hat, dürfte eine Erinnerung an seine Entstehung aus dem Pallium gallicanum sein.

Wie in verschiedenen anderen deutschen Diözesen, so in Paderborn und Eichstätt[65], besteht dieser neue Typus aus einem rechteckigen Vorder- und Rückenteil. Beide Teile sind an den Seiten von zwei Längsstreifen eingefaßt und durch kreisrunde Schulterstücke miteinander verbunden. Der Rand des Gewandes war ehedem mit zahlreichen (68) Schellen versehen, von denen nur mehr drei vorhanden sind. Ob der rechteckige Brustschmuck, wie er im eigentlichen Rationale des 10.–13. Jahrhunderts vorlag, diesen neuen Typus beeinflußt hat, wissen wir nicht. Man kann dies jedoch vermuten, zumal die Insignie nunmehr auch direkt »Rationale« genannt wird.

Die Vorlage für dieses Superhumerale des 14. Jahrhunderts ist erhalten. Sie stammt, wie man annimmt, aus dem 11. Jahrhundert[66] und befindet sich jetzt in Bamberg. Die Insignie wurde später als Schmuck auf eine Kasel genäht.

---

[61] Vgl. Kleinschmidt, Das Rationale im Domschatz (oben Anm. 2) 40.

[62] Vgl. Kleinschmidt ebd. 40.

[63] Vgl. A. Hubel, Der Regensburger Domschatz (Regensburg 1976) 219–229 (mit Farbtafel XV und Abb. 153–155).

[64] Vgl. Hubel 222. Im Inventar von 1592 heißt es: »Item ein alt von golt und silber gestickht Humeral oder das einem pallio gleicher sicht mit acht und sechzig silbere und vergolte glöckhl mit rothem Taffent underzogen« (S. 222).

[65] Vgl. die Abbildungen bei Honselmann, Rationale 9 bzw. 10/11.

[66] Es wäre zu überprüfen, ob die Insignie tatsächlich, wie angenommen wird, aus der Zeit um 1050 stammt; Honselmann, Rationale Abb. 4.

Die Frage, ob dieses Gewandstück in Regensburg entstanden ist oder in Bamberg, ist bis jetzt noch nicht sicher geklärt. Für eine Entstehung in Regensburg scheint vor allem die Darstellung des heiligen Dionysius, dessen Reliquien in St. Emmeram verehrt werden, zu sprechen[67].

Typisch für das Bamberger und das Regensburger Rationale des 14. Jahrhunderts ist die starke Betonung symbolhafter Darstellungen. Es genügt hier der Hinweis auf die Beschreibung der Stickereien in der Arbeit von A. Hubel[68]. In der Ausstattung dieser Ornatstücke ist abermals ein Zurückgreifen auf die Form des hohenpriesterlichen Gewandes zu beobachten, wie dies vor allem durch die Anbringung der Namen der 12 Stämme Israels auf den Schulterstücken (vgl. Ex 28, 9–11) deutlich wird.

Daß man mancherorts schon im 11. Jahrhundert, fast überall jedoch vom 14. Jahrhundert an die ursprüngliche Pallium-Form aufgegeben hat, mag damit zusammenhängen, daß man jede Ähnlichkeit des von den Bischöfen getragenen Superhumerale mit dem von den Päpsten den Metropoliten verliehenen Pallium vermeiden wollte.

In Würzburg hat man, wie Grabdenkmäler der Bischöfe zeigen, bis ins 16. Jahrhundert an der althergebrachten Pallium-Form festgehalten. Vom Pallium romanum unterscheidet sich die Würzburger Insignie durch die Schmuckplatten, die nicht nur auf den Achseln, sondern ähnlich wie auf der Darstellung der Erhardsmesse an den vorn und hinten herabhängenden Teilen des Gewandstücks angebracht waren[69].

Wie verschiedene Grabmäler im Domkreuzgang zeigen, so der Bischöfe Heinrich IV. (1465–1492), Rupert II. (1492–1507), Pankraz (1538–1548), Georg (1548–1563), David (1567–1579), war im 15./16. Jahrhundert eine abermals abgewandelte Form des Superhumerale üblich geworden[70]. Diese stellt einen relativ schmalen Schulterkragen mit je zwei Längsstreifen auf der Brust und auf dem Rücken sowie mit Schellen als Abschluß an Kragen und Streifen dar. Die kreisförmigen Schulterstücke fehlen. Das auf allen Denkmälern ziemlich gleich dargestellte Gewandstück ist nicht erhalten. Vielleicht wurde es einem Bischof mit ins Grab gegeben.

Um das Jahr 1600 wurde eine sorgfältige Kopie des oben genannten Rationale

---

[67] Vgl. W. Messerer, Der Bamberger Domschatz (München 1952) 70.

[68] A. Hubel, Der Regensburger Domschatz (Regensburg 1976) 222–225.

[69] Bei der Öffnung eines Bischofsgrabes 1965 im Würzburger Dom wurden vier solcher mit Schellen versehener Metallplatten gefunden; vgl. Honselmann, Rationale 44.

[70] Vgl. Honselmann, Rationale Abb. 80–86.

aus dem 14. Jahrhundert angefertigt. Sie wird heute im Bayerischen Nationalmuseum in München aufbewahrt. Sie befand sich zuletzt im Nachlaß des Kardinals Wilhelm von Wartenberg, der von 1641–1661 Bischof von Regensburg war[71].

Im Gegensatz zu anderen Diözesen, in denen das Superhumerale von den Bischöfen getragen wurde und zum Teil heute noch getragen wird, besaßen die Regensburger Bischöfe, soviel man weiß, nie eine formelle Erlaubnis von seiten des Apostolischen Stuhles. Entweder ist die entsprechende päpstliche Bulle verloren gegangen oder, was wahrscheinlicher ist, es brauchte nie um eine solche Erlaubnis nachgesucht werden, da es sich in Regensburg um einen Brauch aus unvordenklicher Zeit handelt.

Das Tragen des Pallium superhumerale durch die Regensburger Oberhirten dürfte jedenfalls auf die früheste Zeit der Diözese, als gallische Bischöfe hier gewirkt haben, zurückgehen. Nachweisen läßt sich das Rationale, wie wir sahen, seit dem 10. Jahrhundert. Wann die Regensburger Bischöfe dieses Ornatstück abgelegt haben, ist nicht bekannt. Man nimmt an, daß dies Ende des 17. Jahrhunderts geschah[72].

[71] Vgl. J. Sighardt, Ein noch unbekanntes bischöfliches Rationale, in: Kirchenschmuck 3 (1859) 89f.
[72] Vgl. Kleinschmidt, Das Rationale im Domschatz (oben Anm. 2) 41.

Die Gregoriusmesse im Domkreuzgang und das Prothesis-Bild der Ostkirche

In die Westwand des Mortuariums im Regensburger Domkreuzgang ist eine rote Marmorplatte mit einem Flachrelief aus dem Ende des 15. Jahrhunderts eingelassen. Da das Kunstwerk wenig bedeutsam ist, wurde es bisher kaum beachtet. Es stellt die Gregoriusmesse dar[1]. Man versteht darunter die Wiedergabe einer spätmittelalterlichen Legende, wonach dem heiligen Papst Gregor d. Gr. († 604) während der Meßfeier in der Basilika S. Croce in Rom Christus als Schmerzensmann auf dem Altar erschienen sein soll[2].

In unserem Fall kniet der Papst mit der Mitra auf dem Haupt vor dem Altar, auf dem Christus mit der Dornenkrone, in einer Grabkufe stehend, die Wundmale der Hände dem Beschauer zeigend, abgebildet ist. Die Grabkufe ist hier zugleich Altaraufsatz; von ihr hängt das »Vera Ikon«, ein Tuch mit dem Angesicht des Herrn (Veronika-Tuch)[3], herab. Im Hintergrund sieht man die Leidenswerkzeuge, die »arma Christi«[4].

Der Altar, auf dem zwei Kerzen brennen und auf dem sich eine Patene und ein umgefallener Kelch befinden, ist mit einer Decke versehen. Auf deren herabhängenden Teilen sind die Worte zu lesen: »Ostende nobis (domine misericordiam tuam)«. Diesen Psalmvers (84,8) spricht bekanntlich der Priester zu Beginn der Messe, wenn er nach dem Staffelgebet die Stufen des Altares hinaufgeht. Der zitierte Vers gehört wesentlich zum Verständnis des Bildes; er findet sich aber m. W. allein auf dieser Darstellung der Gregoriusmesse.

Im unteren Drittel der Marmorplatte steht folgende, auf einen Ablaß hinweisende Inschrift:

---

[1] Vgl. J. A. Endres, Die Darstellung der Gregoriusmesse im Mittelalter, in: Zeitschrift für christliche Kunst 30 (1917) 146–156; A. Thomas, Das Urbild der Gregoriusmesse, in: Rivista d' archeol. cristiana 10 (1933) 51–10; ders., Gregoriusmesse, in: Lexikon der christlichen Ikonographie II (1970) 199–202.

[2] Vgl. P. Ortmayr, Papst Gregor d. Gr. und das Schmerzensmannbild in S. Croce in Rom, in: Rivista d'archeologia cristiana 18 (1941) 97–111.

[3] Auch »Mandylion« genannt; vgl. J. H. Emminghaus, Veronika, in: Lexikon der christlichen Ikonographie VIII (1976) 543 f.

[4] Vgl. Lexikon der christlichen Ikonographie I (1968) 183–187.

Wer · dise · figur · ert · mit · eine(m) · p(ate)r · n(oste)r · vnd · ain
· ave · maria · d(er) · hat · vo(n) d(er) · erscheinung · du · s · gregori
· erschien · in · eine(r) · kirchen · haist · porta · cruc · denselb(en)
· anlaz · d(er)selbe(n) · kirchen · dez ist · xxxiiii · M · iar · un(d) ·
vo(n) · v · pebsten · von jedem · xl · iar[5].

Mit der im Spätmittelalter so beliebten Darstellung des »Schmerzensmannes«, auch »Erbärmdechristus« genannt, mit der wie hier die Gregoriusmesse regelmäßig verbunden ist, hat sich eingehend R. Bauerreiß befaßt[6]; er meint: »Der abendländische Urtyp des Bildes wird bis zur Stunde in der Unterkirche der römischen Heiligenkreuzkirche (S. Croce in Gerusalemme) aufbewahrt. Er stellt den Herrn dar, wie er bis zu den Knien in der querliegenden Grabkufe steht, die durchbohrten Hände über dem Unterleib gekreuzt, auf beiden Seiten mit den Leidenswerkzeugen umgeben und über dem Haupt in griechischer Sprache den Titel: König der Herrlichkeit (Abb. 44). Es handelt sich aber, das sei betont, nur um den abendländischen Typus, der sicher schon im Orient . . . sein Vorbild hat. Die Forschung, die sich seit zwei Jahrzehnten damit intensiv beschäftigt, ist hier stehengeblieben. Ebenso bedarf der eucharistische Charakter, der zweifellos dem Bild anhaftet, und der (erst im Abendland?) zu jener Legende geführt hat . . . noch der letzten Klärung[7].«
Es kann hier nicht unsere Aufgabe sein, eine vollständige Ikonographie des Erbärmdechristus-Bildes zu schreiben[8]; es soll nur im Hiblick auf die Gregoriusmesse im Domkreuzgang auf einige Zusammenhänge, vor allen auf den theologischen Gehalt und die liturgische Verwendung des Bildes hingewiesen werden.
Wir gehen aus von einer der ältesten Darstellungen auf deutschem Boden, wie sie im Mai 1950 bei Restaurierungsarbeiten im Karner zu Roding zusammen mit einem Zyklus frühgotischer Wandmalereien (um 1330) entdeckt wurde[9]. Wichtig für unsere Betrachtung ist die Stellung, die dieses Bild im Rahmen

[5] Vgl. Kdm, Oberpfalz XXII,1 170; ähnliche Texte bei W. Mersmann, Der Schmerzensmann (Düsseldorf 1952) p. XXVIII und XXXIII.
[6] R. Bauerreiß, Pie Jesu. Das Schmerzensmann-Bild und sein Einfluß auf die mittelalterliche Frömmigkeit (München 1931).
[7] R. Bauerreiß, Kirchengeschichte Bayerns IV (St. Ottilien 1953) 55.
[8] Vgl. W. Mersmann, Schmerzensmann, in: Lexikon der christlichen Ikonographie IV (1972) 87–95; G. Schiller, Ikonographie der christlichen Kunst II (Gütersloh 1968) 212–245; B. Rothemund, Handbuch der Ikonenkunst (München 1966) 214.
[9] Vgl. K. Gamber, Misericordia Domini. Vom Prothesis-Bild der Ostkirche zum mittelalterlichen Erbärmdechristus, in: Deutsche Gaue 46 (1954) 46–56; ders., Zur mittelalterlichen Geschichte Regensburgs und der Oberpfalz (Kallmünz 1968) 33–48.

Abb. 44   Nachbildung der Schmerzensmann-Ikone in S. Croce zu Rom

des Ganzen einnimmt. Zum Bildzyklus der Kapelle, der u. a. die Apostel-martyrien und in Roding besonders verehrte Heilige zum Inhalt hat, besteht offensichtlich keine Beziehung.

Die Darstellung des Erbärmdechristus – hier ohne Grabkufe – befindet sich in unmittelbarer Nähe des in die Apsis eingebauten Altares neben der linken Wandnische. Bei dieser handelt es sich um einen in dieser Art bisher noch nicht beobachteten Wandtabernakel. Mit ihr ist nämlich durch eine bogen-förmige Öffnung rechts eine zweite etwa gleichgroße Kammer im Innern der Mauer verbunden; sie war ursprünglich wohl mit einem kleinen Türchen verschließbar gewesen. Unmittelbar über dieser, nach außen hin nicht sicht-baren zweiten Kammer hat die erwähnte Darstellung ihren Platz.

In der Kapelle des Karners zu Roding ist demnach schon relativ früh (um 1330) die später häufig anzutreffende Verbindung des Erbärmdechristus-Bil-des mit einem Sakramentshäuschen zu beobachten; so ähnlich wie in Roding auf der Innenseite eines zu einem Wandtabernakel gehörenden Türchens in Laase (Mecklenburg)[10] aus der Zeit um 1400/50, oder als Bekrönung eines hohen kunstvollen Gehäuses in der Rupertus-Kirche in Regensburg (um 1450)[11], um nur zwei typische, wenn auch extreme Beispiele zu nennen.

Bei dem großen Verlust an romanischen und gotischen Wandmalereien ist die Rodinger Sakramentsnische mit ihrer Darstellung des Erbärmdechristus für die Geschichte dieses Bildes von besonderer Bedeutung. In dieser schlichten Dorfkapelle liegt nämlich sicher nicht die singuläre Idee eines Malers vor, sondern die in der damaligen Zeit weithin übliche Ausschmückung der Sa-kramentsnische durch das Bild des Schmerzensmannes.

Aber nicht nur diese, auch der Altaraufsatz wurde mit dem Erbärmdechri-stus-Bild geschmückt. Wir finden es häufig in der Mitte der Predella gotischer Tafelaltäre, nachweisbar bereits im 14. Jahrhundert auf einem Altar in Flo-renz[12], vielfach in Verbindung mit dem Vera Ikon.

Noch mehr Klarheit bekommen wir, wenn wir das Vorkommen dieses Bild-typus, bzw. der beiden Bildtypen, in der Ostkirche betrachten. Hier begegnet uns die Ikone »Weine nicht Mutter«[13], die den Schmerzensmann zeigt, wie

---

[10] Abbildung bei Bauerreiß, Pie Jesu (oben Anm. 6) 4.

[11] Abbildung in: Kdm, Oberpfalz: Regensburg XXII,1, 313. Nicht selten findet sich auch nur das »Mandylion« (Vera Ikon), so u. a. oben an der Sakramentsnische in Burgweinting; vgl. Kdm, Oberpfalz, Bez. Regensburg XX S. 30. – Hinsichtlich der Wandtabernakel in Italien vgl. H. Caspary, Das Sakramentstabernakel in Italien bis zum Konzil von Trient (München 1969) vor allem 26 mit Abb. S. 195.

[12] Abbildung bei Schiller, Ikonographie (oben Anm. 8) 683.

[13] Vgl. Ph. Schweinfurt, Geschichte der russischen Malerei im Mittelalter (Haag 1930); Mersmann, Der Schmerzensmann (oben Anm. 5) VII.

er von seiner Mutter Maria gestützt wird. Auch der Lieblingsjünger Johannes gesellt sich bisweilen dazu. Im oberen Teil hier ebenfalls das Veronika-Tuch[14]. Doch ist dieser meist als Ikone vorhandene Typus, der auch im Abendland heimisch geworden ist, jünger als der gleich zu nennende in der Prothesis.

Die byzantinischen Gotteshäuser besitzen bekanntlich links und rechts des Altares zwei offene Räume (Pastophorien) mit je einem (meist in Apsiden eingebauten) Tisch. Der linke wird Prothesis, der rechte Diakonikon genannt. Während das Diakonikon die Aufgabe unserer Sakristei hat, findet auf dem Altar der Prothesis der erste Teil der Meßfeier, die Bereitung der Opfergaben (Proskomidie), statt[15].

In zahlreichen alten Kirchen Griechenlands, so im Kloster Asteri auf dem Hymettos bei Athen[16] und auf dem Berg Athos[17], aber auch in Rußland, so in der Volotovo-Kirche bei Novgorod (1363)[18], begegnet uns in der Apsis der Prothesis dasselbe Erbärmdechristus-Bild, das wir von den frühen abendländischen Darstellungen her kennen[19]. Doch findet sich hier hinter der Grabkufe fast regelmäßig das Kreuz.

Dem byzantinischen Typus entspricht ein Gemälde von Fra Angelico, das sich in der Zelle 39 des Klosters S. Marco in Florenz findet; es könnte sich weitgehend um die Kopie eines griechischen Originals handeln, zumal auch der Apsisbogen zu erkennen ist, obwohl hier das Bild keinerlei Beziehung zu einer Apsis hat. Das Kreuz im Hintergrund fehlt[20].

[14] Abbildung bei Mersmann, Der Schmerzensmann (oben Anm. 5) Abb. 3.

[15] Vgl. G. Bandmann, Über Pastophorien und verwandte Nebenräume (= Kunstgeschichtliche Studien. Festschrift für Hans Kauffmann, Berlin 1956).

[16] Wie ich bei meinem Aufenthalt in Athen 1943 feststellen konnte.

[17] Vgl. F. Fichtner, Wandmalereien der Athosklöster (Berlin 1931); R. Bauerreiß, Basileus tes doxes. Ein frühes eucharistisches Bild und seine Auswirkung, in: Pro mundi vita. Festschrift zum eucharistischen Weltkongreß 1960 (München 1960) 49–67, hier 54.

[18] Vgl. M. Alpatov – N. Brunov, Geschichte der altrussischen Kunst (Baden bei Wien 1932) Abb. 215; A. Hackel, Der Kirchenbau als Symbol in: Der christliche Osten. Geist und Gestalt (Regensburg 1939) 245–258, hier 253.

[19] Vgl. S. Dufrenne, Images du décor de la prothèse, in: Revue des Études Byz. 26 (1968) 297. Wir finden dieses Prothesis-Bild auch in neueren Kirchen, so in der Kapnikaria-Kirche in Athen (Malereien aus dem 19. Jahrhundert), gelegentlich auch als Darstellung auf dem Antiminsion (Altarkorporale).

[20] Abbildung u. a. in: Fra Angelico da Fiesole (Klassiker der Kunst 18) 130. – Kreuz (und Leidenswerkzeuge) im Hintergrund, jedoch ohne Grabkufe, zeigt das Relief eines Erbärmdechristus im Kapitelhaus des Regensburger Domkreuzgangs aus der Zeit um 1435. Es wurde als Altaraufsatz verwendet; vgl. Kdm, Oberpfalz XXII,1 198 mit Abb. 119.

Diese Prothesis-Darstellung findet sich später auch als Ikone, so das eingangs erwähnte Bild in der Kirche S. Croce in Rom, von dem nur mehr eine spätere Abbildung erhalten ist[21]. Es trägt den griechischen Titel »König der Herrlichkeit« (ὁ βασιλεὺς τῆς δόξης), den nach dem Malerbuch vom Berge Athos alle Bilder des Gekreuzigten aufweisen[22].

Das genannte Prothesis-Bild steht in engem Zusammenhang mit der Liturgie. In der Prothesis erfolgt, wie gesagt, die Zurüstung der heiligen Gaben durch den Priester, wobei symbolisch der Opfertod Jesu nachvollzogen wird, indem der Zelebrant mit einer kleinen Lanze in das Brot sticht und, unter Erwähnung des Lanzenstiches des Soldaten bei der Kreuzigung Jesu, Wasser und Wein in den Kelch gießt[23].

In der Ostkirche wird vielfach die Eucharistie in der Prothesis aufbewahrt[24], vor allem in der Fastenzeit. Hier wird bekanntlich an den Werktagen der Quadragesima keine Messe, sondern nur die »Liturgie der vorgeweihten Gaben« gefeiert, ähnlich wie bei uns am Karfreitag. »Der Priester geht (bei diesem Gottesdienst) zum heiligen Tisch der Opferung (Prothesis), nimmt das vorher konsekrierte Brot aus dem Artophorium und legt es mit großer Ehrfrucht auf den heiligen Diskus (Patene)«[25].

Mit dem Prothesis-Bild hängt ein Gebet zusammen, das bei der Beräucherung des Tisches mit den vorbereiteten Opfergaben gesprochen wird:

[21] Vgl. Bauerreiß (oben Anm. 17) 51 (mit Abb. vor S. 49). Das griechische Gegenstück findet sich u. a. in einer Ikone des Ikonenmuseums Recklinghausen aus dem 16. Jahrhundert; vgl. H. Skrobucha, Meisterwerke der Ikonenmalerei (Recklinghausen 1961) 139f. (mit Abbildung).

[22] Vgl. G. Schäfer, Das Handbuch der Malerei vom Berge Athos (Trier 1855) 422.

[23] Vgl. Bauerreiß, Basileus tes Doxes (oben Anm. 17) 53.

[24] Davon spricht bereits Paulinus von Nola († 431) in Ep. 32 (PL 61,338B): »In secretariis vero duobus quae supra dixi circa absidem esse, hi versus indicant officia singulorum. A dextra absidis: hic locus est veneranda penus qua conditur et qua / promitur alma sacri pompa ministerii« (Hier ist der Ort, wo die verehrungswürdige Speise aufbewahrt wird und wo der feierliche Zug des heiligen Dienstes seinen Ausgang nimmt); vgl. G. Jakob, Die Kunst im Dienste der Kirche (⁵Landshut 1901) 26; Fr. X. Kraus, Geschichte der christlichen Kunst I (Freiburg 1896) 394; G. Melzer, Die Aufbewahrung der hl. Eucharistie seit frühchristlicher Zeit (Sillian o. J.) 102. – Das Sekretarium wird hier rechts von der Apsis aus gesehen. Für den in die Kirche Eintretenden befand es sich links und entspricht somit der byzantinischen Prothesis. Mit dem feierlichen Zug (»pompa«) ist der Einzug des Zelebranten mit seiner Assistenz – einer der Diakone hat das Evangelienbuch getragen – zu Beginn der Meßfeier gemeint, was dem »Kleinen Einzug« im byzantinischen Ritus entspricht, der ebenfalls von der Prothesis seinen Ausgang nimmt.

[25] Vgl. A. Maltzew, Die Liturgien der orthodox-katholischen Kirche des Morgenlandes (Berlin 1894) 136.

Christus, du bist gegenwärtig mit dem Körper im Grab, mit der Seele als Gott bei den Toten, mit dem Räuber im Paradies und mit dem Vater und dem Heiligen Geist auf dem Thron, der du alles erfüllst, du Unermeßlicher.

Wie ein Bringer des Lebens, herrlicher als das Paradies, ja als jedes Königsgemach, leuchtet glänzend auf dein Grab, o Christus, die Quelle unserer Auferstehung[26].

Dabei ist wohl kaum mehr auszumachen, ob die bildliche Darstellung das zitierte Gebet oder dieses die Darstellung zur Folge gehabt hat.

Da die Prothesis ursprünglicher oder später zum mindesten gelegentlicher Aufbewahrungsort der Eucharistie ist, darf man annehmen, daß es sich letzthin um ein eucharistisches Christus-Bild handelt. In diese Richtung weisen auch manche abendländische Darstellungen, so ein Tafelbild im Nördlinger Rathaus (spätes 15. Jahrhundert): dem Schmerzensmann wachsen aus den Fußwunden Trauben und Ähren heraus[27], sowie die schon erwähnte Tatsache, daß der Erbärmdechristus vielfach auf Sakramentshäuschen abgebildet ist, bisweilen mit dem Kelch in der Hand, so in Bachling bei Vilshofen (1454)[28].

Dabei ist Christus, obwohl seine Wundmale an den Händen und an der Seite sichtbar sind und er meistens die Augen geschlossen hält, niemals tot dargestellt, sondern als der, »der tot war und der lebt« (Apk 2,8) und der von sich sagen kann: »Ich bin der Erste und der Letzte und der Lebendige. Ein Toter bin ich geworden; doch siehe: ich lebe in alle Ewigkeit« (Apk 1,18).

In der Eucharistie ist dieser »Christus passus«, der für uns gestorbene und auferstandene, auf dem Altar gegenwärtig. Dies allein will die Gregoriusmesse wohl ursprünglich ausdrücken. In der heiligen Messe feiern wir diesen »Transitus« des Herrn vom Tod zum Leben, wie Cyrill von Alexandrien in der Erklärung des Johannes-Evangeliums sagt: »Die Teilnahme an den Mysterien ist ein wahres Bekenntnis und Gedächtnis, daß der Herr unsertwegen und für uns gestorben und zum Leben zurückgekehrt ist[29].

[26] Vgl. Maltzew, Die Liturgien 48; P. De Meester, Die göttliche Liturgie unseres hl. Vaters Johannes Chrysostomus (²München 1938) 25.

[27] Vgl. Lexikon für Theologie und Kirche X (Freiburg 1938) Abb. S. 264.

[28] Vgl. Kdm, Niederbayern: Vilshofen 310. Auf einem Gemälde im Dom zu Atri (1. Hälfte des 15. Jahrhunderts) ist Christus (mit den Wundmalen) im Grabe stehend dargestellt, in der rechten Hand die Hostie, in der linken den Kelch emporhaltend. Unten kniet der hl. Papst Gregor mit seiner Begleitung; vgl. C. Wirz, Die heilige Eucharistie und ihre Verherrlichung in der Kunst (M. Gladbach 1912) Abb. S. 48.

[29] Cyrill Alex. In Ioh. 1,12 (PG 74,725).

Mit dem Christusbild der Gregoriusmesse verbindet sich im Abendland noch ein weiterer Gedanke, nämlich das Erbarmen des Herrn mit uns Menschen, das auch in der zitierten Stelle des Cyrill angeklungen ist. Daher der Name »Erbärmdechristus«, was erst später als Mitleid des Beschauers mit dem leidenden Heiland verstanden wurde.

So findet sich die Überschrift »misericordia domini«, statt wie im Orient »König der Herrlichkeit«, über einem Schmerzensmann in der ehemaligen Sakristei der Stiftskirche in Landau/Pfalz aus der Mitte des 14. Jahrhunderts[30]. Ein Spruchband auf einer Grabplatte mit der gleichen Darstellung im Vorhof von St. Emmeram von 1520 kennt ebenfalls das Stichwort »misericordia«, wenn es hier heißt: »Misericordia superexaltat judicium«[31]. Und dann, wie eingangs dargelegt, auf der Altardecke des Reliefs im Domkreuzgang (»Ostende nobis . . .«).

Im letzteren Fall ist unter »misericordia« sicher die Eucharistie gemeint, von der es in der Postcommunio des 1. Adventsonntags heißt: »Suscipiamus domine misericordiam tuam in medio templi tui . . . (vgl. Ps 47,10). Um das Erscheinen der »misericordia« des Herrn, also des eucharistischen Christus, betet demnach der Papst vor den Stufen des Altares auf unserer Gregoriusmesse: »Zeige uns, o Herr, deine Barmherzigkeit (misericordiam)«, worauf die übliche Antwort (durch den Ministranten) erfolgt: »Und schenke uns dein Heil«.

Daß gerade diese Worte, wenn auch nur angedeutet, auf unserer Darstellung vorkommen, legt die Vermutung nahe, daß die zitierten Verse aus dem Staffelgebet im Zusammenhang stehen mit der Entstehung der Gregoriusmesse überhaupt. Der Gebetswunsch des Zelebranten, daß ihm die »Barmherzigkeit des Herrn gezeigt« werde, mag zuerst zur bildlichen Darstellung des Erbärmdechristus in der Mitte der Predella des Altares und dann zur bekannten Legende geführt haben.

Bezeichnend ist, daß auch auf anderen Wiedergaben der Gregoriusmesse die Grabkufe, in der sich der erscheinende Christus befindet, zugleich als Altaraufsatz gedacht ist, von der das »Vera Ikon« herabhängt. Während dieses Bild zusammen mit den Leidenswerkzeugen bestehen bleibt, wird in der Legende der dargestellte Schmerzensmann für den zelebrierenden Papst Gregor lebendig.

Die Tatsache also, daß das Bild des eucharistischen Herrn im Mittelalter sich

---

[30] Vgl. Kdm, Pfalz: Landau 39 und Tafel IV.
[31] Vgl. Kdm, Oberpfalz XXII,1 167 und 170. Die Inschrift darunter nimmt Bezug auf das Bild in S. Croce in Rom.

auf dem Altar und zwar direkt im Blickpunkt des zelebrierenden Priesters befand, dürfte – vielleicht zusammen mit der von Paulus Diaconus berichteten Erscheinung Jesu während einer Messe Gregors in Form eines blutenden Fingers[32] – zum Ausgangspunkt der bekannten Legende geworden sein. Unsere aus dem Ende des 15. Jahrhunderts stammende Regensburger Darstellung zeichnet sich von anderen bekannten Bildern dieser Art, die u. a. auch das Gefolge des Papstes wiedergeben[33], durch eine Beschränkung auf das Wesentliche aus. Dabei tritt hier der liturgische Ursprung des Bildes wegen der Inschrift »Ostende nobis . . .« noch deutlich in Erscheinung. Unsere Gregoriusmesse dürfte deshalb dem verlorenen Urtypus recht nahestehen.

[32] Vgl. Paulus Diaconus, Vita Gregorii c. 19 (PL 75,52). Dieser Wunderbericht ist auch in die vielgelesene Legenda Aurea des Jakob von Viraggio aufgenommen worden.
[33] Vgl. C. G. Heise, Die Gregorsmesse des Bernt Notke (Hamburg 1941)

Aus der spätmittelalterlichen Domliturgie

Im Gegensatz zu anderen Diözesen ist die Geschichte der mittelalterlichen Meßfeier in Regensburg weitgehend unerforscht[1]. Es sollen aus der Fülle der noch nicht behandelten Fragen im folgenden zwei Themen herausgegriffen werden: das »Missale Ratisponense« in seinen ältesten Druckausgaben und die Feier der Karwoche im Regensburger Dom gegen Ende des Mittelalters. Nicht berücksichtigt werden die Sonderriten in den Stiften und Klöstern der Stadt, die von der Liturgie des Domes und der Landpfarreien nicht selten abwichen[2]. Außerdem wird versucht, die Regensburger Karwochenfeier in die Gesamtentwicklung einzuordnen, wobei auch die Ursprünge der einzelnen Riten erforscht werden.

Literatur
(ohne die nur gelegentlich zitierten Arbeiten)

a) *Allgemeine Arbeiten:*
    M. Andrieu, Les Ordines Romani du haut moyen âge (= Spicilegium sacrum Lovaniense 11, 23, 24, 28, 29 Louvain 1931–1961) 6 Bände = *Andrieu.*
    A. Franz, Die Messe im deutschen Mittelalter. Beiträge zur Geschichte der Liturgie und des religiösen Volkslebens (Freiburg 1902).

---

[1] Von den Liturgiebüchern handelt K. Gamber, Liturgiebücher der Regensburger Kirche aus der Zeit der Agilolfinger und Karolinger, in: Beiträge zur Geschichte des Bistums Regensburg 8 (Regensburg 1974) 23–43; ders., Das Bonifatius-Sakramentar und weitere frühe Liturgiebücher aus Regensburg (= Textus patristici et liturgici 12, Regensburg 1975).

[2] Vor allem gilt dies für das Kloster St. Emmeram, von dem zahlreiche liturgische Handschriften (jetzt in der Bayerischen Staatsbibliothek in München) erhalten sind, so aus dem 14. Jahrhundert der Clm 14414, aus dem 15. Jahrhundert u. a. Clm 14045, 14297, 14623. Aus den übrigen Klöstern der Stadt werden Handschriften, außer in München, auch in der Staatlichen Bibliothek in Regensburg sowie in der Bischöflichen Zentralbibliothek aufbewahrt, so je ein Processionale der Dominikaner s. XV (Proske Ch 82), der Dominikanerinnen s. XV (Ch 93) der Prediger s. XV (Ch 94), der Alten Kapelle um 1620 (Ch 1*). Auch die Bibliothek des ehemaligen Schottenklosters St. Jakob (jetzt ebenfalls in der Bischöfl. Zentralbibliothek) besitzt einige liturgische Handschriften.

A. Franz, Die kirchlichen Benediktionen im Mittelalter (Freiburg 1909) 2 Bände = *Franz*

K. Gamber, Codices liturgici latini antiquiores (= Spicilegii Friburgensis Subsidia 1, ²Freiburg/Schweiz 1968) = CLLA.

C. Vogel, Le Pontifical romano-germanique du dixième siècle (= Studi e Testi 226, 227, 269 Vaticano 1963–1972) 3 Bände = PRG.

b) *Arbeiten zur Regensburger Liturgie:*
A. Beck, Kirchliche Studien und Quellen (Amberg 1903).
A. Ebner, Das Sakramentar des hl. Wolfgang in Verona, in: J. B. Mehler, Der Heilige Wolfgang (Regensburg 1894).
A. Lechner, Mittelalterliche Kirchenfeste und Kalendarien in Bayern (Freiburg 1891).
G. Swarzensky, Die Regensburger Buchmalerei des 10. und 11. Jahrhunderts (Leipzig 1904).

c) *Sonderriten anderer deutscher Diözesen:*
Augsburg: F. A. Hoeynck, Geschichte der kirchlichen Liturgie des Bistums Augsburg (Augsburg 1889) = *Hoeynck*.
Bamberg: E. K. Farrendorf, Brevarium Eberhardi cantoris. Die mittelalterliche Gottesdienstordnung des Domes zu Bamberg (= Liturgiewissenschaftliche Quellen und Forschungen 50, Münster 1969).
Eichstätt: J. B. Götz, Die kirchliche Festfeier in der Eichstätter Diözese am Ausgang des Mittelalters, in: Zeitschrift für bayerische Kirchengeschichte 9 (1934) 129–149, 193–236.
Freising: J. Staber, Volksfrömmigkeit und Wallfahrtswesen des Spätmittelalters im Bistum Freising (= Beiträge zur altbayerischen Kirchengeschichte 20, München 1955); B. Mattes, Die Spendung der Sakramente nach den Freisinger Ritualien (= Münchener Theol. Studien II,34 München 1967).
Graz: J. Köck, Handschriftliche Missalien in Steiermark (Graz 1916) = *Köck*.
Köln: F. J. Peters, Beiträge zur Geschichte der kölnischen Meßliturgie. Untersuchungen über die gedruckten Missalien des Erzbistums Köln (= Colonia sacra 2, Köln 1951) = *Peters*.
Konstanz: A. Dold, Die Konstanzer Ritualientexte in ihrer Entwicklung von 1482–1721 (= Liturgiegeschichtliche Quellen 5/6 Münster 1923); E. Gruber, Vergessene Konstanzer Liturgie?, in: Ephem. lit. 70 (1956) 229–237.
Mainz: H. Reifenberg, Messe und Missalien im Bistum Mainz seit dem Zeitalter der Gotik (= Liturgiewissenschaftliche Quellen und Forschungen 37, Münster 1960); ders., Sakramente, Sakramentalien und Ritualien im Bistum Mainz. Unter besonderer Berücksichtigung der Diözesen Würzburg und Bamberg (= Liturgiewissenschaftliche Quellen und Forschungen 53/54, Münster 1971/72).
Münster: R. Stapper, Die Feier des Kirchenjahres an der Kathedrale von Münster im hohen Mittelalter (Münster 1916); E. J. Lengeling, Missalhandschriften aus dem Bistum Münster, in: Dona Westfalica. Festschrift G. Schreiber (Münster 1963) 192–238.
Passau: A. Franz, Zur Geschichte der gedruckten Passauer Ritualien, in: Theol.-prakt. Monatsschrift 9 (1899); J. Oswald, Das Missale Passaviense, in: Passauer Studien. Festschrift Bischof Landersdorfer (Passau 1953) = *Oswald*.
Salzburg: H. Mayer, Geschichte der Spendung der heiligen Sakramente in der alten Kirchenprovinz Salzburg, in: Zeitschrift für kathol. Theologie 37 (1913) 760–804;

38 (1914) 1–36, 267–296; K. Amon, Der vortridentinische Salzburger Meßritus nach dem »Tewtsch Rational« des Bischofs Berthold Pürstinger von Chiemsee, in: Heiliger Dienst 20 (1966) 86–100, 137–156.
Trier: P. Miesges, Der Trierer Festkalender (= Trierer Archiv, Ergänzungsheft 15, Trier 1915); A. Kurzeja, Der älteste Liber Ordinarius der Trierer Domkirche (= Liturgiewissenschaftliche Quellen und Forschungen 52, Münster 1970).
Würzburg: G. Wegner, Kirchenjahr und Meßfeier in der Würzburger Domliturgie des späten Mittelalters (= Quellen und Forschungen zur Geschichte des Bistums und Hochstifts Würzburg 22 Würzburg 1970);B. Goy(-Möckershoff), Aufklärung und Volksfrömmigkeit in den Bistümern Würzburg und Bamberg (ebd. 21 Würzburg 1969).

d) *Allgemeine Arbeiten zur Karwochenliturgie:*
   S. Corbin, La déposition liturgique du Christ au vendrendi saint. Sa place dans l'histoire des rites et du théâtre religieux (Paris Lisbonne 1960).
   J. Gräf, Palmenweihe und Palmenprozession in der lateinischen Liturgie (= Veröffentlichungen des Missionspriesterseminars St. Augustin 5, Kaldenkirchen 1959) = *Gräf.*
   G. Römer, Die Liturgie des Karfreitags, in: Zeitschrift für kathol. Theologie 77 (1955) 39–93.
   H. Schmidt, Hebdomada Sancta (Roma 1957) 2 Bände.
   R. Steinbach, Die deutschen Oster- und Passionsspiele des Mittelalters (Köln-Wien 1970).
   K. Young, The Drama of the Medieval Church (Oxford 1933) 2 Bände = *Young.*
   W. Lipphardt, Lateinische Osterfeiern und Osterspiele, 3 Bde., (Berlin/New York 1975/76).

e) *Zur Karwochenliturgie in den einzelnen Diözesen:*
   Aquileia: G. Vale, Il Dramma liturgico Pasquale nella Diocesi Aquileiese, in: Rassegna Gregoriana 4 (1905) 193–202.
   Bamberg: X. Haimerl, Das Prozessionswesen des Bistums Bamberg im Mittelalter (= Münchner Studien zur historischen Theologie 14, München 1937); E. Engel, Heilig-Grab-Verehrung in Bamberg, in: Bericht des Hist. Vereins Bamberg 107 (1971) 279–300.
   Braunschweig: Die lateinischen liturgischen Osterspiele der Stiftskirche St. Blasien zu Braunschweig (= Veröffentlichungen der Niedersächsischen Musikgesellschaft 2, Wolfenbüttel 1936).
   Breslau: K. Kastner, Geschichtliche Entwicklung der Heiligen Grab- und Auferstehungsfeier in der Diözese Breslau, in: Archiv für schlesische Kirchengeschichte II (1937) 173–184.
   Brixen: K. Gschwend, Die Depositio und Elevatio crucis im Raum der alten Diözese Brixen. Ein Beitrag zur Geschichte der Grablegung am Karfreitag und der Auferstehungsliturgie am Ostermorgen (Sarnen 1965) = *Gschwend.*
   Essen: H. Kettering, Die Essener Osterfeier, in: Kirchenmusikalisches Jahrbuch 36 (1952).
   Freising: J. Staber, Die Teilnahme des Volkes an der Karwochenliturgie im Bistum Freising während des 15. und 16. Jahrhunderts, in: Jahrbuch 1964 für bayerische Kirchengeschichte (= Deutingers Beiträge 23/3 München 1964) 48–85 = *Staber.*
   Klosterneuburg: H. Pfeiffer, Klosterneuburger Osterfeier und Osterspiel, in: Jahrbuch des Stiftes Klosterneuburg I (Wien 1908).

Münster: R. Stapper, Liturgische Osterbräuche im Dom zu Münster, in: Zeitschrift für vaterl. Geschichte und Altertumskunde 82 (1924) 19–51; E. J. Lengeling, Unbekannte und seltene Ostergesänge aus Handschriften des Bistums Münster, in: B. Fischer – J. Wagner, Paschatis Sollemnia (Basel 1959) 213–238; ders., Agapefeier beim »Mandatum« des Gründonnerstags in einer spätmittelalterlichen Agende aus dem Bistum Münster, in: M. Bierbaum, Studia Westfalica. Festschrift A. Schröer (Münster 1973) 230–258.

Passau: Ch. E. Eder, Eine noch unbekannte Osterfeier aus St. Nikola in Passau, in: J. Autenrieth – F. Brunhölzl, Festschrift B. Bischoff (Stuttgart 1971) 449–456. G. H. Karnowka, in: Ostbairische Grenzmarken 13 (1971) 91–105.

Prag: D. Orel, Surgit in hac die. Liturgie-musikalische Studie zur Auferstehungsfeier in Böhmen, in: Kirchenmusikalisches Jahrbuch 23 (1910) 59–94.

Regensburg: E. Hartl, Das Regensburger Osterspiel und seine Beziehungen zum Freiburger Fronleichnamsspiel, in: Zeitschrift für Altertum und deutsche Literatur 78 (1941) 121–132. J. Poll, Ein Osterspiel enthalten in einem Prozessionale der Alten Kapelle, in: Kirchenmusikalisches Jahrbuch 34 (1950) 35–40.

Salzburg: E. Drinkwelder, Das Sacrum Triduum in Salzburg während des ausgehenden Mittelalters, in: Heiliger Dienst 6 (1952) 6–11.

Seckau: B. Roth, Die Seckauer und Vorauer Osterliturgie im Mittelalter. Ein Beitrag zur textkritischen Untersuchung der mittelalterlichen Osterfeiern (Seckau 1935).

Das Missale Ratisponense
Die ältesten gedruckten Regensburger Meßbücher

Bis zur Meßbuchreform unter Pius V. (1566–1572), die dieser im Anschluß an die Beschlüsse des Konzils von Trient durchgeführt hat[1], waren bekanntlich in mehreren Diözesen, vor allem im deutschen Sprachraum, eigene Missalien in Gebrauch. In den übrigen Gebieten war gegen Ende des Mittelalters in der Regel das Kurien-Missale (»Ordo missalis secundum consuetudinem Romanae curiae«) eingeführt[2]. Dies gilt auch für einige Klosterkirchen in Regensburg, soweit sie nicht, wie etwa die der Dominikaner, einen eigenen Ritus beobachtet haben.

Der »Ordo missalis« der römischen Kurie, ein vor allem von den Franziskanern propagierter Meßbuchtypus[3], stellt den Vorgänger des von Pius V. herausgegebenen »Missale Romanum« dar. Obwohl der Papst damals so tolerant war und nicht daran dachte, die Sonderriten der einzelnen Kirchen, wie sie in eigenständigen Missalien vorlagen, zu beseitigen – vorausgesetzt, daß sie mindestens 200 Jahre alt waren –[4], hat dennoch das neue Missale relativ rasch fast überall im Abendland Eingang gefunden, wie wir später sehen werden, auch in Regensburg[5].

Die mittelalterliche Meßliturgie der Donaustadt liegt in den ältesten gedruckten Missalien vor, deren einzelne Auflagen es nun kurz zu untersuchen gilt[6]. Dabei sollen nur die in Regensburg aufbewahrten Exemplare eigens aufgezählt und beschrieben werden. Alle Auflagen stimmen im Wortlaut fast vollständig miteinander überein. Sie gehen auf den Erstdruck unter dem rührigen Bischof Heinrich IV. (1465–1492) zurück. Die Chronisten rühmen

[1] Vgl. J. Schmid, Studien über die Reform des römischen Breviers und Missale unter Pius V, in: Theol. Quartalschrift 66 (1884) 451–483, 621–664, H. Jedin, Das Konzil von Trient und die Reform der liturgischen Bücher, in: Ephem. liturg. 59 (1945) 5–38; J. A. Jungmann, Missarum Sollemnia (²Wien 1949) I, 169–178.

[2] Mehrere Druckausgaben. Vor mir liegt die Ausgabe Venedig 1533.

[3] Vgl. S. J. P. van Dijk – J. Hazelden Walker, The Origins of the modern roman liturgy (London 1960); ders., Ursprung und Inhalt der franziskanischen Liturgie des 13. Jahrhunderts, in: Franziskanische Studien 51 (1969) 86–116, 192–217.

[4] »Non obstantibus praemissis ac constitutionibus et ordinationibus Apostolicis ac in Provincialibus et Synodalibus Conciliis editis generalibus vel specialibus constitutionibus et ordinationibus, nec non Ecclesiarum praedictarum usu, longissima et immemorabili praescriptione, *non tamen supra ducentos annos* roborato, statutis et consuetudinibus contrariis quibuscumque.«

[5] Vgl. J. Weale – H. Bohatta, Catalogus Missalium ritus latini ab anno 1474 impressorum (London 1928), Nr. 815–816.

[6] Vgl. Weale – Bohatta 69 f.

seine »Frömmigkeit, Sorgfalt, Güte und Liebe gegen den Klerus« und nennen ihn einen »Reformator, wie er notwendig war«[7].

Bischof Heinrich ist jedoch sicher nicht der eigentliche Schöpfer dieses ersten gedruckten Regensburger Meßbuchs; er hat es lediglich für den Druck bearbeiten lassen. Die erhaltenen Handschriften aus dem 14./15. Jahrhundert stimmen nämlich weitgehend unter sich und mit dem Erstdruck überein[8]. Wir wissen nicht, auf wen die ursprüngliche Redaktion des Missale Ratisponense zurückgeht. Feststeht auf jeden Fall, daß dieses keineswegs eine Eigenproduktion darstellt, da es mit den Missalien der übrigen Diözesen des Salzburger Metropolitanverbands weitgehend übereinstimmt. Am meisten unterscheidet es sich vom Missale Pataviense[9], dagegen ist die Übereinstimmung mit dem Missale Frisingense groß[10].

Auch zum Meßbuch von Aquileja bestehen deutliche Beziehungen[11]. Die enge Verbindung dieses Patriarchats zu den bairischen Diözesen im 12./13. Jahrhundert mag die Ursache sein[12]. So saß Bischof Wolfker von Passau (1191–1204) von 1204–1218 auf dem Patriarchenstuhl von Aquileja; sein Nachfolger in Passau wurde Bischof Poppo (1204–1205), vorher Domprobst in Aquileja[13].

Wer hat das Missale Ratisponense redigiert? Aus Gründen, die hier im einzelnen nicht dargelegt werden können, kann diese Redaktion nicht viel älter als 100 Jahre (von Bischof Heinrich an gerechnet) zurückliegen. Es kommt deshalb, da in diesem Zeitraum keine andere Persönlichkeit zu erkennen ist, als Bearbeiter fast nur der als Pastoraltheologe wie als Naturwissenschaftler bekannte Regensburger Domherr Konrad von Megenberg († 1374) in Frage,

---

[7] Vgl. F. Janner, Geschichte der Bischöfe von Regensburg III (Regensburg 1886) 600.

[8] Über die erhaltenen Handschriften wird unten gesprochen.

[9] Erstdruck von 1505 (Inkunabel 110 in der Bischöfl. Zentralbibl.): »Liber missalis secundum chorum pataviensem.«

[10] Die Proske-Bibliothek besitzt einen Druck von 1520 (Ch 32): »Missale secundum ritum et ordinem ecclesie et diocesis Frisingensis«.

[11] Das »Missale Aquileyensis Ecclesiae« (Venetiis 1519) liegt in einem schönen Nachdruck vor (Bruxelles 1963).

[12] Es dürfen jedoch auch die Unterschiede im einzelnen nicht übersehen werden. So stimmt z. B. das Freisinger Missale im Formular des 4. Adventsonntags und der darauffolgenden Ferialtage mehr mit dem von Aquileja als mit dem von Regensburg überein. Die Frage bedarf noch einer eingehenden Untersuchung.

[13] Mit der frühmittelalterlichen Abhängigkeit des Gebiets der römischen Provinz Raetia vom Patriarchat Aquileja, die sich besonders in liturgischer Hinsicht zeigte, haben diese Beziehungen nichts zu tun; zum Frühmittelalter vgl. oben S. 16f.

der u. a. auch eine Schrift über die Grenzen der Pfarreien der Stadt Regensburg[14] sowie die »Statuta Chori Ratisponensis« verfaßt hat[15].

Wenn tatsächlich Honorius Augustodunensis, wie E. A. Endres meint[16], als Inkluse in (bzw. bei) Regensburg gelebt hat, dann sind seine umfangreichen liturgischen Schriften[17] als eine Quelle für die Liturgie in der Donaustadt während des 12. Jahrhunderts zu betrachten. Als Redaktor des Meßbuches dürfte er jedoch kaum in Frage kommen. Es ist zweifelhaft, ob überhaupt eine kontinuierliche Entwicklung von den Regensburger Sakramentaren des 10./ 11. Jahrhunderts bis zum Vollmissale des 14. Jahrhunderts bzw. des Erstdrucks vorliegt. Es fehlen nämlich Dom-Handschriften aus dem 12./ 13. Jahrhundert, die uns über die Entwicklung hätten Aufschluß geben können; die Meßbuchfragmente aus der gleichen Zeit im Bischöflichen Zentralarchiv[18] sind zu wenig umfangreich, als daß sie als Zeugnisse für eine kontinuierliche Entwicklung dienen könnten. Doch scheint, wie das eben genannte Fragment aus dem 13. Jahrhundert nahelegt, die Grundlage für das spätere Regensburger Missale schon damals geschaffen worden zu sein.

Es findet sich hier aber auch das Doppelblatt eines Plenarmissale aus dem Ende des 11. Jahrhunderts, das aus einem in (Mittel-)Italien geschriebenen Codex stammt und vielleicht im 12. Jahrhundert nach Regensburg exportiert worden ist[19]. Aus anderen bairischen Diözesen sind ebenfalls derartige italienische Meßbücher erhalten geblieben[20]. Eine etwas defekte Vollhandschrift, die sich zuletzt in der Regensburger Stadtbibliothek befand, liegt heute in München (Clm 23281); sie ist schon im 9. Jahrhundert geschrieben[21]. In Italien gab es bekanntlich weit früher als im Norden Vollmissalien, in denen die

[14] Herausgegeben von Ph. Schneider, De limitibus parochiarum civititis Ratisbonensis (Regensburg 1906).

[15] Abgedruckt bei A. Mayer, Thesaurus novus II (Regensburg 1791) 65–69.

[16] E. A. Endres, Honorus augustodunensis. Beitrag zur Geschichte des geistigen Lebens im 12. Jahrhundert (Kempten 1906).

[17] Migne, PL 172, 541–806; dazu Endres a.a.O. 38–40; ders., Ein Augsburger Rituale des 13. Jahrhunderts, in: Theol.-prakt. Monatsschrift 13 (1903) 636–641.

[18] Die Archivalien des 17. Jahrhunderts im Bischöflichen Zentralarchiv, vor allem soweit sie das Regensburger Domkapitel betreffen, sind fast durchweg mit Pergamentblättern aus damals nicht mehr gebrauchten liturgischen Handschriften des Regensburger Domes eingebunden.

[19] Es wird unten bei der Besprechung des Gründonnerstags-Ritus auf dieses Fragment eingegangen werden.

[20] Vgl. K. Gamber, Die mittelitalienisch-beneventanischen Plenarmissalien. Der Meßbuchtypus des Metropolitangebiets von Rom im 9./10. Jahrhundert, in: Sacris erudiri 9 (1957) 265–285; CLLA S. 528 ff.

[21] In Übersicht herausgegeben von S. Rehle, in: Sacris erudiri (1972/73) 291–321 (mit Facsimile).

Sakramentar-, Lektionar- und Gesangstexte vereinigt waren. Die älteste derartige Handschrift stammt aus dem 8. Jahrhundert[22]. Vom 11. Jahrhundert an wurden nachweisbar Plenarmissalien aus Italien auch über die Alpen exportiert[23].

Die Entwicklung vom Sakramentar, Lektionar und Antiphonar zum Vollmissale (Missale Plenarium) ist, was den deutschen Raum betrifft, noch lange nicht genügend erforscht, besonders ist die Frage ungeklärt, ob nicht nur die bairischen, sondern allgemein die deutschen Missalien des Spätmittelalters, die so viele gemeinsame Züge aufweisen, alle auf die gleiche Quelle zurückgehen[24].

1. Der Erstdruck von 1485: Über die Entstehung des ersten Regensburger Missale-Drucks[25] gibt das bischöfliche Mandat vom 5. März 1485 nähere Auskunft[26]. Danach hat Bischof Heinrich von auswärts (»aliunde«) – wie wir wissen aus Bamberg – mit großen Kosten eine Druckwerkstätte nach Regensburg kommen lassen. Die Arbeiten führten die »opifices« Johannes Sensenschmidt von Eger[27] und der Kleriker Johannes Beckenhaub, genannt der »Mainzer«[28], aus. Als Korrektoren wirkten Angestellte des Regensburger Chores (»chori . . . ministeriales«); sie hatten den Text des Meßbuches Wort

---

[22] Vgl. CLLA Nr. 1401; herausgegeben von K. Gamber, Fragment eines mittelalterlichen Plenarmissale aus dem 8. Jahrhundert, in: Ephem. lit 76 (1972) 335–341 (mit Facsimile).

[23] Die meisten Zeugnisse stammen aus dem 10. und 11. Jahrhundert, so CLLA Nr. 1411, 1412, 1416, 1420. Es sind aber auch Handschriften aus dem 9./10. Jahrhundert darunter, so CLLA Nr. 1410, 1450, 1460, 1471; doch dürften diese Meßbücher erst im 11. oder 12. Jahrhundert nach Baiern gebracht worden sein, da aus früherer Zeit keine einzige baierische Abschrift vorhanden ist.

[24] Für eine eigenständige Entwicklung zum Vollmissale tritt dagegen ein: K. Reinerth, Das Heltauer Missale (Köln-Graz 1963); ders., Missale Cibiniense. Der Meßritus der siebenbürgisch-sächsischen Kirche im Mittelalter (Köln-Graz 1972); vgl. dazu K. Gamber, in: Zeitschrift für Kirchengeschichte 75 (1964) 393.

[25] Vgl. L. Hain, Repertorium bibliographicum II 1 (Neudruck 1949) Nr. 11356; W. H. I. Weale, Catalogus Missalium ritus latini (London 1886) 126–128; Weale-Bohatta (oben Anm. 5) Nr. 806.

[26] Text bei A. Beck, Kirchliche Studien und Quellen (Amberg 1903) 223–25, wo auch eine eingehende Beschreibung des Missale zu finden ist (S. 210–256); ferner bei J. Lipf, Oberhirtliche Verordnungen und allgemeine Erlasse für das Bistum Regensburg vom Jahre 1250 bis 1852 (Regensburg 1853) Nr. 15 S. 23.

[27] Vgl. E. Voullième, Die deutschen Drucker des 15. Jahrhunderts (2Berlin 1922) 135; H. Barge, Geschichte der Buchdruckerkunst (Leipzig 1940) 79.

[28] Vgl. F. Falk, Geistliche Drucker und geistliche Druckstätten bis 1620, in: Der Katholik 37/I (1893) 91.

für Wort mit den handschriftlichen Vorlagen zu vergleichen[29]. Das (unge-
bundene) Buch kostete fünf Gulden[30].

Die unmittelbare Vorlage für den Druck ist nicht erhalten, obgleich wir noch
einige Regensburger Missale-Handschriften des 15. Jahrhunderts, die den
Ritus der Domkirche wiedergeben, teils vollständig, teils als Fragmente (im
Bischöflichen Zentralarchiv) besitzen. Es genügt hier der Hinweis auf den
Clm 13022 aus der ehemaligen Regensburger Stadtbibliothek, jetzt in der
B. Staatsbibliothek in München, der zu Beginn den Titel trägt »Liber missalis
secundum rubricam et breviarium[31] ecclesiae Ratisponensis« (14./15. Jahrhundert), und auf den Codex 1990 in der Stiftsbibliothek der Alten Kapelle
zu Regensburg aus dem 15. Jahrhundert, mit dem Titel: »Liber missalis secundum chorum Ratisponensem«[32]. Letzterer stammt aus der ehem. Kilianskapelle im Domherrenhaus am Frauenbergl[33]. Unter den zahlreichen Mis-
sale-Fragmenten im B. Zentralarchiv befindet sich auch ein Doppelblatt aus
dem 15. Jahrhundert, auf dem der Titel erhalten ist; er lautet hier: »Liber
missalis secundum breviarium ecclesiae Ratisponensis«.

Eine eigene Titelseite, wie sie in den späteren Meßbüchern zu finden ist, fehlt
noch im Druck von 1485. Wir finden den Buchtitel, wie in den Handschriften, erst nach dem Kalender unmittelbar vor dem Formular für den 1. Adventsonntag. Er weist folgende Fassung auf: »Incipit liber missalis secundum
breviarium chori ecclesiae Ratisponensis« und ist ähnlich dem im eben genannten Fragment. Die Inkunabel ist in gut lesbaren Lettern gesetzt. Die
kleineren Typen dürften dieselben sein, die Gutenberg für seine 42-zeilige
Bibel verwendet hat[34]. Möglicherweise hat sie Beckenhaub, »der Mainzer«,
mitgebracht.

[29] Zur Korrektur von Missalien auf oberhirtlichen Befehl im 15. Jahrhundert vgl.
J. Franz, Die Messe im deutschen Mittelalter 307–309; E. Tomek, Kirchengeschichte
Österreichs II (Innsbruck 1949) 120.
[30] Vergleichsweise sei erwähnt, daß das Kloster Andechs um 1460 für ein handge-
schriebenes Meßbuch 12 Gulden und im Jahr 1462 für ein solches nur 4 Gulden bezahlt
hat; vgl. B. Kraft, Andechser Studien I (1937) 253 Anm. 2.
[31] »Breviarium« hier soviel wie »Liber Ordinarius«, »Directorium« (Hinweis von
Dr. P. Leo Eizenhöfer OSB).
[32] Vgl. J. Schmid, Die Handschriften und Inkunabeln der Bibliothek des Kollegiatstiftes U. L. Frau zur Alten Kapelle in Regensburg (Regensburg 1907) 30.
[33] Vgl. den Eintrag auf fol. 1 r oben: »hoc liber attinet Capelle sci Kiliani Ratisponensis«. Auf der gleichen Seite unten: »Hoc misale (!) Simonem Strobelium (!) possidet
Anno 1574«.
[34] Vgl. G. Zedler, Die sog. Gutenbergbibel sowie die mit der 42-zeiligen Bibeltypen
ausgeführten kleineren Drucke (= Veröffentlichungen der Gutenberggesellschaft 20,
Mainz 1929).

Zu Beginn des Buches, das Folio-Format (Schriftspiegel 290:185 mm) aufweist, befindet sich das Kalendar[35]. Es weist gegenüber den älteren handschriftlich erhaltenen Kalendaren aus Regensburg eine reduzierte Zahl von Heiligenfesten auf[36]. Die immer noch zahlreichen Feiertage sind in roten Lettern gedruckt. Nach den zwölf Kalendarseiten schließt sich das Blatt mit dem bischöflichen Mandat von 1485 an. Auf der unteren Hälfte der Verso-Seite befindet sich das Wappen des Bischofs Heinrich.

Danach beginnt das eigentliche Missale mit den Formularen für die Sonntage und Herrenfeste des Kirchenjahres, beginnend mit dem 1. Adventsonntag (Evangelium vom Einzug in Jerusalem)[37] und bis zur »Dominica XXV post octavam pentecostes« reichend[38]. Die Gesangstexte sind (wie in den Handschriften) jeweils in kleineren Typen gehalten.

Die Sonntagsperikopen der letzten Sonntage nach Pfingsten weichen von denen im Missale Romanum ab[38]. Nach alter Tradition sind auch für die Mittwoche und Freitage »per annum« eigene Lesungen verzeichnet[39]. Im römischen Kurien-Missale sind solche schon nicht mehr vorhanden, wie sie auch im Missale Romanum fehlen. Den Schluß des 1. Teils des Regensburger Meßbuches bildet das Formular für die Kirchweihe; anschließend »Gloria«, »Credo« sowie der »Canon minor« mit den Opferungsgebeten[40].

Darauf folgen den einzelnen Präfationen: »Secuntur prefaciones. prima prefacio cottidiana.« Sie sind vollständig mit gedruckten Noten der sog. Hufnagelnotenschrift versehen (jeweils im feierlichen und im einfachen Ton)[41], da-

---

[35] Abgedruckt bei Beck, Kirchliche Studien und Quellen 211–223; ebenso bei A. Lechner, Mittelalterliche Kirchenfeste und Kalendarien in Bayern (Freiburg 1891).

[36] Die ältesten Regensburger Kalendarien außer bei Lechner (Fußnote 35) bei G. Swarzenski, Die Regensburger Buchmalerei des 10. und 11. Jahrhunderts (Leipzig 1904 bzw. Nachdruck) Appendix. Kalendarfragmente aus späterer Zeit im Bischöflichen Zentralarchiv (Edition in Vorbereitung).

[37] Vgl. Peters 121 f.

[38] Vgl. Peters 128 f.; Oswald 22.

[39] So schon in einer süddeutschen Handschrift des 11. Jahrhunderts; vgl. A. Dold, Das Donaueschinger Comesfragment, in: Jahrbuch für Liturgiewissenschaft 6 (1926) 16–53; weiterhin E. Gruber, Vergessene Konstanzer Liturgie?, in: Ephem. lit. 70 (1956) 229–237; Peters 129–131.

[40] Von Interesse sind die Epiklese-artigen Formeln, die schon in der »Missa Illyrica« vorkommen: »Sanctifica quaesumus domine hanc oblatam (bzw. calicem): ut nobis unigeniti tui corpus (bzw. sanguis) fiat«. Vollständiger Text des Regensburger »Canon minor« bei Beck, Kirchliche Studien und Quellen 237 f.; vgl. auch Köck 120–124; G. Wegner, Kirchenjahr und Meßfeier in der Würzburger Domliturgie 82–84.

[41] Manchmal sind auch 3 verschiedene Melodien (»solemniter«, »dominicaliter« und »feriatis diebus«) angegeben. Im Passauer Missale finden wir 4 Melodien, vgl. Oswald 17.

nach die Melodien für das Paternoster und weitere Meßgesänge. Diesen reiht sich der »Canon missae« an; er ist in den erhaltenen Exemplaren vielfach auf Pergament gedruckt und, wie der Vermerk am Schluß »Ex Babenberga« deutlich macht, nicht in Regensburg, sondern in Bamberg hergestellt. Danach folgt mit einem neuen Titel »Incipit de sanctis per circulum anni« der 2. Teil des Missale, der die Formulare für die nicht sehr zahlreichen Heiligenfeste beinhaltet; anschließend das »Commune sanctorum« die Totenmessen (mit jeweils eigenen Lesungen an den einzelnen Wochentagen), Votivmessen zur Muttergottes sowie einige weitere für die Wochentage und für besondere Anliegen, darunter eine damals aktuelle gegen die Türken (»Contra thurcos et haereticos«). Den Schluß des Missale bilden Anweisungen an den zelebrierenden Priester (»Informationes et cautele observande presbytero volenti divina celebrare«), wie sie ähnlich zu Beginn des Missale Romanum vorkommen[42].

In den Regensburger Bibliotheken sind zwei Exemplare dieser ersten Auflage vorhanden[43]. Vorzüglich erhalten ist die Inkunabel in der Staatlichen Bibliothek (Kreisbibliothek); sie trägt die Signatur Rat. ep. et cl. 363a. Über die Herkunft ist nichts vermerkt[44].

Vom gepreßten Schweinsledereinband sind die Metallbeschläge entfernt. Nur noch eine Schließe vorhanden. Als Rückenverstärkung Teile einer Urkunde des 15. Jahrhunderts. Breitrandiges Exemplar (282:410 mm). 320 gezählte Blätter (mit dem »officium contra thurcos et hereticos« schließend). Die Initialen sind teilweise mit der Hand verziert. Der Canon ist auf Pergament gedruckt. Zu Beginn Kreuzigungsbild (kolorierter Holzschnitt) und »Te igitur«-Initiale (Opfer Abrahams), ehemals aufgeklebtes Pax-Bildchen entfernt. Auf der Seite vor dem Canon und dem letzten freien Blatt im 16. Jahrhundert eine Lazarus-Messe handschriftlich nachgetragen. Daher ist eine ehemalige Verwendung in der Lazaruskapelle zu vermuten, die zu dem 1296 von Heinrich Zant gestifteten St. Lazarus westlich der Stadt an der Prüfeninger Straße gehört hat.

Das 2. Regensburger Exemplar befindet sich in der Stiftsbibliothek der Alten Kapelle (Signatur 1975)[45]. Das Meßbuch war, wie die Eintragung »Altaris

---

[42] Abgedruckt bei Beck, Kirchliche Studien und Quellen 317–335 (aus dem Freisinger Missale).

[43] Weitere in der B. Staatsbibliothek in München, in der Staatlichen Bibliothek in Amberg und in der Bibl. Bodleiana in Oxford.

[44] Von den Exemplaren des Missale Ratisponense im Regensburger Stadt-Museum erhielt ich erst während der Drucklegung Kunde.

[45] Vgl. Schmid, Die Handschriften und Inkunabeln der Bibliothek des Kollegiatstiftes 64. Hier mit dem Vermerk: »Ohne Angabe der Jahreszahl, des Druckers und Druckortes«, was an sich richtig ist. Der genaue Vergleich mit dem Exemplar in der Staatl. Bibliothek Regensburg hat jedoch gezeigt, daß es sich um die Erstauflage von 1485 handelt.

Marie nivis Veteris capelle« zeigt, für den Altar Mariä Schnee in dieser Kirche bestimmt.

Auch hier sind vom gepreßten Schweinsledereinband die Metallbeschläge, außer den beiden Schließen, entfernt. Als Rückenverstärkung Fragmente einer neumierten liturgischen Handschrift (Tropar) aus dem 11. Jahrhundert. Auf den ersten Blättern des Buches (Format 265:380 mm)handschriftliche Notizen aus dem 16. Jahrhundert. Das Blatt mit dem bischöflichen Mandat fehlt wie auch das nächste Blatt, das auf Pergament handschriftlich ergänzt ist. Handschriftlich ergänzt sind auch zahlreiche weitere Blätter innerhalb und am Schluß des Buches (meist auf Papier). Im »Canon minor« handschriftliche Änderungen und Ergänzungen. »Canon missae« auf Papier gedruckt. Ganzseitiges Kreuzigungsbild und »Te igitur«-Initiale herausgeschnitten, dagegen Pax-Bildchen (Lamm Gottes) erhalten. Auf fol. CCXL oben handschriftlicher Vermerk: »Officium Marie Nivis vide in fine libri«, wo das Meßformular (eine Eigenmesse mit Sequenz) von einer Hand des 15./16. Jahrhunderts auf einem eigenen Blatt nachgetragen ist.

2. *Die Nachdrucke von 1492, 1495 und 1497:* Die 1. Auflage des 1485 erstmals in Druck erschienenen Regensburger Meßbuches war, wie es scheint, rasch vergriffen. So wurde noch unter Bischof Heinrich († 1492) kurz vor seinem Tod eine neue Auflage hergestellt. Sie stimmt mit der ersten genau überein. Ihr ist ebenfalls ein bischöfliches Mandat (datiert vom 20. Januar 1492), das im wesentlichen gleichlautend mit dem von 1485 ist, beigefügt. Am Schluß dieses Mandats werden als Drucker nicht mehr Sensenschmidt und Beckenhaub, sondern Heinrich Petzensteiner und Johannes Pfeyl genannt. Sensenschmidt war kurz zuvor (1491) gestorben, sein Sohn Laurentius führte in Bamberg zusammen mit den oben genannten die Presse weiter[46]. Die Typen und Initialen der 1. Auflage wurden bei den Nachdrucken abermals verwendet.

In Regensburg befinden sich fünf Exemplare dieser Auflagen: eines wird in der Bischöflichen Zentralbibliothek (Proske Ch 6*), die restlichen vier werden in der Stiftsbibliothek der Alten Kapelle (Nr. 1965, 1966, 1969, 1979) aufbewahrt.

Am besten erhalten ist ein Exemplar in der B. Zentralbibliothek. Es zeigt, abgesehen von den Seiten mit den Totenmessen, kaum Benützungsspuren. Das Buch trägt auf dem vorderen Deckblatt den Vermerk »Ad bibliothecam episcopalem Ratisbonensem 1835« und dürfte aus der ehem. Dombibliothek stammen. Wahrscheinlich bezieht sich darauf die Signatur 699, die auf dem Rücken des gepreßten Schweinsledereinbandes unter dem Titel »Missale« zu finden ist. In der Ordinariatsbibliothek, wo die Inkunabel später gelandet ist, trug sie die Signatur Liturg. I 9 bzw. II 66. Handschriftliche Eintragungen sind keine vorhanden. Das bischöfliche Wappen am Ende des Mandats ist schön koloriert. Das Kreuzigungsbild vor dem Canon ist herausgeschnitten, die »Te

[46] Vgl. Voullième, Die deutschen Drucker des 15. Jahrhunderts 16.

igitur«-Initiale ist handgemalt. Canon auf Pergament, handschriftliche Neumen zum Paternoster und Pax Domini; Pax-Bildchen (Agnus Dei). Wie in der 1. Auflage kein Druckvermerk am Schluß.

In zwei Exemplaren in der Alten Kapelle fehlt das Blatt mit dem bischöflichen Mandat. Der Codex 1965 trägt den Besitzvermerk »Ad Veterem Capellam«. Die großen Initialen sind hier mit zarten Pastellfarben und einfachen Mustern originell ausgemalt. Der Pergament-Canon wurde herausgeschnitten. Im Codex 1979 fehlen solche Ausschmückungen der Initialen. Wahrscheinlich gehörte dieses Exemplar anfänglich nicht der Alten Kapelle, sondern einem Damenstift, wie aus dem Eintrag auf dem hinteren Deckblatt zu schließen ist: »Et famulam tuam abbatissam nostram . . .« (zweimal). In den Codices 1966 und 1969 werden als Drucker Heinrich Petzensteiner, Laurentius Sensenschmidt[47] und Johannes Pfeyl genannt.

3. *Der Nachdruck von 1500.* Dieser wurde, wie aus dem Druckvermerk am Schluß hervorgeht, in Bamberg durch Johannes Pfeyl allein hergestellt. Pfeyl war seit 10. Oktober 1495 der alleinige Inhaber der Presse, die noch bis ins 16. Jahrhundert hinein in Tätigkeit war[48]. Diese Ausgabe unterscheidet sich von den bisherigen durch die Verwendung anderer Typen und neuer Groß-Initialen. Auch ist der Satzspiegel kleiner (170:265 mm). Das Meßbuch enthält 332 gezählte Blätter.

In dieser 3. Auflage wurde der Buchtitel geringfügig geändert; er lautet jetzt: »Incipit Liber missalis secundum ordinem sive breviarium chori ecclesie Ratisponensis«. Sonst finden wir kaum Änderungen gegenüber den beiden vorausgegangenen Auflagen. Es fehlt das Mandat des inzwischen verstorbenen Bischofs Heinrich. An dessen Stelle finden wir eingangs den Ritus der sonntäglichen Wasserweihe (»Exorcismus salis et aque dominicis diebus«). Vermutlich bildete diese in der Druckvorlage ein handschriftlicher Nachtrag, der beim Neudruck übernommen wurde.

Die Alte Kapelle besitzt zwei Exemplare der Auflage von 1500 (Nr. 1959 und 1980). Besonders schön ist der Codex 1980. Der Canon (auf Pergament) ist mit Blumenmustern reich verziert. Das Kreuzigungsbild ist ähnlich dem in der oben besprochenen Inkunabel der Staatlichen Bibliothek in Regensburg. Die »Te igitur«-Initiale zeigt Jesus am Ölberg, das Pax-Bildchen ist eine Salvator-Darstellung. Auf dem Vorsatzblatt handschriftliche Gebete zu Ehren des heiligen Sebastian (»Egregie dei martyr . . .«, »O sebastiane christi athleta . . .«, Ignis extollamus laudibus . . .«), die wohl in Beziehung stehen zu einem Sebastianus-Altar in der Stiftskirche.

4. *Der Nachdruck von 1510:* Dieser unterscheidet sich, abgesehen von den größeren Initialen, die hier verwendet worden sind, nicht von der Auflage

---

[47] Der Sohn des Johannes Sensenschmidt, der den Erstdruck von 1485 hergestellt hat.

[48] Vgl. Voullième, Die deutschen Drucker des 15. Jahrhunderts 16.

von 1500. Der Druckvermerk findet sich hier auf fol. 332 (unmittelbar vor den »Informationes«) und nennt wieder Johannes Pfeyll (diesmal mit doppeltem »l« geschrieben) als Drucker.

In der Stiftsbibliothek der Alten Kapelle befindet sich ein Exemplar (Nr. 1978). Das Meßbuch war für die »Capella sub gradu« bestimmt. Da der Druckvermerk nicht, wie sonst, am Schluß des Buches steht, hat der Bearbeiter des Katalogs ihn übersehen und den unrichtigen Vermerk »ohne Angabe der Jahreszahl, des Druckers und des Druckorts« angebracht[49]. Als Rückenverstärkung Fragmente eines Breviers des 12. Jahrhunderts.

5. Die Nachdrucke von 1515 und 1518: Während die bisher genannten Auflagen alle Folio-Format aufweisen, zeigen die Ausgaben von 1515 und 1518 das handliche Quartformat (Schriftspiegel 127:185 mm). In diesen finden wir erstmals ein regelrechtes Titelblatt; es lautet: »Missale secundum ritum et consuetudinem Ratisponensis ecclesie«. Das Buch wurde, wie aus dem Vermerk am Schluß zu entnehmen ist, durch Jorgi Rathold, in dessen Presse in Augsburg zahlreiche liturgische Drucke hergestellt wurden[50], angefertigt und zwar im Auftrag des Bischofs Johannes (1507–1538), »comitis palatini Rheni ac ducis Bavariae etc. et eiusdem Ratispon. ecclesie administratoris«. Was den Text des Missale betrifft, so sind keine Abweichungen gegenüber der 1. Auflage von 1485 zu erkennen, abgesehen vom »Ordinarium missae«, das hier an die Stelle des »Canon minor« getreten ist und mit dem Staffelgebet beginnt[51]. Dieses Ordinarium findet sich nicht in allen Exemplaren und scheint vom Drucker dem Meßbuch einer anderen Diözese entnommen worden zu sein.

Die Bischöfliche Zentralbibliothek besitzt zwei Exemplare (Proske 50* und Litung. II 53a).

In dem einen ist der Canon – es ist der von Würzburg – auf Pergament gedruckt (die »Te igitur«-Initiale ist herausgeschnitten) und es fehlt das »Ordinarium missae«, im anderen auf Papier. Die alten Regensburger Opferungsgebete sind hier handschriftlich auf einer freien Seite vor dem »Ordinarium missae« nachgetragen (»Incipit canon minor«)[52]. Dieses Exemplar stammt vermutlich aus (der Gegend von) Engelprechtmünster, wie zahlreiche handschriftliche Eintragungen in das Kalendar nahelegen.

[49] Vgl. Schmid, Die Handschriften und Inkunabeln der Bibliothek des Kollegiatstiftes 64.
[50] Vgl. Voullième, Die deutschen Drucker des 15. Jahrhunderts 13; K. Schottenloher, Die liturgischen Druckwerke aus Augsburg 1485–1522. Typen-Bildproben mit Einleitung und Erklärungen (1922).
[51] Das alte Regensburger Missale kennt noch keine Vorbereitungsgebete. Das gleiche gilt für das Freisinger Missale von 1520 und das von Augsburg von 1510; vgl. Franz, Die Messe im deutschen Mittelalter 751.
[52] Zum »Canon minor« vgl. oben Fußnote 40.

6. *Die Ausgabe von 1611:* Ähnlich wie die übrigen Diözesen des Salzburger Metropolitanverbandes hat auch Regensburg nach 1515 fast hundert Jahre keine neue Ausgabe seines Meßbuches mehr herausgebracht[53]. Schuld daran waren die Wirren der Reformationszeit, die keine Neudrucke liturgischer Bücher zuließen. Weite Teile der Diözese waren kalvinisch geworden. Dazu kam noch die im Zusammenhang mit den Reformbestrebungen erhobene Forderung nach einer generellen Neuordnung des Gottesdienstes[54]. In der Zwischenzeit wurde auf dem Konzil von Trient eine Liturgiereform beschlossen, die auf ein Einheitsmeßbuch hinstrebte. Ein solches hat, wie oben erwähnt, Pius V. im Jahr 1570 vorgelegt.

Obwohl der Regensburger Ritus im »Liber missalis«, weil er mehr als 200 Jahre alt war, an sich nicht unter die Bestimmungen des päpstlichen Mandats fiel, hat doch der »Romanismus«, wie man den Gebrauch der römischen Liturgie damals nannte[55], in der ganzen Erzdiözese Salzburg obsiegt. In Regensburg war es Wolfgang II. (1600–1613), ein eifriger Bischof der Gegenreformation, der, unterstützt vom Domprobst Quirinus Leoninus, diese neue Ausgabe vorbereitet hat[56].

Der Gedanke an ein eigenständiges Regensburger Meßbuch war anscheinend noch so stark, daß Wolfgang sich nicht entschließen konnte, wie es andernorts geschah, einfach das neue römische Missale zu übernehmen und es lediglich mit einem Proprium Ratisbonense zu versehen[57]. Wenn auch in bescheidenem Maße, so wurde damals doch an der offiziellen Ausgabe durch Einfügung Regensburger Eigenmessen Änderungen vorgenommen. Auch das Kalendar wurde entsprechend umgearbeitet. So finden wir u. a. das Fest der »Corona Domini« am 5. Mai, bei Georg ist am 24. April vermerkt[58]: »Georgii martyris duplex. Romae celebratur 23.« Als Vorlage diente nicht die

---

[53] Ähnlich lagen die Dinge in Köln; vgl. Peters 22.

[54] Vgl. J. A. Jungmann, Das Konzil von Trient und die Erneuerung der Liturgie, in: G. Schreiber, das Weltkonzil von Trient I (1951) 325f.

[55] Vgl. J. Oswald, Die tridentinische Reform in Altbaiern, ebd. II (1951) 34.

[56] In Köln hat man dagegen vom päpstlichen Privileg Gebrauch gemacht und noch 1625 und 1626 das »Missale Coloniense« neu herausgegeben; vgl. Peters 29–33. Hinsichtlich Augsburg vgl. Hoeynck 435.

[57] Wie dies etwa in Passau im Jahre 1608 geschehen ist; vgl. Oswald 11.

[58] Das Datum des 24. April findet sich bereits im Regensburger Tassilo-Sakramentar (um 785), es kehrt in den frühen baierischen Missalien wieder und geht auf einen oberitalienischen bzw. mailändischen Brauch zurück; vgl. G. G. Meersseman – E. Adda – J. Deshusses, L'orazionale dell'arcidiacono Pacifico e il carpsum del cantore Stefano. Studi e testi sulla liturgia del duomo di Verona dal IX all'XI sec. (= Spicilegium Friburgense 21, Friburgo/Sv. 1974) 207.

Erstfassung des »Missale Romanum« von Pius V., sondern die überarbeitete und durch zahlreiche Rubriken vermehrte Ausgabe des Papstes Clemens VIII. (1592–1605), die dieser im Jahr 1604 herausgebracht hat. Der Druck dieses neuen »Missale Ratisbonense Romano conformatum« erfolgte in der »Officina Ederiana« durch Andreas Angermaier im Jahre 1611.

Da die Tafel der beweglichen Feste mit dem Jahre 1604 einsetzt, könnten die Vorarbeiten zum Druck bereits zu diesem Zeitpunkt erfolgt sein, also zu Beginn der Regierungszeit des Bischofs Wolfgang. Die Ausgabe zeichnet sich durch schöne ganzseitige Stiche und Vignetten aus. Die Bischöfliche Zentralbibliothek besitzt ein Exemplar (das Titelblatt fehlt)[59].

Als Ergänzung zum alten Missale Ratisponense wurde Ende des 15. oder Anfang des 16. Jahrhunderts ein interessanter »Ordo misse secundum morem Ecclesie Ratisponensis« gedruckt[60]. Das Büchlein besteht aus 16 Blättern; Ort und Zeit des Druckes fehlen. In ihm finden sich ausführliche Vorbereitungsgebete für den zelebrierenden Priester (in der Sakristei und auf dem Weg zum Altar). Das eigentliche Stufengebet hat so gut wie keine Ähnlichkeit mit dem in den späteren römischen Meßbüchern[61]. Die Zubereitung des Kelches erfolgt vor dem Evangelium. Der »Canon missae« entspricht fast genau dem in den Regensburger Missalien. Die privaten Gebete zum Kommunionempfang und unmittelbar danach sind ebenfalls reichhaltig. Der Text des Büchleins ist bei Beck abgedruckt[62].

Die Abschaffung des alten Regensburger Ritus durch Bischof Wolfgang II. zu Beginn des 17. Jahrhunderts und die Einführung des neuen Missale Romanum in der Diözese stellte einen gewaltigen Bruch mit der Tradition dar, in etwa vergleichbar mit der Einführung der neuen Liturgie in den letzten Jahren im Anschluß an das Vatikanische Konzil.

Diese Ritusänderung war damals, im Gegensatz zu heute, weder durch das

---

[59] Von der 2. Auflage dieses Meßbuches, die unter Bischof Albert (1613–1649) herausgekommen ist (vgl. Lipf, Oberhirtliche Verordnungen Nr. 89 S. 46), konnte ich bis jetzt noch kein Exemplar ausfindig machen. Im Bischöflichen Zentralarchiv findet sich in: Collectio Imaginum Ratisbonen. Tomus I., nur das Titelblatt dieser Auflage (v. J. 1624).

[60] Vgl. Franz, Die Messe im deutschen Mittelalter 753, Anm. 4.

[61] Die »Confessio« beginnt, ähnlich wie in einem Missale in Admont (vgl. Köck 111) mit den Worten: »Ego reus et conscius omnium peccatorum meorum confiteor deo omnipotenti . . .« und nennt auch die Diözesanheiligen Wolfgang und Erhard.

[62] Beck, Kirchliche Studien und Quellen 257–273. Angebunden ist in der Inkunabel eine »Verkundung am sontag in den pfarrkirchen« (ebd. 274–281). Nicht erwähnt bleiben darf auch die Inkunabel »Modus legendi et accentuandi epistolas et evangelia secundum ritum ecclesie Ratisbonensis« (in der Bischöfl. Zentralbibliothek, Proske Ch 85).

Konzil von Trient noch durch Pius V. bei seiner Ausgabe des Missale Romanum gefordert worden. Sie lag jedoch im Zug der Gegenreformation, in der die Übernahme des tridentinischen Missale als eine Voraussetzung für die kirchliche Erneuerung angesehen wurde. Auch hatte man in der Barockzeit nur wenig Sinn für alte liturgische Traditionen. Es wurde damals ein neues Frömmigkeitsideal ausgeprägt, das seine sichtbare Gestalt in den überall in Bayern entstehenden Barockkirchen gefunden hat, wobei manche wertvolle alte Bauten abgebrochen oder umgeändert worden sind.

Die Feier der Karwoche im Dom zu Regensburg

Von den Sonderriten des alten »Missale Ratisponense« sind die der Karwoche zweifellos am interessantesten. Sie werden in einem weiteren Regensburger Liturgiebuch aus dem Ende des 15. Jahrhunderts ausführlicher mitgeteilt, nämlich in dem sogen. »Obsequiale«, einer Verbindung von Rituale und Prozessionale[1]. Der Erstdruck stammt aus dem Jahr 1491 und wurde von Georg Stuchs in Nürnberg hergestellt[2]. Von dieser 1. Auflage werden heute noch 5 Exemplare in Regensburger Bibliotheken aufbewahrt[3]; von einem weiteren Exemplar, das anscheinend für den Gebrauch des Bischofs bestimmt und deshalb auf Pergament gedruckt war, befinden sich nur noch Doppelblätter im Bischöflichen Zentralarchiv[4].

Das Regensburger Obsequiale enthält im 1. Teil die bei der Spendung der Sakramente gebrauchten Riten (einschließlich des Beerdigungsritus); in einem weiteren Teil folgen die Gebete und Gesänge zur Kerzenweihe und -Prozession an Maria Lichtmeß, zur Aschenweihe und -Auflegung am Aschermittwoch, zu den Riten an den einzelnen Tagen der Karwoche und in der Osternacht, sowie einige weitere Formulare, u. a. für die Prozession an Fronleichnam.

Das Obsequiale wurde 1570 und dann nochmals 1629 in Ingolstadt nachgedruckt[5]. Diese Auflagen unterscheiden sich fast nicht vom Erstdruck. Sie enthalten als Beigabe am Schluß ein kleines deutsches Gesangbuch mit Noten[6]. Es sind dies die damals im süddeutschen Raum vom Volk gesungenen Kirchenlieder[7].

---

[1] Der genaue Titel lautet:: »Obsequiale sive benedictionale secundum consuetudinem ecclesie et dyocesis Ratisponensis«.

[2] Vgl. L. Hain, Repertorium bibliographicum II,1 (Neudruck 1949) Nr. 11931.

[3] Davon 2 Exemplare in der Bischöfl. Zentralbibliothek (Proske Ch 44 und 44a), 2 Exemplare in der Staatlichen Bibliothek (Rat. episc. et eccl. 478 und 478a) und 1 Exemplar in der Stiftsbibliothek der Alten Kapelle (Nr. 1857, aus Alburg).

[4] Als Einband der »Instruction für das Dekanat Dinglfing« vom Jahr 1643 und zahlreiche losgelöste Einzelstücke.

[5] Exemplare in der Bischöfl. Zentralbibliothek (Proske Ch 66, Liturg. II 26). Das Obsequiale wurde abgelöst von der »Agenda seu Rituale Ratisbonense ad usum Romanum accomodatum« (Salzburg 1661).

[6] »Cantiones germanicae quibus singulis suo tempore in Ecclesia Catholica Ratisponensi tuto uti possumus.«

[7] Sie sind (im wesentlichen) auch in anderen süddeutschen Ritualien als in sich geschlossene Gruppe zu finden, so im »Pastorale ad usum romanum accomodatum« (Ingolstadt 1629), einem Liturgiebuch, das in mehreren Pfarreien der Diözese Regensburg

Auf dieses Obsequiale wird in einer weiteren, etwas jüngeren Quelle für den
Ritus der Karwoche im Regensburger Dom immer wieder verwiesen: dem
handschriftlichen »Ritus Chori maioris ecclesiae Ratisponensis« vom Jahr
1571[8]. Obwohl das genannte Dom-Caeremoniale erst aus dem 16. Jahrhundert stammt, dürfte es doch im wesentlichen den Regensburger Domritus des
Spätmittelalters wiedergeben, zumal es sich, wie gesagt, immer wieder auf das
Obsequiale (des 15. Jahrhunderts) bezieht. Die eigenständige Regensburger
Liturgie wurde erst zu Beginn des 17. Jahrhunderts, wie wir sahen, abge-
schafft. Eine vollständige Edition des »Ritus Chori« wäre wünschenswert[9].
Den spätmittelalterlichen Regensburger Karwochen-Ritus vergleichen wir
mit der Domliturgie des 10. Jahrhunderts, wie sie im oben (S. 92) in
anderem Zusammenhang erwähnten Meßbuch des heiligen Wolfgang
(972–994)[10], einem kostbar ausgestatteten Sakramentar, das für den Pontifi-
kalgottesdienst bestimmt war, vorliegt[11]. Auch das eingehend behandelte,
aus der Zeit des Herzogs Tassilo stammende Regensburger Sakramentar wird
einigemal zu erwähnen sein[12].

Was die Feier der Karwoche betrifft, so müssen wir die eigentlich »römischen« Partien, zu denen die Meßformulare an den einzelnen Kartagen sowie
die Weihe der heiligen Öle am Gründonnerstag sowie des Taufwassers am
Karsamstag gehören, sehr wohl von den lokalkirchlichen unterscheiden. Nur
letztere werden im folgenden behandelt.

verwendet wurde, sowie mit diesem gleichlautend im »Rituale Pragense« von 1642, wo
sie im Appendix unter der Überschrift stehen: »Kirchengesang vonWeyhnachten biß
auff Liechtmeß«. Eine Untersuchung darüber fehlt noch.

[8] Im folgenden abgekürzt: »Ritus Chori«. Die Handschrift befindet sich in der Bischöflichen Zentralbibliothek, Proske 3* (früher Liturg. III 67).

[9] Nicht aus Regensburg stammt der Clm 26947, ein »Breuiarium secundum ordinem
pat (auiensem)« und nicht »rat(isponensem)«, wie Young II 586 gelesen hat. Das Kalendar weist zudem sicher nach Passau. Dieses »Breviarium« wurde von der Passauer
Synode v. J. 1437 erwähnt; vgl. A. Franz, Zur Geschichte der gedruckten Passauer Ritualien, in: Theol.-prakt. Monatsschrift 9 (1899) 75–85, 288–299, hier 79.

[10] Vgl. CLLA Nr. 940. Edition in Vorbereitung (S. Rehle). Im Gegensatz zu anderen Sakramentaren des gleichen Typus finden wir bei unserem Codex zahlreiche Rubriken, die sich auf den Ritus im Regensburger Dom zur Zeit des heiligen Wolfgang
beziehen.

[11] Wir benützen Photographien der Handschrift im Liturgiewissenschaftlichen Institut.

[12] Das einzige vollständige Exemplar befindet sich jetzt in Prag (»Prager Sakramentar«); vgl. CLLA Nr. 630, herausgegeben von A. Dold – L. Eizenhöfer (= Texte und
Arbeiten 38–42, Beuron 1949); vgl. auch oben S. 67ff. Hinsichtlich weiterer Fragmente
vgl. CLLA Nr. 631–635 und K. Gamber, Das Bonifatius-Sakramentar und weitere
frühe Liturgiebücher aus Regensburg (= Textus patristici et liturgici 12, Regensburg
1975) 89–103.

1. Die Palmenprozession

Die Anfänge der Palmenprozession im Abendland liegen im Dunkel[13]. Wir wissen zwar durch den Bericht der aquitanischen Pilgerin Egeria (oder Aetheria) aus dem Ende des 4. Jahrhunderts, daß man schon früh in Jerusalem den Einzug Christi in die Heilige Stadt durch eine feierliche Prozession am Abend (hora nona) des Sonntags vor Ostern nachgebildet hat[14]; in den übrigen Kirchen wurde jedoch allem Anschein nach ein entsprechender Brauch erst einige Zeit später heimisch, am ehesten wohl im byzantinischen Osten[15]. Vorbild wurde dabei das »Typikon der Kirche von Jerusalem«, das nach A. Baumstark die Verhältnisse nach 614 widerspiegelt[16]. Danach begann die Feier in der Frühe des Palmsonntags in der Anastasis-Kirche (Evangelium: Joh 11, 45–12, 11), von dort zog man nach Bethanien, wo die Segnung und Verteilung der Palmen stattfand. Nun ging der Zug zur Himmelfahrtskirche (Evangelium: Marc 11, 1–11), dann zur Gethsemanikirche (Evangelium: Luc 19, 29–38) und zur Muttergotteskirche (Evangelium: Joh 12, 12–18), um schließlich an der Stätte der Kreuzigung (»ad crucem«) zu enden (Evangelium: Matth 21, 1–17)[17].

In Rom (und wahrscheinlich auch in Ravenna) trug der 6. Fastensonntag bis ins Mittelalter hinein die Bezeichnung »De indulgentia«[18]. Als Evangelium las man hier nach Ausweis der ältesten Fassung der römischen Evangelienliste (»Capitulare Evangeliorum«) die Passion nach Matthäus (26,2–27,66)[19]. In

[13] Grundlegend ist die Arbeit von H. J. Gräf, Palmenweihe und Palmenprozession in der lateinischen Liturgie (= Veröffentlichungen des Missionspriesterseminars St. Augustin, Siegburg 5, Kaldenkirchen 1959), immer noch sind beachtenswert die Ausführungen von Franz I, 470–507.

[14] Itinerarium Egeriae, c. 31 (Corpus Christianorum = CCh 175,77); vgl. G. Kretschmar, Die frühe Geschichte der Jerusalemer Liturgie, in: Jahrbuch für Liturgik und Hymnologie II (1956) 22–46, bes. 38.

[15] Vgl. A. Baumstark, La sollennité des palmes dans l'ancienne et la nouvelle Rome, in: Irénikon 13 (1936) 3–24; Gräf 8.

[16] A. Baumstark – Th. Kluge, Quadragesima und Karwoche im 7. Jahrhundert, in: Oriens Christianus N. S. 5 (1915) 201–233.

[17] Vgl. Franz I, 472.

[18] In den Gregoriana mixta sowie in den mittelalterlichen Plenarmissalien finden wir bis in das hohe Mittelalter hinein eine Präfation, die das gleiche Thema beinhaltet (vgl. PL 78, 77 B); dagegen ist die Bezeichnung »Ad palmas« in manchen gregorianischen Sakramentar-Handschriften sicher sekundär; der ursprüngliche Titel dieses Sonntags hat, wie im Capitulare Evangeliorum gelautet: »Die dominico ad Lateranis« (ed. Klauser 23, 69, 110).

[19] Vgl. Th. Klauser, Das römische Capitulare Evangeliorum (= Liturgiegeschichtliche Quellen und Forschungen 28, Münster 1935) S. 23 Nr. 85; vgl. CLLA S. 447–452.

Byzanz ist dagegen wegen der Zeitangabe »ante sex dies paschae« (sechs Tage vor dem Pascha) noch heute die Perikope von der Salbung Jesu in Bethanien und seinem anschließenden feierlichen Einzug in Jerusalem (Joh 12,1–19) üblich[20].

Der gleiche Abschnitt wurde im Abendland in unterschiedlicher Abgrenzung in Gallien (12,1–25)[21], in Oberitalien (12,1–16)[22], in Spanien und Mailand (11,55–12,11)[23], in Benevent (12,1–9)[24] sowie in Aquileja (12,1–?)[25] verlesen. In der römischen Liturgie wurde unsere Perikope erst am darauf folgenden Montag und zwar in der Abgrenzung 12,1–32 vorgetragen[26]. Man hatte in Rom anscheinend die Zeitangabe »ante sex dies paschae« exakt vom Oster-sonntag an zurück gerechnet.

Isidor von Sevilla († 636) kennt zwar bereits den Namen »dies palmarum«, er erwähnt jedoch eine Prozession mit keinem Wort. Im außerrömischen Abendland blieb die offizielle Bezeichnung dieses Sonntags bis ins 8. Jahrhundert hinein »In (traditione) symboli« (Tag der Übergabe des Glaubens-bekenntnisses)[27], weil ursprünglich an diesem Tag den Taufkandidaten das Symbolum übergeben und anschließend in einer Predigt erklärt wurde[28].

In der Evangelienliste von Aquileja, wie sie vor allem im Codex Rehdigeranus vorliegt[79] und die in ihren ältesten Teilen auf den Bischof Fortunatianus († nach 360) zurückreichen dürfte[30], begegnet uns an diesem Sonntag zusätzlich

[20] Vgl. S. Heitz, Der orthodoxe Gottesdienst I (Mainz 1965) 70.

[21] Vgl. P. Salmon, Le lectionnaire de Luxeuil (= Collectanea biblica latina VII, Vaticano 1944) 81 f.

[22] Im Bobbio-Missale aus dem Anfang des 8. Jahrh.; vgl. die Tabelle bei Salmon a.a.O. p. CX.

[23] Vgl. Missale Mixtum (PL 85, 397 f.); O. Heining, Das ambrosianische Sakramentar von Biasca (= Liturgiewissenschaftl. Quellen und Forschungen 51, Münster 1969) 61.

[24] Vgl. S. Rehle, Missale Beneventanum von Canosa (= Textus patristici et liturgici 9, Regensburg 1972) Nr. 430, S. 116.

[25] Vgl. K. Gamber, Die älteste abendländische Evangelien-Perikopenliste, in: Münchener Theol. Zeitschrift 13 (1962) 185.

[26] Vgl. Klauser, Das römische Capitulare Evangeliorum S. 23 Nr. 86.

[27] Vgl. H. Kellner, Heortologie (Freiburg 1911) 49 f.

[28] Im Abendland begegnet uns noch eine weitere alte Bezeichnung für diesen Sonntag: »Dies dominicae ascensionis«, d. h. Tag des Hinaufgehens des Herrn (nach Jerusalem) im Hinblick auf Joh. 11,55; vgl. K. Gamber, Die Autorschaft von De sacramentis. Zugleich ein Beitrag zur Liturgiegeschichte der römischen Provinz Dacia mediterranea (= Studia patristica et liturgica 1, Regensburg 1967) 22.

[29] Vgl. CLLA Nr. 245/246.

[30] Es ist noch eine Unterweisung erwachsener Katechumenen vorgesehen; vgl. Gamber, Die älteste abendländische Evangelien-Perikopenliste (oben Anm. 25) 184.

die Bezeichnung »super olivo(s)«. Außerdem weist diese Liste eine weitere Perikope für den gleichen Tag auf, nämlich Matth 21, 1–9[31]. Diese Lesung handelt, im Gegensatz zur oben genannten Lesung aus Johannes, ausschließlich vom Einzug Jesu in Jerusalem. In ihr werden nicht nur Palmen (»ramos palmarum«), wie in Joh 12,13, sondern ganz allgemein »Zweige von Bäumen« (»ramos de arboribus«) erwähnt (21,8). Ferner wird zu Beginn (21,1) als Ausgangspunkt des Zuges der Ölberg genannt. Es ist übrigens die gleiche Lesung, die heute noch im byzantinischen Ritus zum Frühgottesdienst (»Orthros«) des Palmsonntag gehört[32].

Diese jüngere Perikope, die sich im Abendland, wie gesagt, zuerst in Aquileja nachweisen läßt, dürfte zu einer bereits gebräuchlichen Palmenprozession, bei der Palmen- und Olivenzweige mitgetragen wurden, in Beziehung stehen. Wenn nicht alles täuscht, ist die Metropole Aquileja, die im Frühmittelalter intensiven Handel mit Byzanz und dem ganzen Orient unterhalten hat, der Übermittler der jerusalemitisch-byzantinischen Palmenfeier nach dem Westen. Die Übereinstimmung mit der Leseordnung der Kirche von Byzanz ist jedenfalls auffällig.

Für diese Annahme spricht, außer der oben angeführten Bezeichnung »super olivos« in der Evangelienliste von Aquileja, auch die Tatsache, daß die ältesten Zeugnisse für eine Weihe der Olivenzweige aus dem Gebiet eben dieser Metropole stammen. So ist im (oberitalienischen) Bobbio-Missale aus dem Anfang des 8. Jahrhunderts eine »Benedictio palmae olivae super altario« zu finden[33] und ähnlich im Tassilo-Sakramentar aus Regensburg, welche Stadt damals noch zu Aquileja gehört hat, eine »Benedictio palmarum«. Außerdem begegnet uns im letzteren als Präfation dieses Tages ein Text, in dem deutlich auf eine (Palmen-)Prozession hingewiesen wird[34]. Eine ausführliche »Benedictio super ramos olivarum« mit einer Präfation, wie sie in Deutschland verschiedentlich bis ins 17. Jahrhundert hinein gebräuchlich war, findet sich im Sakramentar von Monza, das nach einer alten Vorlage im 9./10. Jahrhundert in Bergamo geschrieben ist[35].

Außer in Aquileja dürfte auch in Benevent schon früh ein eigener Ritus für

---

[31] Vgl. Gamber, Die älteste abendländische Evangelien-Perikopenliste Nr. 8 S. 185.
[32] Die Zeremonien bei der Palmenprozession in Konstantinopel beschreibt Constantinus Porphyrogenitus († 959) in: De ceremoniis aulae Byzantinae I,21–22 (PG 112, 411); vgl. Franz I 473.
[33] Vgl. PL 72,572; Gräf 11f.; zum Bobbio-Missale vgl. CLLA Nr. 220.
[34] Vgl. Gräf 28f.
[35] Vgl. CLLA Nr. 801; herausgegeben von A. Dold – K. Gamber, Das Sakramentar von Monza (= Texte und Arbeiten, 3. Beiheft, Beuron 1957) Nr. 251–256.

die Palmenprozession ausgebildet worden sein[36]. Dieser enthält Antiphonen, die sonst nirgends mehr zu belegen sind. Hier und in Mittelitalien hat man die Palmenweihe nach Art einer »Missa sicca«[37] gestaltet, bei der die Palmenweihe den Canon und die Austeilung der Zweige die Kommunion vertrat. Die Tatsache, daß in Rom eine Palmenprozession bis ins Mittelalter hinein – genau bis zum Jahr 1026 – nicht üblich war[38] und es sich um einen Ritus handelt, der in anderen abendländischen Metropolen entwickelt worden ist, macht verständlich, warum sich im Abendland keine einheitlichen Zeremonien für diese Feier durchsetzen konnten.

Der Ritus der Regensburger Palmenweihe und -Prozession am Ausgang des Mittelalters ist im handschriftlichen Missale in der Alten Kapelle sowie im Obsequiale und, was speziell die Domliturgie betrifft, im Ritus Chori von 1571 enthalten[39]. Der Regensburger Ordo läßt eine gewisse Abhängigkeit vom ersten Palmenfeier-Ordo (von dreien) im Mainzer Pontifikale des 10. Jahrhunderts erkennen, dem berühmten Pontificale Romano-Germanicum (= PRG)[40], ohne jedoch mit diesem in allen Punkten zusammenzugehen. Auch zum Ritus, wie er im Missale Romanum (= MR)[41] vorliegt, bestehen Beziehungen. Aus welchen Quellen PRG und MR schöpfen, ist im einzelnen noch nicht erforscht, wahrscheinlich auch nicht mehr feststellbar[42].

Die ältere Fassung des Regensburger Palmsonntags-Ordo dürfte im Missale in der Alten Kapelle zu suchen sein. Im Obsequiale sind dagegen Kürzungen (durch Weglassen einiger Orationen) und gelegentliche Umstellungen zu verzeichnen. Dies zeigt, wie sehr diese Zeremonien damals noch lebendig waren, weil sie immer wieder Änderungen erfahren haben.

[36] Vgl. Gräf 54–57,111.
[37] Zur »Missa sicca« vgl. Franz, Die Messe im deutschen Mittelalter 79–84.
[38] Vgl. Gräf 137.
[39] Vgl. oben S. 148.
[40] Vgl. CLLA S. 566; herausgegeben von C. Vogel – R. Elze, Le pontifical romano-germanique du dixième siècle (= Studi et Testi 226, 227, 269 Vaticano 1963–1972). Ursprünglich scheint man vielerorts in Bayern diesen Ritus vollständig übernommen zu haben, so in einem Sakramentar des 11. Jahrhunderts, das sich zuletzt in Amberg befand; vgl. K. Gamber, Ein bayerisches Sakramentarfragment des S-Typus aus dem frühen 11. Jahrhundert, in: Sacris erudiri 11 (1960) 220–224.
[41] Unter »Missale Romanum« (MR) verstehen wir im folgenden das römische Meßbuch vor den Reformen der Päpste Pius XII. bis Paul VI.
[42] Jedenfalls scheint sicher zu sein, daß der Mainzer Mönch lediglich der Kompilator war. Bei Übereinstimmung mit dem PRG braucht demnach dieses selbst nicht die direkte Quelle zu sein; zur Geschichte des PRG vgl. C. Vogel, Introduction aux sources de l'histoire du culte chrétien au moyen âge (= Bibliotheca degli »Studi Medievali« 1, Spoleto 1966) 187–203.

Die Feier des Palmsonntag begann in Regensburg unmittelbar mit der Exodus-Lesung[43]. Es fehlte also die vorausgehende Antiphon »Hosanna« mit der Oration, wie wir sie im PRG und MR finden. Im Anschluß an die Lesung sang der Chor das Responsorium »Collegerunt pontifices« und der Diakon das Evangelium[44]. Nach dem Ritus Chori fand die Palmenweihe am Lettner (»ad lectorium«)[45] im Dom statt[46] und nicht, wie sonst vielfach üblich, in einer eigenen Versammlungskirche, die meist außerhalb der Stadt lag[47]. Der Bischof und seine Assistenz tragen rote Gewänder.

Nach den Lesungen beginnt die eigentliche Weihe der (Palm-)Zweige. Sie wird mit der kurzen Oration »Exaudi nos domine« (Initium sonst: »Adesto nobis omnipotens deus«), die wir auch zu Beginn der Taufwasserweihe und anderer feierlicher Handlungen vorfinden, sowie einem »Exorcismus florum et frondium« eingeleitet. Letztere Formel über Blumen und Zweige kommt bereits im Regensburger Baturich-Pontifikale des 9. Jahrhunderts vor[48].

[43] Exod 15,27; 16,1–7 wie im MR; im PRG finden wir einen längeren Text: Exod 15, 27; 16, 1–10. Bei uns am Schluß »(videbitis) gloriam eius« statt »gloriam domini«.

[44] Matth. 21, 1–9, wie in der Evangelienliste von Aquileja und im MR; im PRG dagegen: Marc 11, 1–10. Unsere Perikope auch in einem mittelitalienischen Plenarmissale (Cod. Vat. lat. 4770, fol. 68 v); vgl D. Balboni, Il rito della Benedizione delle Palme (= Studi e Testi 219, Vaticano 1962) 55–74 (Tav. II). Da hinsichtlich der Lesungen das Regensburger Obsequiale nicht nur vom PRG, sondern auch von den entsprechenden Liturgiebüchern anderer bayerischer Diözesen abweicht, ist daran zu denken, daß hier direkter Einfluß vonseiten eines mittelitalienischen Plenarmissale vorliegt. Das Fragment eines solchen aus dem Ende des 11. Jahrhundert aus der ehem. Dombibliothek ist erhalten (vgl. unten Anm. 117).

[45] »Lectorium« kann an sich auch Lesepult bedeuten, doch ist hier der Altar des Lettners gemeint. Ein Lettner befand sich im Regensburger Dom bis zum Jahr 1644. Von 1630 ist ein Stich dieses gotischen Lettners (mit fünf Arkaden) erhalten, in: J. Fraue, Relationis Historicae Semestrali Continuatio (Frankfurt/Main 1631); Wiedergabe in: W. Meyer, Dome und Kirchen in Bayern (Frankfurt/Main 1963) Abb. 59 (freundl. Mitteilung von Fr. Dietheuer).

[46] Ritus Chori: »Suffraganeus (hier Weihbischof) cum ministris et rubru pallio (= Pluviale) indutus, una cum Summissario (= Submissarius = Domvikar, hier Dom-Caeremoniar) in rubro pallio sub Sexta ascendunt in latere praepositi processionatim ad lectorium, procendentibus vexillis et candelis, thuribulo et aqua benedicta ad benedicendum palmas. Qua statim benedicentur post Sextam, sicut ponitur in Obsequiali«.

[47] So ist z. B. in Augsburg im 10. Jahrhundert nach der Vita Udalrici (c. 4) der Bischof in der Frühe nach S. Afra gegangen, wo die Palmenweihe stattfand. Darauf zog er, begleitet von Klerus und Volk, in Prozession zur Kathedrale; vgl. Hoeynck 211; R. Bauerreiß, Kirchengeschichte Bayerns II (St. Ottilien 1950) 104 f.

[48] Herausgegeben von Fr. Unterkircher (- K. Gamber), das Kollektar-Pontifikale des Bischofs Baturich von Regensburg (= Spicilegium Friburgense 8, Freiburg 1962) Nr. 420 S. 97.

Die nun folgenden Segensgebete sind im Missale in der Alten Kapelle zahlreicher als im Obsequiale. Hier finden wir nur zwei: »Omnipotens sempiterne deus flos mundi« (= PRG) und »Deus cuius filius« (= PRG), im genannten Missale zusätzlich die Gebete »Omnipotens sempiterne deus qui diluvii« (cf. PRG) und »Deus qui dispersa« (= MR), eine Oration, die in dieser Fassung im PRG fehlt[49] und in deutschen Liturgiebüchern nur selten zu finden ist, jedoch in mittelitalienischen Formularen häufig vorkommt[50].

Den Höhepunkt der Palmenweihe bildet eine feierlich gesungene Präfation. Bei ihr handelt es sich nicht um den Text im MR[51]. Im Obsequiale begegnet uns die aus dem PRG und den meisten mittelalterlichen Ritualien aus Bayern bekannte Formel »Te inter cetera«[52], eine Palmenweihe-Präfation, die bereits im oben genannten Sakramentar aus Monza auftritt[53]. Im Missale in der Alten Kapelle steht dagegen ein anderer Text, nämlich die Präfation »Mundi conditor«, die auch in anderen deutschen Liturgiebüchern, teils als Präfation, teils als Oration, verzeichnet ist[54]. Ihr schließt sich bei beiden Fällen das Gebet »Omnipotens genitor« (= PRG) an.

Darauf werden die Zweige mit Weihwasser besprengt und inzensiert. Das Missale kennt dabei eine eigene Segensformel »Benedic quaesumus domine (= MR); sie fehlt im Obsequiale. Während der Austeilung singt der Chor folgende Antiphon:

> (Fulgentibus palmis) Mit Palmen in den Händen werfen wir uns nieder vor dem Herrn, der da kommt. Ihm wollen wir alle entgegeneilen mit Hymnen und Liedern, ihn loben und rufen: Hochgelobt sei der Herr![55]

Dieser Gesang fehlt im MR wie auch in den mittelitalienischen und beneventanischen Liturgiebüchern[56]. Im PRG hat er an späterer Stelle und zwar bei

[49] Hier in erweiterter Form: »Deus qui filium tuum unigenitum . . .« (Gräf 154, Nr. 24).
[50] Auch hier wie bei uns unmittelbar vor der Weihepräfation; vgl. Balboni (oben Fußnote 44) 68. – Also auch hier wieder, wie bei den Lesungen, Einfluß eines mittelitalienischen Liturgiebuchs.
[51] Vgl. O. Casel, in: JLW II (1922) 107–110; O. Heiming, ebd. IV (1924) 183–185. Die Präfation kommt bereits in einer Handschrift aus Florenz (Laur., Aedil. 111, fol. 79 v) vor; vgl. Gräf 101 f.
[52] Vgl. Franz I, 494.
[53] Ursprünglich war sie eine in Oberitalien übliche Formel für die Ölweihe am Gründonnerstag, die vor dem »Per quem haec omnia . . .« des Canon ihren Platz hatte; vgl. Dold – Gamber, Das Sakramentar von Monza Nr. 256 und S. 110*.
[54] Vgl. Franz I, 491.
[55] Der lateinische Text dieser und weiterer Gesänge findet sich in PRG und braucht deshalb hier nicht abgedruckt zu werden.
[56] Vgl. Gräf, Tabellen IV und VI.

der »Statio sanctae crucis« (darüber später) seinen Platz[57]. An der gleichen Stelle wie bei uns finden wir die Antiphon im Rituale von St. Florian aus der 1. Hälfte des 12. Jahrhunderts[58].

Den Abschluß des ersten Teils der Palmsonntagsfeier, der Weihe und Austeilung der Palmen und Zweige, bildet die Oration »Omnipotens sempiterne deus qui (filium tuum) dominum nostrum«, die auch im PRG und MR nach Beendigung der Austeilung gesprochen wird.

Bevor wir den weiteren Verlauf der spätmittelalterlichen Feier im Regensburger Dom verfolgen, sei ein kurzer Blick auf den Ritus in den ältesten Zeugnissen für diesen Ordo aus unserer Bischofsstadt geworfen. Im bereits erwähnten Tassilo-Sakramentar in Prag, das für die herzogliche Pfalzkapelle in Regensburg bestimmt war[59], begegnet uns, wie bereits oben kurz angedeutet, nur eine einzige Segensformel, »Benedictio palmarum« überschrieben[60]. Die gleiche Formel findet sich im Sakramentar von Salzburg (nach 800)[61] sowie im Sakramentar des Bischofs Adalpret von Trient (1156–1177)[62]; sie dürfte, da die Heimat der genannten Meßbücher im Gebiet des Patriarchats von Aquileja (vor der Abtrennung der Erzdiözese Salzburg) liegt, dem ursprünglichen Palmenweihe-Ritus dieser Metropole zuzurechnen sein.

Im Wolfgangs-Sakramentar aus dem Ende des 10. Jahrhunderts begegnet uns zu Beginn der Palmsonntagsfeier die oben genannte Exorzismus-Formel; darauf folgen unter der Überschrift »Item benedictio olivarum vel ceterum frondium« die im späteren Ritus von Regensburg fehlenden Orationen »Deus qui olivae« (= PRG) und »Deus qui filium tuum (= MR) sowie als Präfation die gleiche wie im Missale in der Alten Kapelle, mit der abschließenden Oration »Omnipotens sempiterne deus qui dominum« (wie oben).

Außerhalb unserer Untersuchung bleibt der Palmsonntags-Ritus im Pontifikale des Regensburger Bischofs Otto von Riedenburg (1060–1089)[63], da das

---

[57] Ebenso in Augsburg; vgl. Hoeynck 210 oder in Konstanz; vgl. Dold, Die Konstanzer Ritualientexte 131.
[58] Herausgegeben von A. Franz, Das Rituale von St. Florian aus dem 12. Jahrh. (Freiburg 1904) 39.
[59] Vgl. oben S. 67 ff.
[60] Vgl. Dold-Eizenhöfer, Das Prager Sakramentar Nr. 85.
[61] Vgl. Dold–Gamber, Das Sakramentar von Salzburg (= Texte und Arbeiten, 4. Beiheft, Beuron 1960) Nr. 77.
[62] Jetzt in Wien, Ö.N.B., Ser. n. 206; herausgegeben von Fr. Unterkircher, Il sacramentario Adalpretiano (= Collana di monografie 15, Trento 1966) S. 62 Nr. 74a.
[63] Jetzt in Paris, B. N., ms. lat. 1231 (fol. 128–133).

ganze Pontifikale eine eigene Untersuchung verdient[64]. Unberücksichtigt bleibt hier ferner die »Benedictio palmarum ceterarumque frondium«, die sich in einer vermutlich aus Obermünster stammenden Pracht-Handschrift findet[65]. Auch das Kloster-Rituale von (Prüfening oder) Biburg klammern wir aus[66].

Im oben erwähnten Adalpret-Sakramentar von Trient aus dem 12. Jahrhundert stimmt der erste Teil der »Benedictio super palmas« fast genau mit dem entsprechenden Ritus des Wolfgangs-Sakramentars überein[67]. Hier scheint eine gemeinsame Quelle vorzuliegen, zumal andere Handschriften, die dem gleichen Typus wie das Regensburger Meßbuch angehören, nämlich die sogen. »Gregoriana mixta«, eine Palmenweihe überhaupt vermissen lassen[68]. Diese Quelle ist allem Anschein nach auch hier im frühmittelalterlichen Ritus von Aquileja zu suchen.

Doch kehren wir wieder zurück zur Domliturgie gegen Ende des Mittelalters! Im Obsequiale wird mit der Rubrik »Danach ordne sich die Prozession nach der jeweiligen örtlichen Gewohnheit«[69] – wodurch eigenständige Riten in den einzelnen Kirchen nicht ausgeschlossen werden – der zweite Teil der Palmsonntagsfeier eingeleitet, die Palmenprozession.

Nach dem Regensburger Kathedralritus zog man hinaus zum Domfriedhof[70], der sich damals an der Stelle des heutigen Domgartens befand und von dem fast nur mehr die gotische Lichtsäule in der Mitte übrig geblieben ist. Zuvor stimmt der »Summissarius«, d. i. der diensthabende Domvikar (Caeremoniar), die Antiphon »Cum appropinquaret« an, die auch im MR an dieser Stelle vorgesehen ist. Daß die Feier auf dem Friedhof stattfindet, widerspricht der Sitte in den meisten anderen Kirchen, wo man meist von einer

---

[64] Übersicht über die ganze Handschrift bei Andrieu I, 256–265 (mit weiterer Literatur).

[65] Jetzt in Bologna, B. U., Cod. 1084; vgl. A. Ebner, Quellen und Forschungen zur Geschichte und Kunstgeschichte des Missale Romanum. Iter Italicum (Freiburg 1896) 8. Die Schwierigkeit, die Ebner hier Anm. 1 hinsichtlich Obermünster als Heimat des Meßbuches sieht, besteht nicht, da die Messe »In sacratione monachi« einen späteren Nachtrag dargestellt.

[66] Herausgegeben von W. von Arx, Das Klosterrituale von Biburg (= Spicilegium Friburgense 14, Freiburg/Schweiz 1970) 187ff.; vgl. dazu K. Gamber, in: VO 117 (1977) 303–305.

[67] Vgl. Unterkircher (oben Anm. 62) 62.

[68] Vgl. z. B. PL 78, 77 A, wo das Eligius-Sakramentar (CLLA Nr. 901) ediert ist.

[69] »Deinde ordinetur processio iuxta consuetudinem loci«.

[70] Ritus Chori: »Et statim processio dirigatur ad Coemiterium. Et Summissarius incipit Antiphonam: Cum appropinquaret, et omnia rite et ordinate fiant sicut in obsequiali ponitur«.

Kapelle außerhalb der Stadt zur Kathedrale zog. Doch ist der Regensburger Brauch bereits im 12. Jahrhundert auch anderswo, so für Bamberg bezeugt[71].

Die Prozession machte am Bild des Heilands (»ante imaginem salvatoris«) Halt. Was unter »imago salvatoris« zu verstehen ist, wird aus den Rubriken nicht deutlich. An sich sollte man meinen, daß unter »imago« hier (wie auch sonst) das Kreuz gemeint ist[72], zumal im PRG sowie in zahlreichen anderen Quellen der nachfolgende Ritus vor dem Kreuz stattfindet (»Statio sanctae crucis«). Eine Oration »ad crucem« erwähnt bereits Egeria als am Schluß der Palmenprozession üblich[73]. Doch ist auch eine andere Deutung, die J. Staber gibt, durchaus möglich, daß nämlich mit dem »Bild des Heilands« der sogen. Palmesel gemeint ist. Ein solcher wird für Augsburg bereits im 10. Jahrhundert bezeugt[74].

Für die letztere Annahme spricht die Tatsache, daß in einem Caeremoniale aus St. Emmeram, wo die Prozession ebenfalls auf den Friedhof hinaus zieht, ausdrücklich ein »Esel des Herrn« (»ad asellum domini«) genannt wird[75]. Dagegen läßt eine ähnliche Handschrift aus Sulzbach die Frage wieder offen. Hier heißt es: »Wenn man zum Bild des Herrn kommt, das im Friedhof gegen Osten aufgestellt ist, singt der Chor . . .«. Bei der Rückkehr zur Kirche »wird das Bild des Herrn genommen und von den Priestern zur Kirche getragen«[76]. Hier möchte man eher an eine bildhafte Darstellung vom Einzug Christi in Jerusalem als an einen Palmesel denken. Vielleicht gilt dies auch für die Domliturgie.

Vor dem Bild des Heilands im Friedhof wird zuerst eine Antiphon, die auch im MR zu finden ist, gesungen und zwar in Regensburg dramatisch im Wechsel zwischen Chor, zwei Sängerknaben und zwei Greisen:

> (Cum audisset populus) Als das Volk gehört hatte, Jesus komme nach Jerusalem, nahmen die Leute Palmzweige und zogen ihm entgegen und die Kinder riefen laut: (Knaben)[77] Dieser ist es, der da kommen soll

[71] Vgl. E. K. Farrenkopf Breviarium Eberhardi Cantoris (= Liturgiew. Quellen und Forschungen 50, Münster 1969) 70.
[72] Vgl. Gschwend 63, Anm. 20.
[73] Vgl. Itinerarium Egeriae, c. 31 (CCh 175,77): »Ubi cum ventum fuerit (ad Anastase) . . . fit denuo oratio ad Crucem et dimittitur populus«.
[74] Vgl. Hoeynck 211.
[75] Clm 14073, fol. 35 v (nach Staber 65).
[76] Clm 12301, fol. 82 v (nach Staber 64).
[77] Wahrscheinlich dabei mit dem Finger auf das Bild zeigend; vgl. Gräf 119.

(Chor) zum Heil des Volkes. (Knaben) Dieser ist unser Heil (Chor) und die Erlösung Israels. (Knaben) Wie groß ist dieser, dem die Throne und Herrschaften entgegenziehen! (Chor) Fürchte dich nicht, du Tochter Sion. Siehe dein König kommt zu dir, sitzend auf dem Füllen einer Eselin, wie geschrieben steht. (Greise) Heil dir, König, Schöpfer der Welt, der du gekommen bist uns zu erlösen.

Nun folgen (nach dem Obsequiale) abermals Lesungen und zwar im Anschluß an den Text der Antiphon zuerst ein Abschnitt aus dem Propheten Zacharias (9,9–16a), der in anderen Kirchen verschiedentlich als Eingangslesung erscheint[78], und dann das Evangelium nach Marcus (11,1–10). Dieser Abschnitt hat im PRG seinen Platz zu Beginn der Palmenweihe (anstelle unserer Perikope aus Matthäus). Eine derartige zweite Evangelienlesung findet sich im oben kurz beschriebenen Ritus von Jerusalem (hier sind es vier) und ist sonst nur selten bezeugt. Sie fehlt auch im Missale in der Alten Kapelle. Bezeugt wird sie u. a. im Caeremoniale von Metz aus dem 12./13. Jahrhundert, wo sie ähnlich bei der »Statio sanctae crucis« erfolgt, doch sang man hier am Stadttor noch ein drittes Evangelium und zwar das nach Lucas[79].
Den Schlußgedanken des Evangeliums greift die nachfolgende Antiphon auf, die zum Canticum Benedictus gesungen wird:

> (Turba multa) Die große Menge, die zum Fest zusammengekommen war, rief zum Herrn: Gebenedeit sei der da kommt im Namen des Herrn! Hosanna in der Höhe!

Danach folgt ein eigenartiger Ritus, der im PRG erst teilweise ausgebildet ist, aber in allen deutschen Ritualien des Spätmittelalters erscheint. Der Bischof (bzw. der rangälteste Priester) wirft sich vor dem Bild nieder, wobei der Domdekan (bzw. der Diakon) ihn mit dem Palmzweig schlägt. Dabei singt er:

> (Scriptum est enim) Es steht nämlich geschrieben: ich will den Hirten schlagen und die Schafe werden zerstreut werden.

Der Bischof erhebt sich und singt »submissa voce« (mit halblauter Stimme):

> Wenn ich aber auferstanden bin, gehe ich euch voraus nach Galiläa. Dort werdet ihr mich sehen, spricht der Herr[80].

[78] Vgl. Gräf 106.
[79] Vgl. Gräf 105.
[80] Es handelt sich hier um die Antiphon zum Magnificat des Palmsonntags; vgl. Gräf 118.

Dieser Ritus – im PRG fehlt noch das Schlagen mit dem Palmzweig – vollzieht sich dreimal hintereinander. Er bildet einen Hinweis auf die Auferstehung Jesu, wobei der Zelebrant Christus darstellt[81]. Dem Christus-König, dem Sieger über den Tod, gilt auch der anschließende Hymnus des Theodulf von Orleans († 821) »Gloria laus et honor«[81a], dessen einzelne Verse von zwei oder drei Knaben gesungen werden. Sooft das Wort »rex« (König) vorkommt, fallen die Sänger in die Knie.

Den Abschluß der Feier auf dem Friedhof bilden zwei kurze Antiphonen, die beide mit den Worten beginnen »Pueri Hebraeorum«. Vielerorts, so schon im PRG, wurde der Gesang dadurch illustriert, daß die Sängerknaben ihren Palmwedel bzw. ihren Mantel (»cappas«) vor das Bild des Gekreuzigten hinlegten[82]. Im Regensburger Obsequiale wird diese Zeremonie nicht eigens erwähnt. Dies muß jedoch nicht heißen, daß sie im Domritus unbekannt war. Zuletzt wird folgende Antiphon gesungen:

> (Occurrunt turbae) Es kommen entgegen die Volksscharen mit Blumen und Palmen dem Herrn, dem Erlöser, und sie huldigen geziemend dem Sieger auf seinem Triumphzug. Laut rühmt der Völker Mund den Sohn Gottes und zum Lobe Christi dringen laute Rufe durch die Wolken: Hosanna!

Im Missale in der Alten Kapelle finden wir einen etwas anderen Ritus. Es fehlen hier, wie gesagt, die abermaligen Lesungen während der Prozession. Nach dem Gesang der Antiphon »Cum audisset populus« folgt unmittelbar die eben angeführte Antiphon »Occurrunt turbae«. Darauf singen zwei Knaben, ihre Mäntel auf die Erde werfend:

> (Pueri Hebraeorum) Die Knaben der Hebräer breiteten ihre Gewänder auf der Straße aus und riefen laut: Hosanna dem Sohne Davids! Gebenedeit sei der da kommt im Namen des Herrn!

Darauf kommen abermals zwei Knaben und legen ihre Palmzweige anbetend vor dem Kruzifix nieder, indem sie singen:

> (Pueri Hebraeorum) Die Knaben der Hebräer nahmen Ölzweige und gingen dem Herrn entgegen, laut rufend: Hosanna in der Höhe.

---

[81] In verschiedenen Liturgiebüchern, so in der Agende von Worms v. J. 1498 und im Missale von Zagreb v. J. 1511, findet sich der Vermerk, daß die Seite des Gekreuzigten geschlagen werden soll (und nicht der Priester); vgl. Gräf 118.

[81a] Analecta Hymnica 50, 160–166.

[82] Vgl. Gräf 117.

Nach diesem Gesang der Sängerknaben folgt im Missale der oben beschriebene Ritus »Scriptum est enim«, der vom Offizianten mit der Oration »Omnipotens sempiterne deus qui filium«, die auch am Schluß der Palmenweihe ihren Platz hat, geschlossen wird; »ad libitum« ist auch die Oration »Respice quaesumus domine super hanc familiam tuam« angeführt, die im Rituale von St. Florian an der gleichen Stelle erscheint. Der Chor singt nun die Antiphon:

> (Ante sex dies) Sechs Tage vor dem Osterfest, als der Herr zur Stadt Jerusalem kam, eilten ihm Knaben entgegen; sie trugen Palmzweige in den Hinden und riefen mit lauter Stimme: Hosanna in der Höhe! Gebenedeit bist du, der du kommst in der Fülle deiner Erbarmung! Hosanna in der Höhe!

und schließlich der Hymnus »Gloria laus«. Der Unterschied zum Ritus des Obsequiale besteht also hauptsächlich in der Umstellung der einzelnen Gesänge sowie im Wegfall der Lesungen während der Palmenprozession. Wahrscheinlich liegt hier eine ältere Form des Regensburger Ritus vor[83]. Nach dem Caeremoniale des Abtes Wolfgang Strauß von St. Emmeram (vor 1435) ist die Feier im Benediktinerkloster wie folgt: Wenn die Prozession in den Friedhof gekommen ist, zum Esel des Herrn, singen die Knaben »Gloria laus et honor«. Wenn dieser Hymnus zu Ende ist, wird die Antiphon »Fulgentibus palmis« gesungen. Der Abt legt sich auf die Erde, die anderen knien nieder. Der Cantor stimmt an: »Ingrediente domino« und die Mönche ziehen durch die St. Zeno-Kapelle wieder zum Chor. Das Volk aber »cum suo concento« (wohl einem deutschen Lied) trägt den Esel durch die vordere Pforte zum Münster[84]. Hinweise auf das Hinstreuen der Zweige und Niederlegen der Kleider fehlen.

Die Feier schließt nach dem Missale in der Alten Kapelle mit der Oration »Adiuva nos deus« (= PRG) sowie einer weiteren »si placet«: »Deus qui humani generis«. Letztere findet sich an dieser Stelle m. W. sonst nirgends; sie scheint jedoch sehr altertümlich zu sein, da sie Bezug nimmt auf die Taufkandidaten, denen ehedem, wie eingangs angedeutet, an diesem Sonntag das Glaubensbekenntnis (Symbolum) übergeben und erklärt wurde[85].

[83] Es handelt sich jedenfalls nicht um den Ritus der Alten Kapelle, da die Handschrift ehedem nicht der Stiftskirche, sondern der Kilianskapelle im Domherrenhaus am Frauenbergl gehört hat.

[84] Vgl. B. Bischoff, Mittelalterliche Studien II (Stuttgart 1967) 122, Anm. 48,; Staber 65.

[85] Im Prager Sakramentar hat sie unmittelbar vor dem Palmsonntags-Formular unter den »Orationes super electos ad caticuminum faciendum« ihren Platz (ed. Dold-Eizenhöfer 81,3); vgl. auch oben S. 119.

Nach Beendigung der Zeremonien auf dem Domfriedhof begibt sich der Zug wieder zurück »ad chorum«. Dabei wird die Antiphon »ante sex dies« oder das Responsorium (wie im MR) »Ingrediente domino« gesungen, wobei der Ritus Chori nur das letztere erwähnt:[86]

> (Ingrediente domino) Als der Herr in die heilige Stadt einzog, verkünde-
> ten die Knaben der Hebräer die Auferstehung des Lebens. Palmzweige
> in den Händen haltend riefen sie: Hossana in der Höhe! Als sie gehört
> hatten, Jesus nähere sich Jerusalem, zogen sie ihm entgegen; Palmzweige
> in den Händen haltend riefen sie: Hosanna in der Höhe!

Auch hier wieder, wie bei der Szene auf dem Friedhof, der Hinweis auf die Auferstehung! A. Baumstark hat gezeigt[87], daß es sich bei diesem Text um eine freie Übersetzung eines griechischen Tropariums der Vesper des Palmsonntags handelt:

> Εἰσερχομένου σου κύριε εἰς τὴν ἁγίαν πόλιν ... οἱ παῖδες τῶν
> Ἑβραίων τῆς ἀναστάσεως τὴν νίκην προμηνύοντες ὑπήντων σοι
> μετὰ κλάδων καὶ βαΐων λέγοντες · εὐλογημένος εἶ σωτήρ · ἐλέησον
> ἡμᾶς.

Dies wirft die Frage auf, ob nicht die Mehrzahl der übrigen Gesänge zur Palmenprozession, die wir oben ihrem vollen Wortlaut nach mitgeteilt haben, ebenfalls (freie) Übersetzungen griechischer bzw. ganz allgemein ostkirchlicher Troparien darstellen, nachdem sie ihrem Stil nach deutlich nicht-römisch, jedoch der östlichen Hymnologie ähnlich sind. Einige Gesänge könnten sogar auf die älteste Liturgie Jerusalems zurückgehen[88].

Da in Rom im Frühmittelalter eine Palmenprozession, wie wir sahen, unbekannt war, müssen die entsprechenden lateinischen Antiphonen in einer anderen Metropole ausgebildet worden sein. Zu denken wäre vor allem an Aquileja, wo wegen der politischen Zugehörigkeit zu Byzanz rege kulturelle

---

[86] Ritus Chori: »Postea redimus ad chorum cum Responsorio quod Summissarius incipit: Ingrediente domino. Postea Suffraganeus cum ministris induant casulas rubeas. Quidam Summissarius regat in rubro pallio offitium«.

[87] A. Baumstark, Orientalisches in den Texten der abendländischen Palmenfeier, in: JLW VII (1927) 148–153.

[88] Im Itinerarium Egeriae c. 31,2 (CCh 175,77) ist davon die Rede, daß »totus populus ante ipsum (sc. episcopum) cum hymnis vel antiphonis respondentes semper: Benedictus qui venit in nomine domini« einherschreite; vgl. M. Huglo, Source Hagiopolite d'une antienne hispanique pour le dimanche des rameaux, in: Hispania sacra 5 (1952) 367–374; Gräf 7.

Beziehungen zum Osten gepflegt wurden[89] und von wo aus, wie gezeigt, vermutlich die im Orient schon länger übliche Palmenprozession im Abendland Eingang gefunden hat. Die Antiphonen von Benevent, wo sich ein eigener Ritus für die Palmsonntagsfeier entwickelt hat, haben auf die abendländische Liturgie weniger Einfluß gehabt, ganz zu schweigen von der ambrosianischen (mailändischen) und mozarabischen (altspanischen) Liturgie, wo wir ebenfalls eigene Gesänge vorfinden[90].

2. Der »Ordo expulsionis« der Büßer am Kardienstag

Seit dem 11. Jahrhundert wurde die private sakramentale Beichte zum Normalfall, doch ist auch die öffentliche Buße, die im christlichen Altertum eine bedeutende Rolle gespielt hatte[91], in Deutschland bis ins hohe Mittelalter hinein üblich gewesen. Dazu gehörte die Erteilung der »Carena« (aus: »Quadragena«)[92], einer vierzigtägigen Buße mit Fasten bei Wasser und Brot. Es waren verschiedene Riten ausgebildet[93]. Im Regensburger Obsequiale begegnet uns bereits eine abgekürzte Form der »Carena«. Sie dauerte nur mehr drei Tage, vom Dienstag nach dem Palmsonntag bis zum Gründonnerstag. Der im Obsequiale verzeichnete Ritus stellt eine Zeremonie dar, die – wenn überhaupt – wohl nur mehr an wenigen freiwilligen Büßern vorgenommen worden ist. Diese kamen mit bloßen Füßen und unbedeckten Hauptes, ange-

---

[89] So wurde um 800 in Venedig, das damals zusammen mit Aquileja zum byzantinischen Reich gehört hat, der griechische Akathistos-Hymnus vollständig ins Lateinische übertragen; vgl. G. G. Meersseman, Der Hymnus Akathistos im Abendland I (= Spicilegium Friburgense 2, Freiburg/Schweiz 1958) bes. 49–57.

[90] Vgl. Antiphonale Missarum iuxta ritum Sanctae Ecclesiae Mediolanensis (Romae 1935) 152–159 bzw. M. Férotin, Le Liber Ordinum (= Monumenta Ecclesiae Liturgica V, Paris 1904 (178–187; L. Brou – J. Vives, Antifonario visigotico mozarabe (= Monumenta Hispaniae sacra V, Barcelona-Madrid 1959) 246f.

[91] Vgl. J. A. Jungmann, Die lateinischen Bußriten in ihrer geschichtlichen Entwicklung (= Forschungen zur Geschichte des innerkirchlichen Lebens 3/4 Innsbruck 1932); C. Vogel, La discipline pénitentielle en Gaule des origines au XIe siècle, in: Revue des sciences rel. 30 (1956) 1–26, 157–187; Martimort, Handbuch der Liturgiewissenschaft II (Freiburg 1965) 102ff.

[92] L. Westenrieder, Glossarium Germanico-Latinum vocum obsoletarum primi et medii aevi inprimis Bavaricarum (München 1716) 77, mit einem Verweis auf Monumenta Boica VII p. 503; DACL II, 2158.

[93] Vgl. Jungmann, Bußriten (oben Anm. 90) 68f.; B. Mattes, Die Spendung der Sakramente nach den Freisinger Ritualien (= Münchener Theol. Studien II, 34 München 1967) 193–196; Staber 56.

tan mit einem härenen Gewand, an die Pforten der Kirche. Dort knieten sie nieder und legten ihre Mäntel und Stöcke auf den Fußboden[94].

Zu Beginn der nun stattfindenen »Expulsio (Hinaustreibung) betete der Priester (mit ihnen) den Bußpsalm 50 »Miserere mei deus«. Darauf folgten nach einigen Versikeln zwei Orationen. Die erste stellt eine Segnung der Stöcke und Mäntel dar, wie sie sonst für die Wallfahrer nach Rom (»ad limina apostolorum Petri et Pauli«) gesprochen wurde[95]. Die zweite Oration ist ein weiteres Gebet zum Schutz auf der Reise, wobei auch hier als Ziel die römischen Heiligtümer genannt werden. Es handelt sich um eine in den Ritualien häufig vorkommende Oration[96]. Am Schluß werden die gesegneten Stöcke und Mäntel den Büßern übergeben[97].

Im weiteren Verlauf der Feier wurden den Büßern die Haare vorn abgeschnitten und verboten unterwegs zu sprechen, bis sie zu einem Priester gelangt seien, von dem sie die Erlaubnis zum Sprechen, jedoch nur des Nötigsten, erhielten. Sie mußten drei Tage bei Wasser und Brot fasten und von Almosen leben. Ihr Essen sollten sie auf der bloßen Erde sitzend einnehmen. Sie durften nicht länger an dem Platz verweilen, an dem sie eben gegessen hatten. Nachts sollten wie weder ihre Kleider ausziehen noch sich die Füße waschen, noch unter einem Dache schlafen, außer mit besonderer Erlaubnis eines Priesters[98].

Den alten Augsburger Bußritus des 14. Jahrhunderts überliefert der Clm

---

[94] Obsequiale: »Ordo expulsionis sive eiectionis poenitentium quibus iniungitur Carena per sacerdotes sic observatur. Primo poenitentes veniunt ante fores Ecclesiae nudis pedibus et capitibus, induti saccis seu aliis duris et grossis indumentis, flexisque genibus deponunt pallia et baculos.«

[95] Oratio: »Omnipotens sempiterne deus, qui unicum Filium tuum Dominum nostrum Iesum Christum pro salute humani generis misisti in mundum, mittere dignare sanctum Angelum tuum de coelis qui benedicat hos baculos et peras et mittat in eas abundantiam eleemosynarum, ad alendos pauperes, ut quicunque gestaverint sani et alacres perveniant ad optatum desideratumque locum et ad limina Apostolorum Petri et Pauli ac aliorum sanctorum, ut peracto itinere incolumes et alacres et sine ullo discrimine cum gaudio ad propria remeare facias. Per Dominum nostrum Iesum Christum.«

[96] Vgl. Franz, Das Rituale von St. Florian 115; W. von Arx, Das Klosterrituale von Biburg (Freiburg/Schweiz 1970) 260. Hier noch der ganze ursprüngliche Ritus?

[97] Die dabei gebrauchte Formel ganz ähnlich im Rituale von St. Florian (ed. Franz 114).

[98] Obsequiale: »Postea praescindat viris crines et inhibeantur loqui per viam, donec veniant ad Sacerdotem a quo licentiam loquendi petant tantum necessaria. Et debent ieiunare in pane et aqua tribus diebus, et iis tribus diebus petere eleemosynam. Et comedere de terra panem et aquam. Et non diutius manere in uno loco, nisi quod comedant. Et de nocte non debent exuere nec lavare pedes, nec sub tecto dormire nisi cum licentia Sacerdotis.«

3911 der Bayerischen Staatsbibliothek in München. Er unterscheidet sich stark vom Regensburger[99]. Die Gebete beziehen sich hier noch mehr auf die Buße und weniger auf die fingierte Wallfahrt nach Rom. Auch der »Ordo expulsionis sive eiectionis penitencium quibus iniungitur Carrena« in der Passauer Agende von 1490 trägt noch deutlich Züge des alten Buß-Eröffnungsritus[105], wenn er auch hier wohl nur aus Pietät gegenüber der Überlieferung aufgenommen ist[101].

Es ist anzunehmen, daß gegen Ende des Mittelalters der Ritus der öffentlichen Buße, die zudem vielerorts von vierzig auf drei Tage zusammengeschrumpft war, nicht viel mehr dargestellt, als eine Zeremonie, zumal man sich »propter humanae naturae infirmitatem«, wie es im Obsequiale heißt, bei einem Priester Erleichterung von den vorgeschriebenen Bußübungen holen konnte.

Daß die »Introductio« (Wiedereinführung) der Büßer am Gründonnerstag erfolgt ist, wird im Regensburger Obsequiale lediglich erwähnt, ohne daß ein entsprechender Ritus angegeben wäre. Dieser scheint im 15. Jahrhundert, falls überhaupt noch üblich, sehr kurz gewesen zu sein. Er findet sich u. a. in einem Missale aus der Steiermark[102], wo »ad introducentes penitentes in ecclesiam«der Psalm 33 »Benedicam dominum« gebetet wird, wobei man nach jedem Vers die Antiphon einfügte:

(Venite) Kommt, kommt, kommt, ihr Söhne, hört auf mich: die Furcht des Herrn will euch lehren.

Die feierliche Rekonziliation der Büßer am Gründonnerstag, die erstmals von Papst Innozenz I. (402–417) bezeugt wird[103] und die in den Sacramentaria Gelasiana und einigen Gregoriana mixta vorkommt – sie fehlt auch nicht im Wolfgangs-Sakramentar – ist ins Pontificale Romanum eingegangen. Im Regensburger Ritus Chori wird die »Expulsio« der Büßer nicht erwähnt, obwohl der Ritus in den Neudrucken des Obsequiale immer noch zu finden ist. Im Ritus Chori begegnet uns dagegen eine Bußprozession am Karmittwoch »post Nonam«, die vom Dom zur Alten Kapelle zieht und bei der das Responsorium »Sinagoga« gesungen wurde. Dort angekommen sang man die

[99] Vgl. Vgl. Hoeynck 412–415.
[100] Vgl. A. Franz, Zur Geschichte der gedruckten Passauer Ritualien, in: Theol.-prakt. Monatsschrift 9 (1899) 82.
[101] Vgl. J. B. Götz, Die kirchliche Festfeier in der Eichstätter Diözese am Ausgang des Mittelalters, in: Zeitschrift für bayerische Kirchengeschichte 9 (1934) 138.
[102] Vgl. Köck 149.
[103] Vgl. Jungmann, Bußriten (oben Anmerkung 91) 74 ff.

Antiphon »Sancta Maria« und zwar ausdrücklich »pro peccatis« (zur Verge-
bung der Sünden). Unter dem Gesang der Allerheiligen-Litanei kehrte der
Zug zum Dom zurück[104]. Möglicherweise handelt es sich hier um einen Rest
der alten »Carena«: aus der fingierten Bußwallfahrt einzelner Büßer nach
Rom wäre dann eine gemeinsame Bußprozession zur Alten Kapelle geworden.

Am gleichen Tag fanden dem Ritus Chori zufolge in der Stephanskapelle Or-
dinationen statt. Der Bischof weihte innerhalb der Messe, die an diesem Tag
bekanntlich drei Lesungen aufweist, vor der 1. Lesung (nach dem Kyrie) die
neuen Akolythen und nach der 2. Oration vor der 2. Lesung (Epistel) die
Subdiakone[105].

3. Die Feier des Gründonnerstags

Die Trauermetten begannen nach dem Ritus Chori heute und an den beiden folgenden Tagen nachts um 2 Uhr[106]. Abweichungen von der allgemeinen Praxis bestehen kaum[107]. Im Regensburger Brevier[108] findet sich im Triduum Sacrum ein stereotyper Schluß gegen Ende der Laudes. Dabei wurden
an den einzelnen Tagen nach dem Benedictus und vor dem Psalm 50 als
Wechselgesang zwischen Offiziator und Chor folgende Versikel gesungen,
wie sie u. a. in Aquileja und Augsburg üblich waren[109]:

[104] Ritus Chori: »Feria quarta post palmarum pulsus quartale ante primam post
Nonam processio dirigitur ad Veterem Capellam cum Responsorio: Sinagoga. Et ibi
fit statio ante chorum. Et Summissarius incipit Antiphonam: Sancta Maria, cum Versu
et Oratione. Interim Ps. Inclina legatur cum Versu et oratione pro peccatis et redimus
cum Letania ad chorum.«

[105] Ritus Chori: »Ordines celebrantur ad S. Stephanum in ambitu. Et Summissarii
legunt prophetias . . . Post introitum et Kyrie Episcopus sedeat ad sedem ad Ordinan-
dum Acolitos . . . Finitis orationibus iterum sedeat ad ordinandos Subdiaconos.«

[106] Ritus Chori: »Pulsus vero ad matutinas secunda hora ante diem et sequentibus
duobus diebus.«

[107] Hinsichtlich der verschiedenen Bräuche vgl. H. Moser, Die Pumpermetten. Ein
Beitrag zur Geschichte der Karwochenbräuche, in: Bayerisches Jahrbuch für Volkskunde 1956, 80–98.

[108] Breviarium Ratisponense (Augsburg 1488) fol. 175 (Hain Nr. 3884). Ein Exemplar in der Staatlichen Bibliothek Regensburg, Rat. ep. Nr. 459 (Exemplar des Kanoni-
kus Andreas Schweiger von St. Johann). Als Vor- und Nachsatzblätter Fragmente eines Sakramentars aus dem 12. Jahrh. (mit schöner Initiale), zum Teil radiert. Ein
weiteres Exemplar (Pars estivalis) in der Stiftsbibliothek der Alten Kapelle, Nr. 1971,
vgl. Schmid, Die Handschriften und Inkunabeln 64, sowie im Regensburger Stadtmuseum.

[109] Vgl. Staber 71 f.; Hoeynck 213.

Ihesu Christe qui passurus advenisti propter nos (Jesus Christus, der du zum Leiden gekommen bist für uns):
Kyrie eleison, Christe eleison, Kyrie eleison. Domine miserere nobis.
Qui prophetice promisisti ero mors tua o mors (Der du als Prophet versprochen: Tod ich werde sein dein Tod):
Kyrie eleison . . .
Qui expansis in cruce manibus traxisti omnia ad te secula (Der du am Kreuz die Hände ausgebreitet alle Welt an dich gezogen hast):
Kyrie eleison . . .
Christus dominus factus est obediens usque ad mortem (Christus der Herr ist gehorsam geworden bis zum Tod):
Kyrie eleison . . .

Ein Charakteristikum der Trauermetten war das Auslöschen der Kerzen-Lichter nach den einzelnen Lesungen bzw. Psalmen, weshalb sie auch »Finstermetten« genannt wurden. Während sonst meist 12 Kerzen auf einem Gestell angebracht waren, waren in St. Emmeram in Regensburg und in Sulzbach 24 üblich[110]. Der Ritus Chori berichtet darüber nichts.

Die Hauptfeier am Gründonnerstag war das Hochamt im Dom, in dessen Verlauf nach dem bekannten Ritus vom Bischof die heiligen Öle geweiht wurden. Eine Uhrzeit wird in den Quellen nicht angegeben, vermutlich war der Beginn, wie später, gegen 8 Uhr[111]. Vielerorts wurde bis ins Mittelalter hinein der Gottesdienst in Nachahmung des letzten Abendmahls am Nachmittag gehalten[112].

Das Gloria wurde an diesem Tag nach Regensburger Brauch nur im Bischofsamt der Ölweihe, nicht aber in den Pfarrkirchen gesungen. Es wurden, wie auch später üblich, zwei große Hostien, davon eine für den Karfreitagsgottesdienst, konsekriert. Bemerkenswert ist die Tatsache, daß nach dem Paternoster und anschließendem Libera, wie wir durch den Ritus Chori erfahren, der Diakon gesungen hat: »Humiliate vos ad benedictionem« (Beugt euch zum Segen!), worauf nach altem gallikanischem Brauch in feierlicher

[110] Vgl. Staber 71.
[111] Vgl. das »Verzeichnis aller Gottesdienste, welche in der hohen Domstiftskirche zu Regensburg das ganze Jahr hindurch gehalten werden. Beschrieben im Jahre 1746« von Thurn, Domdechant (Handschrift in der Bischöflichen Zentralbibliothek, alte Signatur: Liturg II 29 bzw. III,16).
[112] Vgl. u. a. eine Handschrift des 15. Jahrhunderts in Graz (bei Köck 148): »hora nona quando longiores sunt dies, seu hora quinta, quando breviores sunt.« Weiterhin Fr. Zimmermann, Die Abendmesse in Geschichte und Gegenwart (Wien 1914) bes. 143–146.

Form der bischöfliche Segen erteilt wurde[113]. Das im 16. Jahrhundert übliche Formular wird im Ritus Chori[114] nicht mitgeteilt[115].

Wie in allen Missalien aus dem bairischen Raum zu ersehen ist, wurde im Spätmittelalter die Vesper noch vor der »Complenda« (Postcommunio) des Gründonnerstagsamtes gesungen, ähnlich wie dies im Missale Romanum in der Karsamstagsliturgie der Fall ist[116]. Eine solche innige Verbindung von Messe und Vesper fehlt noch im Wolfgangs-Sakramentar, doch scheint sich diese auch hier unmittelbar an das Hochamt angeschlossen zu haben, da sie – was an den übrigen Tagen in einem Sakramentar nicht üblich ist – ihrem vollen Ritus nach beschrieben wird. Die Stellung der Vesper vor der Postcommunio ist mittelalterlicher Brauch. Sie findet sich in der späteren Form im oben erwähnten Fragment eines mittelitalienischen Plenarmissale aus dem Ende des 11. Jahrhunderts in der Bischöflichen Zentralbibliothek[117].

Nach dem Regensburger Missale des 15. Jahrhunderts nimmt der Diakon nach der Sumption des heiligen Blutes den (leeren) Meßkelch, wendet sich zum Chor und stimmt die erste Vesper-Antiphon an:

> (Calicem salutaris) Den Kelch des Heiles will ich nehmen und anrufen den Namen des Herrn.

Die Rubrik im Missale, in der eigens gefordert wird, daß der Kelch leer sei (»sanguis vero peniter consummatur«), läßt darauf schließen, daß es ur-

---

[113] Aus dem Regensburger Dom ist ein entsprechendes Liturgiebuch des 12. Jahrhunderts erhalten; es befindet sich jetzt in Krakau, Kapitelsbibliothek, Cod. 23 und trägt den Titel: »Liber benedictionalis, quo honoratur officium pontificalis ordinis«. Es enthält die an dieser Stelle im Pontifikalamt vom Bischof zu sprechenden Segensgebete. Aus Freising sind Handschriften noch aus dem 9. Jahrhundert erhalten; vgl. K. Gamber, Älteste liturgische Bücher des Freisinger Doms, in: J. A. Fischer, Der Freisinger Dom (Freising 1967) 45–64, bes. 60 ff.

[114] Ritus Chori: »Et dicat: Per omnia secula seculorum et ibi ponat particulam super patenam. Interim Diaconus vertit se ad populum et alta voce dicat: Humiliate vos ad benedictionem. Et Episcopus dat pontificalem benedicionem . . . postea dicat: Pax eius sit semper (vobiscum). Postea: Fiat haec commixtio.«

[115] Im Wolfgangs-Sakramentar ist als »Benedictio« die dreiteilige Formel »Benedicat vos deus qui unigeniti filii sui passionem« angegeben (abgedruckt in: CCh 162, 100).

[116] Zur Gründonnerstags-Vesper in Rom um das Jahr 700 vgl. A. Mundó, in: Liturgica 2 (= Scripta et Documenta 10, Montserrat 1958) 204–216.

[117] Hier lautet die entsprechende Rubrik: »Dum fractis oblatis communicent tam sacerdos quam ceteri qui assunt absque osculo pacis. Deinde dicit hanc Communionem ad complendum A. Dominus ihc . . . (mit Neumen). Qua finita statim cantor imponat A. Calicem salutaris (mit Neumen) et ceteras. Non dicatur lectio aut versus sed tantum A. Cenantibus autem (mit Neumen). Ps. Magnificat. Sequitur oratio: Refecti vitalibus alimentis.«

sprünglich anders war und zu Beginn der Vesper der noch gefüllte Meßkelch den Gläubigen gezeigt wurde, wonach der Diakon und die anderen Altardiener sowie das Volk daraus kommunizierten. Dieser Brauch ist anderswo ausdrücklich bezeugt[118].

Nach dem Ritus Chori wurde die Antiphon »Cenantibus« zum Magnificat ebenfalls vom Diakon mit dem Kelch in der Hand angestimmt, was eine Neuerung darstellt. Die Gründonnerstagsfeier wurde vom Zelebranten mit der Complenda »Refecti vitalibus alimentis« und vom Diakon mit dem Ruf »Benedicamus domino« (nicht »Ite missa est«) geschlossen[119].

Neu ist im Ritus Chori die Art und Weise der Kommunionspendung erst nach dem Gottesdienst. Nach der Gründonnerstag-Vesper wurde zuerst dem Volk die »Offene Schuld« (»Publica confessio«) vorgebetet (vgl. S. 150) und dann vom Bischof die Kommunion ausgeteilt. Im Anschluß daran wurde »das heilige Sakrament mit Lichtern zum Sacrarium« (Sakristei) gebracht[120]. Im Missale ist davon die Rede, daß die Übertragung der großen Hostie für den Karfreitag und der kleinen Hostien für die Gläubigenkommunion an diesem Tag im »Eucharistiale«, einem Behälter (Kelch) für die Aufbewahrung der Eucharistie, erfolgen soll[121].

Der Ritus des M a n d a t u m am Gründonnerstag im Regensburger Dom findet sich weder im Missale noch im Obsequiale, sondern nur im Ritus Chori. Er entspricht weitgehend dem Brauch der Salzburger Kirche[122]. Das »Man-

[118] So in einem Missale des 15. Jahrh. (bei Köck 149): »Fractis autem oblatis communicent primo presbyteri, postea dyaconi et ceteri omnes ordine suo . . . Et accipiens dyaconus calicem non sumat sanguinem statim, sed ponat eum in sinistro latere altaris et cooperiat corporali et ita exspectet usque dum finiatur Communio. Deinde accipiens calicem convertat se ad chorum et imponat antiphonam: Calicem salutaris . . . Dyaconus sumat sanguinem, postea ceteri. Interim compleatur Vespera«; vgl. dazu K. Amon, Calicem salutaris accipiam. Beiträge zur utraquistischen Gründonnerstagskommunion in Deutschland, in: Heiliger Dienst 17 (1963) 16–26.

[119] Ritus Chori: »Diaconus vertit se ad chorum cum calice dicat: Cenantibus autem, postea Summissarius incipit Magnificat absque Gloria Patri. Postea Antiphona canitur ad finem. Inofficians deinde dicat Complendam. et clauditur missa et vespera cum Benedicamus domino.«

[120] Ritus Chori: »Postea Episcopus exuit casulam et dicat communicantibus publicam confessionem et communicat eos qui volunt communicare. Quo facto vocentur domini ad conducendum Episcopum cum Sacramento ad Sacrarium praecedentibus candelis.«

[121] Missale Ratisponense: »Finitis orationibus sacerdos portet reverenter eucharistiale cum oblatis consecratis . . . ad sacrarium: et ibi reserventur honeste in feria sexta.«

[122] Vgl. E. Drinkwelder, Das Sacrum Triduum in Salzburg während des ausgehenden Mittelalters, in: Heiliger Dienst 6 (1952) 7.

datum« wurde gegen Mittag (»post prandium hora 12«) im Chor gehalten, also innerhalb des vom Lettner abgegrenzten Teils des Domes. Eingeladen waren die Kanoniker sowie die Schüler der Domschule und »alle, die dabei zu sein hatten«.

Zu Beginn las einer der Kanoniker in roter Dalmatik das Evangelium von der Fußwaschung (Joh 13, 1–15) und zwar an dem Platz, an dem auch sonst im Chor die Lesungen vorgetragen wurden. Im Anschluß daran wurde eine Predigt gehalten. Inzwischen setzten sich der Bischof und drei bzw. vier Kanoniker zu beiden Seiten des Chores auf Stühlen nieder. Während der Predigt wusch der Bischof dem Dompropst und den anderen Kanonikern auf seiner Chorseite die Füße, während der Domdekan diesen Liebesdienst auf der anderen Seite des Chores leistete. Der Dompropst wiederum wusch dem Bischof die Füße.

Danach wurden Tische gedeckt und die »Mandata« allen im Chor Anwesenden gereicht. Dabei stimmte der Scolasticus folgende Antiphon an:

> (Coena facta) Als das Mahl zu Ende war, sprach Jesus zu seinen Jüngern: Wahrlich ich sage euch, einer aus euch ist hier, der mich noch in dieser Nacht verraten wird.

Es folgten ehedem wohl noch weitere Antiphonen, wie sie im PRG verzeichnet sind[123]. Die »Mandata« selbst bestanden aus Gebäck und je einem Becher Wein für jeden der Teilnehmer[124]. Im Ritus Chori finden sich in deutscher Sprache eingehende Anweisungen.

Zum Abschluß las der Bischof den »Sermo Dominicus«, d. i. einen Teil der Abschiedsreden Jesu (wohl Joh 13,16ff.)[125]. Die Lesung schloß mit den

---

[123] Vgl. PRG II, 78.

[124] Ritus Chori: »Primo quidam Canonicus legat Evangelium absque titulo absolute incipiendo in dalmatica rubrea, ad quod sacerdos recipit benedictionem a Domino Suffraganeo et legitur in pulpeto ubi leguntur lectiones in matutinis, praecedentibus candelis ardentibus et turibulis, sub Evangelio in latere stantes. et circa finem Evangelii Orator accipit benedictionem a Domino Suffraganeo et facit orationem ad Clerum. Et sub exhortatione in frammis sedeant Suffraganeus et Domini Canonici in utraque latere tres vel quattuor. Et Suffraganeus lavat Praeposito et aliis Canonicis in latere Episcopi sedentes. Praepositus lavat Suffraganeo . . . Postea Summissarii apponunt mensalia et statim dantur ›Mandata‹ omnibus in choro existentibus. Interim Scolasticus Antiphonam: Coena facta.«

[125] Vgl. B. Wolff, Der »Sermo Dominicus« am Gründonnerstag, in: Studien und Mitteilungen des Benediktinerordens 7 (1886) 42–50; Th. Schäfer, Die Fußwaschung im monastischen Brauchtum und in der lateinischen Liturgie (= Texte und Arbeiten 47, Beuron 1956) 76, Anm. 54.

Worten »Surgite eamus hinc« (Joh 14,31)[126]. Anderswo, so nach dem Ordinarius von Rouen v. J. 1450, wurden erst nach dieser Lesung »nebulae« (Oblaten) und Wein gereicht. Auch hier findet die Feier in der Kirche statt[127].

Die an (zwölf) Armen vollzogene Fußwaschung, das »Mandatum pauperum«, war damals in Regensburg offensichtlich unbekannt. Eine solche wird zum mindesten in den Quellen nicht erwähnt. Es fand nur das eben geschilderte »Mandatum clericorum« statt. Im Dom zu Münster waren »Mandatum pauperum« und »clericorum« miteinander verbunden[128], im Kloster Rheinau wurde zuerst das »Mandatum pauperum«, dann das »clericorum« gehalten[129]. Seit dem 14. Jahrhundert trat letzteres immer mehr zurück[130].

Als eine Feier am Abend des Gründonnerstag begegnet uns das Mandatum erstmals in einem frühen gallikanischen Liturgiebuch (Niederschrift im 7. Jahrhundert). Das Formular besteht hier aus einer (Abend-)Oration und dem bekannten Evangelium der Fußwaschung, hier jedoch in der Abgrenzung Joh 13,3–6 und in altlateinischer Fassung[131].

Für Augsburg wird das Mandatum durch die Vita Udalrici c. 4 bezeugt, wo es heißt: »Danach (nach dem Hochamt) ging er zum Essen. Als alle, die mit ihm das Mahl einnahmen, gespeist hatten, begann er in Nachahmung des Herrn die Füße seiner Jünger zu waschen. Nach dieser Waschung, die mit Antiphonen, Psalmversen und Lesungen würdig umrahmt war, reichte er mit großer Demut genügend (Wein) aus sehr schönen Bechern, die sich in seinem Hausrat befanden[132].«

Im PRG fehlt die hier für die Zeit des heiligen Ulrich erwähnte Bewirtung

---

[126] Ritus Chori: »Quo facto Dominus Suffraganeus concludit cum Evangelio: Cum venerit paraclytus, quod legitur in modum prophetiae ad finem sedendo. Et circa finem Evangelii finiet cum illa clausula: Surgite eamus hinc.«

[127] Vgl. PL 147, 127–129; Schäfer, Fußwaschung (oben Anmerkung 125) 83.

[128] Vgl. R. Stapper, Die Feier des Kirchenjahres an der Kathedrale von Münster im hohen Mittelalter (Münster 1916) 82f.; das »Mandatum« einer Agende der Pfarrei St. Georg zu Ottenstein (Dekanat Vreden) veröffentlicht E. J. Lengeling, Agapefeier beim »Mandatum« des Gründonnerstags in einer spätmittelalterlichen Agende des Bistums Münster, in: M. Bierbaum, Studia Westfalica. Festschrift A. Schröer (Münster 1973) 230–258.

[129] Vgl. A. Hänggi, Der Rheinauer Liber Ordinarius (= Spicilegium Friburgense 1, Freiburg/Schweiz 1957) 120–126.

[130] Vgl. Schäfer, Fußwaschung 99.

[131] Vgl. A. Wilmart, Un ancien texte latin de l'evangile selon Saint-Jean 12, 1–17, in: Revue biblique 31 (1922) 182–202; A. Dold, Das Sakramentar im Schabcodex M 12 sup. der Bibl. Ambrosiana (= Texte und Arbeiten 43, Beuron 1952) 24*f.

[132] Vgl. Schäfer, Fußwaschung 81; MGH Scriptores IV, 392.

durch den Bischof (wohl in dessen Wohnung). Sie findet sich auch nicht im Wolfgangs-Sakramentar. Der Ritus ist hier einfach. Erwähnung finden nur die Antiphon »Cena facta«, die auch im Ritus Chori als Gesang zur Fußwaschung angegeben ist, sowie weitere nicht eigens genannte Gesänge, sowie die Schluß-Oration »Adesto domine officio«, die auch im PRG erscheint[133].

Nicht mehr bezeugt ist in den ältesten gedruckten Regensburger Liturgiebüchern eine Weihe des Feuers am Gründonnerstag. Sie findet sich jedoch an diesem Tag sowie an den beiden folgenden Kartagen in mehreren handschriftlichen Quellen, darunter auch solchen aus Regensburg[134]. Für den Karfreitag wird eine Feuerweihe im Wolfgangs-Sakramentar ausdrücklich als Einleitungszeremonie erwähnt[135]. Am Karsamstag hat sie sich bekanntlich bis in die Gegenwart erhalten[136].

Auch nach Rupert von Deutz wurde an jedem Tag des Triduum Sacrum Feuer aus einem Stein geschlagen oder mittels eines Kristalls aus den Sonnenstrahlen gewonnen und dann geweiht[137]. Von diesen Kristallen ist im Zusammenhang mit dem »ignis paschalis« auch in einer Anfrage des heiligen Bonifatius an Papst Zacharias die Rede. In Rom war damals ein entsprechender Brauch unbekannt[138].

4. Der Karfreitagsgottesdienst

In Jerusalem wurde, wie wir aus dem Bericht der Pilgerin Egeria wissen[139], um 400 am Karfreitag »in Golgotha post crucem« in Anwesenheit des Bischofs, der auf seinem Throne saß, von der zweiten bis zur sechsten Stunde, d. i. von 7 Uhr vormittags bis gegen Mittag, die Reliquie des heiligen Kreuzes

[133] Sakramentar: »Expletis omnibus procedit dominus pontifex cum omni alacritate cum presbyteris et clero . . . ad locum ubi mandatum perficere vult. Ibi lavant, incipiente episcopo, deinde mutatim pedes et detergant, antiphonam: antiühonam: Cena facta, cum ceteris antiphonis ad hoc pertinentibus.«

[134] So im Clm 14073 (fol. 37 r) aus St. Emmeram; vgl. Staber 72, Anm. 128 und Clm 23311 (fol. 40–43) einer Handschrift aus der Regensburger Stadtbibliothek; vgl. Franz I, 511 Anm. 2.

[135] »In parasceve hora octava . . . antea vero excitetur ignis de petra et consecretur ab episcopo vel presbytero cum hac oratione: Deus omnipotens« (= Franz I 429). Dieselbe Oration auch im Kloster-Rituale von Biburg (ed. W. von Arx Nr. 140) und zwar für den Gründonnerstag und Karfreitag.

[136] Vgl. Franz I, 510–512.

[137] Vgl. Franz I, 512; Andrieu III, 329 und 314.

[138] Vgl. Bonifatius, Ep. 87 (MGH, Ep. aevi Kar. I, 370); Franz I, 508 und 517.

[139] Itinerarium Egeriae c. 37 (CCh 175, 80–82).

verehrt. Zuvor war sie von Diakonen in einem kostbaren Kästchen herbeige-
bracht worden. In langem Zug konnten die Scharen der Gläubigen, die zur
einen Tür hereinkamen und zur anderen hinausgingen, das Kreuz verehren
und küssen, durften es aber nicht mit den Händen berühren.

Vom Mittag an wurden Lesungen vorgetragen und dazwischen Gebete gesprochen. Eine Eucharistiefeier fand an diesem Tag in Jerusalem nicht statt.

Im Anschluß an die Kreuzverehrung wurde von den Klerikern die ganze
Nacht am Grab des Herrn Wache gehalten[140], wobei Hymnen und Antiphonen gesungen wurden[141].

Ohne Zweifel ging von Jerusalem ein großer Einfluß hinsichtlich der Gestaltung der Karfreitagsliturgie in Ost und West aus[142]. Durch Augustinus wissen wir Bescheid über den Ritus an diesem Tag in der Kirche von Nordafrika[143]. Auch hier finden wir einen Wortgottesdienst, in dem die Passion (nach
Matthäus) verlesen wurde. Im gallikanischen Ritus, zu dem auch der von
Aquileja gehörte, wurden dagegen Lesungen und Gebete jeweils zu den einzelnen Horen des Tages abgehalten[144], ähnlich wie dies noch heute in der byzantinischen Liturgie der Fall ist, wo wir am Karfreitag den Gottesdienst mit
den zwölf Evangelien vorfinden[145].

In Rom war im Frühmittelalter (wohl bis ins 10. Jahrhundert) der Karfreitagsgottesdienst recht einfach gestaltet. Nach dem Ordo XXIII ging der
Papst gegen 2 Uhr nachmittags barfuß vom Lateran nach der Basilika
S. Croce (»Hierusalem« genannt), wobei in einer Kapsel eine Reliquie des
heiligen Kreuzes mitgeführt wurde. Nachdem diese auf dem Altar niedergelegt war, hat man die Kapsel geöffnet. Der Papst küßte als erster die Kreuzre-
liquie, ihm folgten die Bischöfe und der übrige Klerus. Anschließend konnte
das Volk an den Chorschranken das heilige Kreuz verehren.

Währenddessen begannen die Lesungen, dieselben wie im späteren Missale

---

[140] Hinsichtlich des Wachehaltens am Grab des Herrn vgl. J. A. Jungmann, Die
Andacht der vierzig Stunden und das heilige Grab, in: Liturgisches Jahrbuch 2 (1952)
184–198.

[141] Über das mögliche Weiterleben dieser Gesänge in den verschiedenen Riten wird
unten die Rede sein.

[142] Zum Gottesdienst am Karfreitag vgl. G. Römer, Die Liturgie des Karfreitags,
in: Zeitschrift für kathol. Theol. 77 (1955) 39–93; J. Pascher, Das liturgische Jahr
(München 1963) 144–154.

[143] Vgl. W. Roetzer, Des heiligen Augustinus Schriften als liturgiegeschichtliche
Quelle (München 1930) 36–38.

[144] Vgl. K. Gamber, Die älteste abendländische Evangelien-Perikopenliste, in:
Münchener Theol. Zeitschrift 13 (1962) 186f.

[145] Vgl. A. Maltzew, Fasten- und Blumen-Triodion . . . der orthodox-katholischen
Kirche (Berlin 1899) 450–498.

Romanum; darauf folgten die »Orationes sollemnes« für die Kirche und die einzelnen Stände. Waren diese Gebete zu Ende, verließ der Papst die Basilika und begab sich in den Lateran zurück[146]. Wir haben hier also im Wesentlichen den gleichen Ritus wie um 400 in Jerusalem vor uns.

Die später fast allgemein (jedoch nicht in Mailand) den Abschluß des Karfreitagsgottesdienstes bildende Kommunionfeier (»Missa praesanctificatorum«) fehlte damals noch in der päpstlichen Liturgie. Sie findet sich bereits im »gelasianischen« Sakramentar, einem Meßbuch, wie es in der Mitte des 6. Jahrhunderts in Ravenna ausgebildet worden ist[147], sowie in den »Gelasiana mixta«[148]. Die »Missa praesanctificatorum« ist nachweisbar syrischen Ursprungs[149]. Sie ist vom Patriarchen Severus von Antiochien zwischen 511 und 518 eingeführt worden[150]. Wegen der Verbindungen Ravennas zu Syrien – die Stadt galt als Syrer-Zentrale im Abendland[151] – wird eine Übernahme der »Missa praesanctificatorum« bereits einige Jahrzehnte später in Ravenna durchaus verständlich[152].

[146] Vgl. B. Capelle, Der Karfreitag, in: Liturgisches Jahrbuch 3 (1953) 263–282. – Dem Ritus des geschilderten Ordo entspricht das Formular für den Karfreitagsgottesdienst im Sacramentarium Gregorianum (vermutlich aus dem Jahr 592), in dem lediglich die »Orationes (sollemnes)« verzeichnet sind (»Orationes quae dicendae sunt sexta feria maiore in Hierusalem«), ohne jeden Hinweis auf weitere Zeremonien; vgl. K. Gamber, Sacramentarium Gregorianum I. Das Stationsmeßbuch des Papstes Gregor (= Textus patristici et liturgici 4, Regensburg 1966) Formular 65 S. 61–64. Auch das Gregorianum des 8. Jahrh., »Hadrianum« genannt, bringt nur diese Orationen; vgl. H. Lietzmann, Das Sacramentarium Gregorianum nach dem Aachener Urexemplar (= Liturgiewissenschaftliche Quellen und Forschungen 3, Münster 1921) Nr. 79 S. 47–49.

[147] Vgl. K. Gamber, Missa Romensis (= Studia patristica et liturgica 3, Regensburg 1970) 107–115.

[148] Wir finden hier gleichlautend folgende Rubrik: »Istas orationes supra scriptas expletas ingrediuntur diaconi in sacrario. Procedunt cum corpore et sanguine domini quod ante die remansit et ponunt super altare. Et venit sacerdos ante altare adorans crucem domini et osculans. Et dicit: Oremus. Et sequitur Praeceptis salutaribus moniti, et oratio dominica. Inde Libera nos domine quaesumus. Haec omnia expleta adorant omnes sanctam crucem et communicant«; vgl. Gelasianum (ed. Mohlberg Nr. 418); Sakramentar von Monza (ed. Dold-Gamber Nr. 300).

[149] Nach Bar-Hebraeus; vgl. J. Ziadé, in: Dictionnaire de Théologie Catholique XIII (1936) 82f.

[150] Vgl. M. Tarschnišvili, Die Missa praesanctificatorum und ihre Feier am nach georgischen Quellen, in: ALW II (1952) 75–80.

[151] Zu Ravenna als Syrer-Zentrale vgl. A. Dold, in: Texte und Arbeiten 35 (Beuron 1944) bes. 29.

[152] Sie erscheint in Nachahmung des ravennatischen »Gelasianums« später in den Sacramentaria Gregoriana mixta (spätestens seit dem 9. Jahrh.) als eine eigene Feier »ad vesperum« (vgl. PL 78, 86B), wobei es sich, wie aus dem Zusammenhang zu ersehen ist, um den außerpäpstlichen Gottesdienst in den römischen Titelkirchen und in den

Wie das Wolfgangs-Sakramentar beweist, begann Ende des 10. Jahrhunderts im Regensburger Dom der Karfreitagsgottesdienst zur 8. Tagesstunde, also wie in Rom um 2 Uhr nachmittags, und zwar, wie oben bereits kurz erwähnt, mit der Weihe des Feuers[153]. Vom neuen Licht werden zwei Kerzen angezündet und auf den Altar gestellt. Außerdem wird ein kleines Altartuch über den von Decken entblößten Altar und über das auf ihm liegende Evangelienbuch gebreitet[154]. Der Gottesdienst wird eingeleitet, wie bereits im »gelasianischen« Tassilo-Sakramentar, mit der Oration »Deus a quo iudas«, worauf die üblichen Lesungen folgen[155].

Im Regensburger Missale von 1485 wird keine Feuerweihe am Karfreitag mehr erwähnt. Der Gottesdienst beginnt »hora debita«[156] nach der jüngeren (gregorianischen) Ordnung unmittelbar mit den Lesungen, wie sie im MR verzeichnet sind. Im Anschluß an die Johannes-Passion werden die »Orationes (sollemnes)« vom Zelebranten gesungen. Bei der Feier wurden nach dem Ritus Chori schwarze Paramente getragen. Ursprünglich verwendete man, wie in Passau und anderswo[157], rote Gewänder.

Für die Klosterkirche St. Emmeram, jedoch nicht ausdrücklich für den Dom, ist der Brauch der Zerreißung und des Diebstahls der Altartücher bezeugt. Bei den Worten »Diviserunt sibi vestimenta mea« treten zwei Akolythen an den Altar. Sie reißen die zwei lose zusammengefügten Leinentücher auseinander und jeder enteilt mit einem Stück[158]. Ein ähnlicher Ritus war u. a. in Aquileja, Passau, Reichenhall und Münster üblich[159].

---

suburbikarischen Kathedralen handelt. Hinsichtlich des stadtrömischen Ursprungs der Gregoriana mixta vgl. K. Gamber, Sakramentartypen (= Texte und Arbeiten 49/50, Beuron 1958) 145–147.

[153] Zur Feuerweihe am Karfreitag vgl. Römer, Die Liturgie des Karfreitags (oben Anm. 142) 46–49.

[154] »In parasceve hora octava . . . portantur duo candelae ad altare ubi peragatur officium. et mittatur parvum linteum super altare nudum super evangelium. Et cum venerit pontifex aut presbyter ante altare dicat: Oremus . . .« Hinsichtlich der Sitte, das Evangelienbuch auf den Altar zu legen vgl. oben S. 177.

[155] In anderen Sakramentaren, die dem gleichen Typus wie das Wolfgangs-Sakramentar angehören (Gregoriana mixta), fehlt diese einleitende Oration aus dem Gelasianum, auch wird hier die dritte Stunde (9 Uhr vorm.) als Beginn des Gottesdienstes angegeben (vgl. PL 78, 85 f.). Es scheint daher in Regensburg im 10. Jahrhundert noch das Tassilo-Sakramentar (ed. Dold-Eizenhöfer Nr. 91) nachzuwirken.

[156] Nach dem oben Anm. 111 erwähnten »Verzeichnis aller Gottesdienste« von 1786 beginnt der Gottesdienst um 8 Uhr.

[157] Vgl. Oswald 25.

[158] Vgl. Clm 14073 (fol. 39r), Staber 77.

[159] Vgl. Oswald 25; Stapper, Die Feier des Kirchenjahres an der Kathedrale von Münster (1916) 83.

Den Höhepunkt der Karfreitagsliturgie im Regensburger Dom stellen die Kreuzenthüllung und Kreuzverehrung dar. Unter den zahlreichen im Bischöflichen Zentralarchiv enthaltenen Fragmenten mittelalterlicher Kathedral-Missalien – vollständige Handschriften dieser Art fehlen ganz[160] – befindet sich auch eines aus der Zeit um 1400, auf dem der betreffende Passus erhalten ist. Der Text unterscheidet sich nur unwesentlich vom Wortlaut der Handschrift in der Alten Kapelle und dem gedruckten Missale von 1485, bringt jedoch etwas genauere Angaben hinsichtlich des Vortrags der einzelnen Gesänge durch den Chor. Der betreffende Ritus ist auf dem Fragmentblatt wie folgt verzeichnet:

Zu Beginn betet der Zelebrant kniend vor dem verhüllten Kreuz (in der Sakristei) den Psalm 3 »Domine quid multiplicati sunt« mit anschließendem Versikel und Oration. Er besprengt dann das Kreuz mit Weihwasser und inzensiert es. Nun wird dieses von den assistierenden Priestern (»a sacerdotibus«) aufgehoben und (in den Chor) hinausgetragen. Dabei singen sie die »Improperien«[161]:

(Popule meus) Mein Volk, was habe ich dir getan oder wodurch habe ich dich betrübt? Antworte mir. Ich habe dich aus dem Land Ägypten herausgeführt, du aber hast das Kreuz deinem Erretter bereitet.

Zwei Schüler: Agyos otheos. Agios yschiros. Agios athanathos eleyson ymas (Heiliger Gott, heiliger Starker, heiliger Unsterblicher, erbarme dich unser!).

Chor: Sanctus deus. Sanctus fortis. Sanctus immortalis miserere nobis.

Priester: Ich habe dich vierzig Jahre durch die Wüste geführt, dich mit

---

[160] Der Codex in der Alten Kapelle wurde nicht im Dom, sondern in der Kilianskapelle des Domherrengebäudes am Frauenbergl benützt, der Clm 13022 in einer Kirche in der Stadt, die übrigen Regensburger Missale-Handschriften sind klösterlichen Ursprungs.

[161] Fragment (ehedem Umschlag eines Rapulars der Generalvikarsrechnung v. J. 1622): »Finitis orationibus sacerdos cum genuflexione dicat ante crucifixum velatum quod praesentari debet Ps. Domine quid multiplicati. Christus factus. Deinde Pater noster. deinde subiungitur. Proprio filio suo. Item: Foderunt manus meas et pedes meos. Diviserunt omnia ossa mea. Oratio: Respice quaesumus . . . Deinde aspergatur et thurificetur. Deinde tollatur a sacerdotibus et exportetur cantando: Popule meus.« Im Ritus Chori wird das Kreuz von St. Johann geholt: »Quibus completis vocentur sacerdotes ad Sacristiam et induant se casulis pro crucifixo portando. Et omnes simul ibunt processionatim ad S. Iohannem praecedentibus candelis extinctis, aqua benedicta, thuribulum, et Episcopus cum ministris, qui portant librum in quo continetur ille actus. In reversione ad chorum Summissarius subordinat Praepositum aut unum de senioribus qui canit Antiphonam: Ecce lignum crucis.«

Manna gespeist und dich in ein Land geführt so überaus gut, du aber hast das Kreuz deinem Erretter bereitet.

Schüler und Chor wie oben.

Priester: Was hätte ich noch tun sollen und tat es nicht? Als meinen schönsten Weinberg pflanzte ich dich und so bitter wurdest du mir. Mit Essig stilltest du meinen Durst und mit der Lanze hast du die Seite deines Erretters durchbohrt.

Schüler und Chor wie oben[162].

Die Trishagion-Verse (»Agyos otheos«) und die Improperien sind seit den Untersuchungen von A. Baumstark und E. Wellesz als deutliche Beispiele für den Einfluß der östlichen Liturgie auf den Westen bekannt[163], wobei die Bedeutung Jerusalems hervorgehoben wurde. Es lassen sich verschiedene Typen der Improperien unterscheiden, auf die jedoch hier nicht näher einzugehen sein wird[164].

Nach diesem Gesang entblößen die assistierenden Priester das Kreuz – es war in manchen Kirchen nicht mit einem Tuch, sondern mit einem roten Meßgewand bedeckt gewesen[165] – und intonieren mit lauter Stimme:

(Ecce lignum crucis) Seht das Holz des Kreuzes, an dem das Heil der Welt gehangen: Kommt lasset uns anbeten! Psalm (118): Selig deren Weg makellos, die wandeln nach dem Gesetz des Herrn. Seht das Holz . . .

Wenn es Brauch ist (»si placet«) – und im Regensburger Dom dürfte dies der Fall gewesen sein –, kommen nun zwei Sänger, angetan nach Art (»sub typo«) der seligen Jungfrau Maria und des heiligen Johannes. Sie singen vor dem aufgestellten Kreuz abwechselnd den »Planctus Mariae«. Ein bestimmter Text ist weder im Fragment noch in den gedruckten Meßbüchern angegeben[166]. Vielleicht wurde im Dom das Responsorium »O vos omnes qui transitis per viam« gesungen.

[162] Der lateinische Text entspricht dem im MR, ohne die dort zusätzlichen Verse.

[163] A. Baumstark, Der Orient und die Gesänge der Adoratio crucis, in: JLW II (1922) 1–17; E. Wellesz, Eastern Elements in Western Chant (Oxford 1947) 21–26.

[164] Vgl. J. Drumbl, Die Improperien in der lateinischen Liturgie, in: ALW XV (1973) 68–100 (mit weiterer Literatur); E. Werner, Zur Textgeschichte der Improperien, in: Festschrift B. Stäblein (Kassel 1967) 274–286.

[165] So u. a. in Passau; vgl. Oswald 25.

[166] Missale-Fragment: »Deinde si placet veniant duo scolares induti vestibus sub typo beate virginis et sancti iohannis et plangent ante crucifixum alternatim.« Im Missale bzw. Obsequiale lautet die Rubrik: »Postea si placet peragatur planctus marie«. Im Ritus Chori fehlt das »si placet«; es heißt: »Sequitur Planctus Marie. adoretur crux.«

Daß zwei Sänger, als Maria und Johannes gekleidet, den »Planctus Mariae« vortragen, wird nur im genannten Fragment aus dem Dom-Missale erwähnt. Ein ähnlicher Brauch hat auch in St. Emmeram bestanden, wie ein Planctus von Maria und Johannes, beginnend »Heu, heu! virgineus flos ...«, in Clm 14094 aus dem 14. Jahrhundert zeigt[167].

Danach begann die Kreuzverehrung, an der sich Klerus und Volk beteiligten[168]. Die Kleriker sprechen dabei, auf dem Boden hingeworfen (»prostratus in longa venia«)[169] drei umfangreiche Gebete, wie sie auch in anderen bayerischen Missalien und Ritualien aus dieser Zeit vorkommen[170]. Wie A. Baumstark gezeigt hat, findet sich eine dreimalige Kniebeuge (»Prostratio«) schon in einem syrischen Kreuzverehrungs-Ordo des jakobitischen Ritus[171]. Daß die Kleriker dabei die Schuhe ausziehen sollen, wird in Regensburger Liturgiebüchern nirgends gefordert[172].

Während der Kreuzverehrung singt der Chor folgende Gesänge, von denen die ersten beiden keine Aufnahme in das Missale Romanum gefunden haben:

(Cum fabricator mundi) Als der Schöpfer der Welt die Todesstrafe am Kreuz erlitt, hat er mit lauter Stimme seinen Geist aufgegeben. Und siehe, der Vorhang des Tempels ist zerrissen, die Gräber haben sich geöffnet, ein großes Erdbeben ist entstanden; denn die Welt rief aus, sie könne den Tod des Gottessohnes nicht ertragen. Als die Seite des gekreuzigten Herrn mit der Lanze geöffnet war, floß Blut und Wasser heraus zur Erlösung und zu unserem Heil.

(O admirabile pretium) O wunderbarer Kaufpreis! durch sein Gewicht

---

[167] Herausgegeben von Young I, 699f.; vgl. Bischoff, Mittelalterliche Studien II (Stuttgart 1967) 123.

[168] Nach dem Wolfgangs-Sakramentar war der Ritus im 10. Jahrhundert noch relativ einfach gestaltet. Es heißt hier: »Post praedictas orationes duo accoliti parati portantes de secretario crucem ante ipsum altare ad salutandum. Ibi tapete strati ad prosternendum se domno pontifici. Interdum autem dum crux salutatur scola cantat antiphonam. Ecce lignum crucis. cum ps. Beati inmaculati.«

[169] Dieser Ausdruck erscheint u. a. im Poenitentiale S. Columbani. Es handelt sich um einen Bußakt (venia = μετάνοια), bei dem man sich, nach Art der Orientalen, der Länge nach auf den Boden warf.

[170] Vgl. z. B. das Kloster-Rituale von Biburg (ed. W. von Arx 197f.); in Augsburg waren dagegen andere Gebete üblich; vgl. Hoeynck 214 und 394.

[171] Vgl. A. Baumstark, in: JLW II (1922) 3.

[172] Im PRG wird das Barfußgehen in diesem Fall sogar direkt verboten; vgl. Römer (oben Anm. 142) 79.

ist die Welt aus der Gefangenschaft erlöst, sind die unterirdischen Riegel der Hölle zerbrochen, ist die Pforte des Reiches geöffnet worden. Hymnus. Crux fidelis (wie im Missale Romanum)[173].

Im Regensburger Missale ist nur mehr eine kleine Auswahl der zahlreichen Lieder zu Ehren des heiligen Kreuzes zu finden, wie sie in den italienischen Plenarmissalien des 10./11. Jahrhunderts, nicht selten zweisprachig (lateinisch und griechisch)[174], verzeichnet sind[175]. Vor allem fehlt im Missale die sonst fast überall zu findende, auch im MR vorkommende uralte Antiphon »Crucem tuam adoramus domine«[176], die im Passauer Missale wenigstens noch als Gebet des Zelebranten bei der Kreuzverehrung gesprochen wird. Gesänge zur Kreuzverehrung waren, wie die ältesten stadtrömischen Ordines zeigen – wir sprachen bereits oben davon – im frühen Mittelalter in der päpstlichen Liturgie Roms unbekannt. Wir dürfen annehmen, daß ein Großteil von ihnen in der Metropole Ravenna ausgebildet worden ist. So hat, wie der Liber pontificalis der ravennatischen Bischöfe berichtet, Bischof Felix von Ravenna (705–723) seinen Freund Iohannicis, einen gelehrten Laien, gebeten, die Kreuz-Antiphonen, die (außer am Karfreitag auch) im sonntäglichen Gottesdienst (wohl am Schluß bei einer Prozession »ad crucem«) gesungen worden sind, zu sammeln (»ut omnes antiphonas, quas canimus modo dominicis diebus ad crucem . . . ipse exponeret non solum latinis sed etiam graecis verbis«)[177].

Doch dürfte Iohannicis nicht der Verfasser all dieser Kreuzgesänge sein. Sie sind von ihm nur gesammelt (und vielleicht mit Neumen versehen) worden; sie gehen allem Anschein nach auf syrische und griechische Vorlagen zurück[178]. Ähnlich liegt der Fall bei der Übernahme griechischer Passionsge-

---

[173] Er stammt von Venantius Fortunatus († um 600).

[174] Vgl. K. Gamber, La liturgia delle diocesi dell'Italia centro-meridionale dal IX all' XI secolo, in: Vescovi e diocesi in Italia nel medioevo (= Italia Sacra 5, Padova 1964) 145–156, hier 153 f. Meist sind nur die griechischen Texte mit Neumen versehen, so im Cod. Vat. lat. 4770 (CLLA Nr. 1413).

[175] Vgl. L. Brou, Les chants en langue grecque dans les liturgies latines, in: Sacris eruditi I (1948) 165–180; IV (1952) 220–238; ders., Les impropères du Vendredi Saint, in: Rev. Greg. 20 (1935).

[176] Vgl. A. Baumstark, in: JLW II (1922) 4 mit griechischem Text.

[177] Vgl. PL 106, 709. Die Bedeutung Ravennas hinsichtlich der musikalischen Gestaltung liturgischer Gesänge wird immer mehr deutlich; vgl. K. Levy, The Italian Neophytes' Chants, in: Journal of the American Musicological Society 23 (1970) 181–227.

[178] Vgl. A. Baumstark, Der Orient und die Gesänge der Adoratio crucis, in: JLW II (1922) 1–17; A. Rücker, Die Adoratio crucis in den orientalischen Riten, in: Miscellanea Mohlberg I (Roma 1948) 379–406; J. Handschin, Sur quelques tropaires grecs tra-

sänge in die ägyptische Liturgie[179]. Bekanntlich sind auch verschiedene lateinische Antiphonen am Oktavtag von Weihnachten und von Epiphanie Übersetzungen griechischer Texte[180]. Wir dürfen nicht ausschließen, daß einige der Kreuzgesänge in den lateinischen Missalien noch in die Zeit der Egeria zurückgehen und in Jerusalem entstanden sind.

Der Regensburger Ritus der Kreuzenthüllung und Kreuzverehrung ist der in Salzburg übliche[181]. Er stimmt im wesentlichen überein mit Meßbüchern, die in Oberitalien ausgebildet worden sind. Besonders auffällig ist die Übereinstimmung mit dem Ordo in einem Graduale aus Brescia (11. Jahrhundert)[182]. Auch das Adalpret-Sakramentar aus Trient (12. Jahrhundert) weist die gleiche Ordnung auf. Da dieser Ritus noch einfacher ist als der von Brescia und Regensburg, scheint hier eine ältere Redaktion vorzuliegen[183].

Wir kommen nun zum dritten Teil des Karfreitagsgottesdienstes, der »M i s s a p r a e s a n c t i f i c a t o r u m«, über deren Anfänge bereits oben gesprochen worden ist. Im Wolfgangs-Sakramentar ist die »gelasianische«, näherhin ravennatische, Form noch kaum verändert: Nach der Kreuzverehrung gehen zwei Subdiakone zusammen mit zwei Priestern in die Sakristei. Die Subdiakone legen die heiligen Gaben auf die Patene und geben sie einem der Priester in die Hand, dem anderen reichen sie den Kelch mit nicht-konsekriertem

---

duits en latin, in: Annales musicologiques II (1954) 27ff.; A. Hesbert, L'Antiphonale Missarum de l'ancien rit bénéventain, in: Ephem. liturg. 60 (1946) 103–141.

[179] Vgl. A. Baumstark, Drei griechische Passionsgesänge ägyptischer Liturgie, in: Oriens Christianus, Ser. II, Bd. 3–4 (1930) 69–78.

[180] Vgl. J. Lemarié, Les antiennes »Veterem hominem« du jour octave de l'Epiphanie et les antiennes d'origine grecque de l'Epiphanie, in: Ephem. liturg. 72 (1958) 3–38. Hier wird u. a. auch gezeigt, daß der Archetyp einiger griechischer Gesänge nicht mehr bekannt ist, daß er aber in Hymnen der armenischen Kirche weiterlebt. Etwas ähnliches dürfte auch für zahlreiche lateinische Kreuzgesänge gelten; weiterhin O. Strunk, The Latin Antiphons for the Octave of the Epiphany (= Recueil de traveaux de l'Institut d'études byzantines VIII, 2 Mélanges G. Ostrogrosky, Belgrad 1964) II, 417–426.

[181] Vgl. E. Drinkwelder, Das Sacrum Triduum in Salzburg während des ausgehenden Mittelalters, in: Heiliger Dienst 6 (1952) 6–11, hier 7f.

[182] Jetzt in Oxford, Bibl. Bodl., MS Canon. lit. 366 (fol. 22–23); vgl. W. H. Frere, Bibliotheca Musico-liturgica I (London 1894) 76 Nr. 215. Der Text dieses Ordo ist herausgegeben von V. Maurice, Les offices du Vendredi et du Samedi Saint d'après deux manuscrits du XIe siècle, in: Revue du Chant grégorien 13 (1905/06) 124–126.

[183] »Post orationes accipiant crucem et duo cantores ante crucem incipiant: Ant. Popule meus. Et praefati presbiteri cum pueris candelas ferentibus cantent: Ayos. Et chorus dicat: Sanctus deus. Et cantores cantent: Quia eduxi te . . . Postea episcopus vel summus presbiter ante altare nudans crucem alta voce dicat: Ant. Ecce lignum. Et ceteris cantantibus mox salutent crucem. Interim scola cantet: Ant. Dum fabriator mundi«; vgl. Unterkircher, Il Sacramentario Adalpretiano 65. Es fehlt hier bezeichnenderweise noch der Hymnus des Venantius »Crux fidelis«.

Wein. Patene und Kelch werden zum Altar getragen und dort niedergestellt. Der Bischof begibt sich zum Altar, verneigt sich dort mehrmals und singt das Paternoster mit anschließendem Libera. Dann teilt er die Hostie und legt einen Teil davon in den Kelch; er kommuniziert unmittelbar darauf, nach ihm tun dies auch die anderen. Zum Schluß sagt der Bischof: »In nomine patris et filii et spiritus sancti. Pax vobis«[184], womit die Feier schließt[185].

Die Gestalt der »Missa praesanctificatorum« in Regensburg am Ende des Mittelalters entspricht weitgehend der von Salzburg[186]. Dem Ritus Chori zufolge geht der Bischof im Anschluß an die Kreuzverehrung in die Sakristei, wo er den Rauchmantel mit dem Meßgewand vertauscht. Dann begibt er sich zum Altar und spricht, in Anlehnung an die Meßfeier, das »Confiteor«. Inzwischen trägt der Dompropst in Begleitung zweier Kanoniker das heilige Sakrament zum Altar. Der Subdiakon nimmt dieses kniend in Empfang und gibt es dem Diakon weiter. Dieser wiederum reicht es dem Bischof, der anschließend mit dem Allerheiligsten den Segen gibt[187]. Der eucharistische Segen ist an dieser Stelle sicher ein neuer Brauch, da er weder im Missale noch im Obsequiale erwähnt wird.

Nachdem Patene und Kelch auf das Corporale gestellt sind, rezitiert der Bischof – ebenfalls in Anlehnung an den Meßritus – das Gebet »Suscipe sancta trinitas«. Er singt anschließend das Paternoster mit dem nachfolgenden Libera; dann bricht er die Hostie in drei Teile und legt einen Teil in den nichtkonsekrierten Kelch[188]. Einige Missalien – nicht jedoch das von Regensburg

---

[184] Vgl. Ordo Romanus XXIV,39 (ed. Andrieu III,294); doch hier statt »Pax vobis«: »Pax tibi – Resp. Et cum spiritu tuo.«

[185] »Salutata cruce duo subdiaconi pergentes ad sacrarium et duo presbyteri. Et accipientes subdiaconi in patena oblatas sanctas. et dabunt in manu uni presbytero et vinum non consecratum in calice alio presbytero. Et portantes ea ad altare et ponant super altare. Et pontifex ascendit ad altare inclinet se et levet et iterum levans dicit: Oremus . . . per omnia secula seculorum. Et accipiens pontifex (sancta) frangat eas et mittens de sancta in calicem (nihil dicens) nisi secrete voluerit dicere aliquid. Et tunc communicet ipse et omnes qui voluerint . . . Et dicit pontifex: In nomine patris et filii et spiritus sancti. Pax vobis. Resp. Et cum spiritu tuo. Ita quoque finitur.«

[186] Vgl. Drinkwelder (oben Anm. 181) 8.

[187] Ritus Chori: »Interim Episcopus cum ministris ascendit ad Sacristiam et deponit pallium et induit casulam et statim dicat: Confiteor. Interim Praepositus deferat Sacramentum et duo Canonici conducunt eum et Subdiaconus flexis genibus in inferiori gradu altaris recipit Sacramentum a domino Praeposito et det Diacono, et Diaconus Episcopo et Episcopus dat cum Sacramento unam benedictionem populo.«

[188] Ritus Chori: »Postea praeparet corporale et calicem et ponat corpus Christi super corporale iuxta calicem et patenam sub corporale et oret ante Sacramentum. compositis manibus super altare dicat: Suscipe sancta trinitas. Postea se elevans lenta voce dicat: Oremus praeceptis, ut patet in missali usque ad illum locum: Per eundem do-

– sprechen hier von einer »apostolischen Konsekration«[189], bei der, im Miß-
verständnis einer Stelle bei Gregor d. Gr., über Brot und Wein nur das Gebet
des Herrn gesprochen worden sein soll[190]. Verbreitet war auch die Meinung,
daß durch die Berührung des Weines mit dem konsekrierten Brot dieser
selbst konsekriert werde[191]. Mancherorts scheint das Volk am Karfreitag nur
aus dem so »konsekrierten« Kelch getrunken zu haben[192].

Als Vorbereitung auf den Empfang der Kommunion spricht der Bischof die
üblichen Gebete, wobei er diejenigen ausläßt, die sich auf das heilige Blut beziehen. Er kommuniziert dann selbst und reicht die Kommunion dem Klerus
und Volk[193]. Der Empfang derselben scheint in Regensburg allgemein[194],
vielerorts sogar streng vorgeschrieben gewesen zu sein[195]. Der Brauch der

minum. Quibus verbis frangit hostiam et habens tertiam partem inter digitos super calicem dicat: Per omnia secula seculorum. Episcopus nihil dicat sed mittat tertiam partem in calicem.« – Zu beachten ist in den Regensburger Missalien, daß es im Libera
heißt: »intercedente pro nobis«. Diese vorgregorianische Fassung hat sich hier nur
mehr im Libera des Karfreitags erhalten, während im Canon Missae die Worte »pro
nobis« fehlen.

[189] »Hac die apostolica representatur consecratio, que tantum dominicam orationem super corpus et sanguinem dicebat«; vgl. Köck 153; Hoeynck 215.

[190] Vgl. J. A. Jungmann, Missarum Sollemnia (2. Aufl. Wien 1949) II,337 f.;
K. Gamber, Sakramentarstudien (= Studia patristica et liturgica 7, Regensburg 1978),
93 f.

[191] »Sanctificetur enim vinum non consecratum per sanctificatum panem«; vgl.
Köck 153 (nach Amalar, De eccl. off. I,15). Mancherorts, so in Ägypten und Ravenna,
wurde den Gläubigen regelmäßig nur der so »konsekrierte« Wein gereicht; vgl.
M. Andrieu, Immixtio et consecratio (Paris 1924) 241; K. Gamber, Der Ordo Roma-
nus IV ein Dokument der ravennatischen Liturgie des 8. Jahrhunderts, in: Römische
Quartalschrift 66 (1971) 154–170, hier 168.

[192] So lautet z. B. eine Rubrik in einem beneventanischen Missale des 12. Jahrhunderts in Berlin (CLLA Nr. 477) fol. 123: »Post hec tollat particulam de corpore dni.
et mittit in calicem nichil dicens. et sic communicent omnes cum silentio« (ed. S. Rehle
Nr. 98).

[193] Ritus Chori: »Sequitur praeparatio ad communionem: Perceptio . . . Ave salus
mundi, Quid retribuam, Panem caelestem, Domine non sum dignus, Deus propitius
esto, Corpus domini. Postea Episcopus inclinet se reverenter et sumat calicem nihil di-
cendo. Quo facto Episcopus ponat tres particulas in capsam argenteam et tegat eam
cum velamine. Postea communicet populum.«

[194] In der Pfarrkirche St. Rupert in Regensburg war an diesem Tag die Osterkom-
munion üblich; vgl. Clm 14991 (fol. 5); H. Mayer, in: Zeitschrift für kathol. Theologie 38 (1914) 296.

[195] So verlangt Theodulph von Orléans († 821): »alle müssen kommunizieren«
(PL 105, 204); vgl. P. Browe, Die Pflichtkommunion im Mittelalter (Münster 1940) 32;
ders., Die Kommunion an den letzten Kartagen, in: JLW X (1930) 56–57; weiterhin
Andrieu V, 260. Ähnlich heißt es im Adalpret-Sakramentar (ed. Unterkircher 66):
»Communicare omnes illa die praeter publice penitentes debent.«

Karfreitagskommunion blieb so lange bestehen, bis er im Jahr 1622 von Rom verboten wurde[196].

Zum Abschluß trägt der Dompfarrer das Allerheiligste in die Pfarrkirche[197]. Zur Zeit des heiligen Ulrich hat man in Augsburg die Eucharistie am Ende des Karfreitagsgottesdienstes in eine andere Kirche und zwar nach St. Ambrosius übertragen und hier »begraben«, wobei man symbolisch einen Stein über die Stelle legte[198]. Mit der späteren »Depositio crucis«, die teilweise ebenfalls mit einer Grablegung der Eucharistie verbunden war, hat dieser Brauch jedoch noch streng genommen nichts zu tun. Es handelt sich lediglich um die ehedem auch an den übrigen Tagen übliche »Depositio« der konsekrierten Gaben am Schluß der Meßfeier[199].

Den letzten und jüngsten Teil der Regensburger Karfreitagsliturgie stellt die »Depositio crucis« (die Niederlegung des Kreuzes im Heiligen Grab) dar[200]. Dieser Brauch ist im byzantinischen Ritus beheimatet, wo jedoch außer dem Kreuz auch ein reich verziertes gesticktes Tuch mit der Darstellung der Grablegung des Herrn, »Epitaphios« genannt, benützt wird[201]. Der Ritus der »Depositio crucis« fehlt noch im Wolfgangs-Sakramentar, wir finden ihn erstmals erwähnt in der »Regula Concordia« der angelsächsischen Mönche (vor 970)[202].

Er wurde vielleicht in Aquileja, von wo aus, wie wir sahen, allem Anschein nach auch die Palmenprozession (aus dem Orient) im Abendland Eingang

---

[196] Vgl. Browe, Die Kommunion an den letzten Kartagen (oben Anm. 195) 73.

[197] Ritus Chori: »Interim vocetur plebanus ad deferendum sacramentum ad parochiam.«

[198] Vita Udalrici c. 22: »Populo sacro Christi corpore saginato, et consuetudinario modo quod remanserat sepulto.« – »Intravit ecclesiam S. Ambrosii, ubi die parasceve corpus Christi superposito lapide collocavit.«

[199] Zu beachten ist hier der Ausdruck »consuetudinario modo«. Davon, daß man am Ostersonntag die Eucharistie vom Karfreitag herbeigeholt und verehrt hat, wie R. Bauerreiß, Kirchengeschichte Bayerns II, 105 f. meint, steht im Text der Vita nichts. Es heißt hier nur, daß der heilige Ulrich »secum portato Christi [et] evangelio et cereis et incenso et congrua salutatione versuum a pueris decantata (d. h. der Bischof wurde bei seinem Kommen begrüßt), per atrium porrexit ad ecclesiam S. Iohannis baptistae«.

[200] Grundlegend ist die Arbeit von K. Gschwend, Die Depositio und Elevatio crucis im Raum der alten Diözese Brixen. Ein Beitrag zur Geschichte der Grablegung am Karfreitag und der Auferstehungsfeier am Ostermorgen (Sarnen 1965) mit weiterer Literatur.

[201] Vgl. Rücker, Die Adoratio crucis (oben Anm. 178) 392; Aranca, Christos anesti. Osterbräuche im heutigen Griechenland (Zürich 1968) 193. Hinsichtlich des Ritus in der syrischen Kirche vgl. Rücker 399 ff.

[202] Vgl. Gschwend 11.

gefunden hat, ausgebildet. In Aquileja gibt es nämlich seit alter Zeit in der Kathedrale eine Nachbildung des Heiligen Grabes in Jerusalem; sie steht in Zusammenhang mit den seit dem 8. Jahrhundert erneut einsetzenden Pilgerfahrten ins Heilige Land[203]. Das »Sanctum Sepulchrum« in Aquileja war wohl von Anfang an für den Karfreitagsgottesdienst bestimmt. In anderen Kirchen des Patriarchats finden wir in späterer Zeit ebenfalls ähnliche Bauten, jedoch auch außerhalb dieses Gebiets, so in Eichstätt, wo die Anlage der in Aquileja entspricht[204], Konstanz, Einsiedeln und Fulda[205].

Der Ritus der »Depositio crucis« von Aquileja wurde relativ rasch im ganzen Gebiet des Patriarchats sowie im angrenzenden Erzbistum Salzburg eingeführt. Er stimmt in den einzelnen Diözesen weitgehend mit der Ordnung im Missale Aquileiense vom Jahr 1494 überein; sogar im Wortlaut der Rubriken finden sich viele Gemeinsamkeiten[206]. Noch ursprünglicher scheint dagegen der Ritus im Adalpret-Sakramentar des 12. Jahrhunderts zu sein, das aus dem Patriarchat Aquileja, näherhin aus Trient, stammt[207].

Dem Regensburger Obsequiale zufolge zog nach der Kommunion der Gläubigen und der Aufbewahrung der Eucharistie eine Prozession zum Heiligen Grab. Wo dieses im Regensburger Dom errichtet war, wissen wir nicht, vielleicht in der Nähe des Stephan-Altars. Dorthin wurde das Kreuz, das im vorausgehenden Teil des Gottesdienstes enthüllt und verehrt worden war, feier-

---

[203] Vgl. E. Dyggve, Aquileia e la Pasqua, in: Studi Aquileiesi. Festschrift G. Brusin (Aquileia 1953) 385–397. – Erstmals erwähnt im Jahr 1077, jedoch älter.

[204] Vgl. H. Schnell, Bayerische Frömmigkeit (München-Zürich 1965) 40f. (mit Abbildung).

[205] Vgl. Gschwend 30–59.

[206] Missale Aquileiense: »Quibus completis ordinata ut prius processione ministri assumantes crucem ferant super altare: et dominus pontifex oblatum relictam crucis pectori collocet atque purpura vel syndone circumvolvet. Et tunc dicti ministri elevantes eam ferant ad sepulchrum cum processione prius ordinata sine tamen alio cruce procedente cantando suppressa voce: Ecce quomodo . . . Locata autem cruce in sepulchro clauso ostio et sub sigillo firmato: dominus pontifex advolvat lapidem ad ostium monumenti: et inde cum sacramento imponat camerariis onus et custodiam dicte crucis atque sacratissimi corporis christi usque resurrectionis diem. Quo facto redeunte processione ad sacrarium cantent submissa voce: Sepulto domino. Ibidemque cum pervenerit: dominus pontifex deponat submissa voce: et interim legantur vespere cum psalmis et antiphonis precedentis diei.« In der Agende von 1575 wird die Vesper vor dem Heiligen Grab gebetet und Kreuz und Eucharistie werden getrennt übertragen; vgl. Gschwend 39f., Anm. 33.

[207] Adalpret-Sakramentar (ed. Unterkircher 66): »Post haec fiat sepultura sanctae crucis ista cantando: Ecce quomodo, cum versu, et: Sepulto domino, cum versu. Et cruce sepulta et cooperta cantetur: Sanctifica nos domine. Deinde ad vesperas . . .« Die Einfügung der »oblata« in die Brust des Gekreuzigten, wie wir sie im Missale Aquileiense von 1494 finden, fehlt hier noch.

lich in Begleitung von Weihrauchfässern übertragen[208]. Der Chor sang dabei folgende zwei Responsorien aus der Matutin des Karsamstag[209]:

(Recessit pastor noster) Unser Hirte, die Quelle des lebendigen Wassers, ist von uns gegangen. Bei seinem Hinscheiden hat sich die Sonne verfinstert und ist jener gefangen worden, der den ersten Menschen in Ketten hielt. Heute hat unser Erretter die Pforten und die Riegel des Todes aufgebrochen. Vor seinem Angesicht ist der Tod geflohen, auf seinen Ruf hin sind die Toten auferstanden. Als die Pforten des Todes ihn sahen, sind sie zerbrochen. Heute . . .

(Ecce quomodo moritur)[210] Seht wie der Gerechte stirbt, doch niemand nimmt es sich zu Herzen. Gerechte Männer werden hinweggerafft und niemand achtet darauf. Vor den Augen der Gottlosen wird der Gerechte hinweggenommen. Und es wird in Frieden sein Gedächtnis sein. In Frieden ist nun seine Ruhestätte und in Sion seine Wohnung. Und es wird . . .

Am Heiligen Grab betet dann der Klerus »mit gedämpfter Stimme« die Vesper. Das Kreuz wird mit Weihwasser besprengt und beräuchert[211]. Auf dem Rückweg zum Chor wird nochmals ein Responsorium aus der Matutin gesungen:

(Sepulto domino) Als sie den Herrn bestattet hatten, versiegelten sie das Grab und wälzten einen Stein vor den Eingang. Sie stellten Soldaten davor, die es bewachen sollten. Damit nicht etwa seine Jünger kämen, ihn

[208] Obsequiale Ratisponense: »Quibus omnibus peractis: Sacerdos cum ministris tollat crucifixum quod praesentatum fuerat et deferant ad sepulchrum cantantes Responsorium: Recessit pastor . . . Vel loco illius canitur sequens Responsorium: Ecce quomodo . . . Tunc locent crucifixum in sepulchrum: et flexis genibus legant vesperas submissa voce . . . Postremo cantetur lenta voce cum versu Responsorium: Sepulto domino«. Hinsichtlich des Stephan-Altars vgl. unten Anm. 252. – Die St. Emmeramer Depositio und Elevatio crucis ist im Clm 14183 (fol. 47–50) aus dem 15. Jahrh. niedergelegt, z. T. gedruckt bei K. Young, The Dramatic Associations of the Easter Sepulchre (= Univ. of Wisconsin Studies in Language and Literature 10, Madison 1920) 109f.

[209] Daß man keine eigenen Gesänge für den Ritus der Grablegung ausgebildet, sondern einfach Responsorien der Matutin übernommen hat, hängt mit der relativ späten Ausbildung dieses Brauches zusammen.

[210] Zu dieser Antiphon vgl. L. Brou, Le répons »Ecce quomodo moritur« dans les traditions romaine et espagnole, in: Rev. bénéd. 51 (1939) 144–168.

[211] In dieser Besprengung könnte, wie Gschwend 64 Anm. 24 meint, ein Rest des orientalischen Brauches vorliegen, wo das Kreuz vor der Depositio mit Rosenwasser gewaschen wird; wahrscheinlicher ist jedoch, daß hier einfach der gewöhnliche Beerdigungsritus nachgeahmt wird.

stehlen und dem Volk sagen könnten: er ist von den Toten auferstanden. Sie stellten . . .

Im Ritus Chori wird das Kreuz auf einer Tragbahre (»feretrum«) getragen[212]. Nach diesem jüngeren Ritus bringt man in einer weiteren Prozession auch das Allerheiligste zum Sepulchrum. Der Bischof gibt dort dem Volk den eucharistischen Segen[213]. Der Brauch, das Allerheiligste zu übertragen, ist in Regensburg erst im 16. Jahrhundert üblich geworden. In der Barockzeit fand dann die Aussetzung in der (mit einem weißen Schleier verhüllten) Monstranz statt[214].

Im Chor sang der Offiziator am Vorlesepult (»ante pulpetum«) zum Abschluß der Feier einen Versikel und die im Triduum Sacrum immer wieder verwendete Oration »Respice quaesumus domine super hanc familiam tuam«[215].

In der Barockzeit wurde in Regensburg auf Anordnung des Bischofs Wolfgang II. († 1613) am Nachmittag des Karfreitags eine Prozession durch die Stadt gehalten. Der Zug nahm im Dom seinen Ausgang, ging dann zu den Augustinern, den Dominikanern, nach St. Emmeram, Obermünster, St. Paul, zur Alten Kapelle, nach Niedermünster und endete schließlich im Dom[216]. An der Prozession nahmen auch verhüllte Büßer teil, die Kreuze schleppten und sich geißelten[217].

[212] So auch anderswo vgl. J. B. Götz, Die kirchliche Festfeier in der Eichstätter Diözese am Ausgang des Mittelalters, in: Zeitschrift für bayerische Kirchengeschichte 9 (1934) 203.

[213] Ritus Chori: »Postea subordinantur omnia necessaria ad processionem sepulchri: videlicet thuribulum, aqua benedicta, 2 Wendelkertzen, corporale ad Sepulchrum Domini. Item duo Iuvenes cum candelis in processione procedunt feretro. Item quattuor Iuvenes Canonici portant feretrum cum crucifixo. Item vocentur domini ad conducendum Episcopum cum Sacramento ad Sepulchrum. et procedunt Iuvenes alii cum candelis. Item Summissarii in illa processione cantant Responsoria: Recessit pastor noster. Ecce quomodo moritur iustus. Et cum Episcopus venerit ad Sepulchrum dat benedictionem populo cum Sacramento.« – Hinsichtlich des Ausdrucks »Wendelkerzen« vgl. Th. Schäfer, Die Fußwaschung (= Texte und Arbeiten 47, Beuron 1956) 107–109.

[214] Vgl. Staber 79 f.; Gschwend 124–126.

[215] Ritus Chori: »Postea locetur Sacramentum ad locum suum. et statim Versus legantur flexis genibus circa sepulchrum, postea aspergatur et thurificetur Sacramentum et sepulchrum et redeunt ad chorum cum Responsorio: Sepulto domino . . . et in choro ante pulpetum Summissarius dicat lenta voce Versiculum: In pace factus est locus eius, et Oratio: Respice quaesumus.«

[216] So im Manuskript in der Bischöfl. Zentralbibliothek: »Has processionum orationes conscripsit Bartholomaeus Fridericus Taffelmayr Ecclesiae Cathedralis Choriv. indignissimus. Anno 1755«: »Processio Feria sexta Maioris Hebdomadae.«

[217] Vgl. J. Staber, Kirchengeschichte des Bistums Regensburg (Regensburg 1966) 130; allgemein zu den barocken Karfreitagsprozessionen vgl. Gschwend 126–128.

5. Der Karsamstaggottesdienst

Der in den Regensburger Liturgiebüchern »In Vigilia Paschae« überschriebene Gottesdienst begann im Dom, nach der Rezitation der kleinen Horen, im Spätmittelalter gegen 10 Uhr vormittags[218]. Der ursprüngliche Termin war bis ins 10. Jahrhundert und mancherorts vielleicht noch länger, 3 Uhr nachmittags (»hora diei nona«), so in Augsburg[219]. Im Wolfgangs-Sakramentar aus dem Ende dieses Jahrhunderts wird bereits der frühe Nachmittag (1 Uhr) als Beginn der Feier genannt[220]. Salzburger Handschriften nennen teils die fünfte (11 Uhr), teils die siebente, teils die neunte Stunde[221].

Die Feier begann in Regensburg mit einer Prozession, bei der Kreuz und Fahnen vorangetragen wurden. Diese führte zum Friedhof, wo inzwischen das neue Feuer aus einem Kristall entzündet worden war. Auf dem Weg dorthin wurden die sieben Bußpsalmen gebetet[222]. In Salzburg wurde das am Gründonnerstag geweihte Feuer herbeigeholt und nochmals geweiht[223].

Im Obsequiale sind vier Orationen für die Segnung des Feuers angegeben, von denen nur die beiden letzteren mit denen im MR übereinstimmen. Die erste ist, etwas gekürzt, die alte »gelasianische« (ravennatische) Weihe der Osterkerze, die auch im Tassilo-Sakramentar erscheint[224]. Darauf folgt eine Formel, die nur in deutschen sowie in einigen französischen Ritualien vorkommt und ein Segensgebet im Hinblick auf den Gebrauch des Feuers in den Häusern darstellt[225]. Im Missale in der Alten Kapelle sind dagegen eigenartigerweise genau die vier Orationen des MR vorhanden.

[218] Im Obsequiale findet sich keine genaue Angabe; es heißt lediglich: »hora congruenti fiat processio ad locum ubi benedicetur ignis.« Daß es am Vormittag war, wird aus den Angaben im Ritus Chori ersichtlich.

[219] Vgl. Vita Udalrici c. 22: »Lavatione autem corporis peracta et praeparatione vestimentorum indita, ad sacrum officium sollenniter se praeparavit, et totum clerum hora diei nona cum eo paratum esse destinavit.«

[220] »Hora autem septima corruunt omnes . . . in ecclesiam et parent se vestimentis . . . sicut mos est.«

[221] Vgl. Drinkwelder (oben Anm. 181) 9. Die 9. Tagesstunde (3 Uhr nachmittags) ist in einem Missale des 15. Jahrh. (Salzburg, Studienbibliothek, M III 11) angegeben.

[222] Obsequiale: »Et primo incipiantur septem psalmi poenitentiales«; Ritus Chori: »Et finitis horis Canonicis itur cum processione per ianuam Episcopi ad Coemiterium ubi benedicitur ignis. Iuvenibus cum vexillis paschalibus. Sequuntur Vicarii et Canonici postea Iuvenes cum parvis vexillis, thuribulis, aqua benedicta et thuribulo, et ultimo inofficians cum ministris.«

[223] Vgl. Drinkwelder (oben Anm. 181) 9.

[224] Nicht mehr im Prager Sakramentar, jedoch in einer Schwester-Handschrift; vgl. K. Gamber, Eine ältere Schwesterhandschrift des Sakramentars in Prag, in: Rev. bénéd. 80 (1970) 156–162.

[225] Vgl. Franz I, 514.

Vom Osterfeuer wurde, wie wir aus zahlreichen Quellen wissen, in den Häusern das neue Herdfeuer, das zuvor gelöscht worden war, angezündet[226]. Die Gläubigen hatten zur Feuerweihe Holzscheite herbeigetragen, die sie, nachdem diese in Brand gesteckt und geweiht waren, nach Hause brachten[227]. Der Brauch des »ignis paschalis« in Deutschland ist, wie wir oben sahen, bereits durch Bonifatius bezeugt.

Bei der Rückkehr zum Chor singen die »pueri« (Chorknaben) den Licht-Hymnus des Prudentius († nach 405) »Inventor rutili«[228], worauf, vom Diakon vorgetragen, das »Exultet« folgt (»Prosa« genannt), die bekannte Weihe der Osterkerze[229]. Das »Lumen Christi« beim Einzug in die Kirche fehlt.

Nach dem »Exultet« wurden die Lektionen (Prophetien) vorgetragen. Es waren in Regensburg, wie in Augsburg und anderswo[230], die vier des stadtrömischen Sacramentarium Gregorianum[231]. Es handelt sich dabei näherhin um eine Übernahme aus dem Mainzer PRG[232]. Ihr Gebrauch wurde deshalb auch »Ordo teutonicus« genannt[233], obwohl es sich um den Brauch in Rom handelt, da im übrigen Italien meist die zwölf Lesungen des späteren MR, die aus den »gelasianischen« (oberitalienischen) Sakramentaren stammen, in Gebrauch waren[234]. Das Wolfgangs-Sakramentar kennt dagegen sechs Lesungen[235]; es sind fast dieselben, die auch in Mailänder Liturgiebüchern zu finden sind[236].

Nach den Prophetien bildete sich abermals eine Prozession, diesmal zur

[226] So schon im Wolfgangs-Sakramentar: »Incendit duos magnos cereos et faciens crucem benedicit eos. Tunc vero per universos domos infra monasterium exstinquatur ignis et incendatur de isto novo et benedicto igne.«
[227] Vgl. Franz I, 516; Vogl, Das heilige Feuer am Karsamstage, in: Theol.-prakt. Monatschrift 7 (1897) 257–260.
[228] Prudentius, Cathem. V 1–32, 149–164; vgl. Analecta Hymnica 50, 30. Ritus Chori: »Quo benedicto redimus ad chorum cum hymno: Inventor rutili, quem cantant pueri et intrant chorum per ianuam primissariorum.«
[229] In Regensburg war die gekürzte Fassung (ohne »Felix culpa«) üblich.
[230] Vgl. Hoeynck 217.
[231] Vgl. K. Gamber, Sacramentarium Gregorianum I. Das Stationsmeßbuch des Papstes Gregor (= Textus Patristici et Liturgici 4, Regensburg 1966) 64 f.
[232] Vgl. PRG II, 100 f.
[233] Vgl. L. Eizenhöfer, Die Feier der Ostervigil in der Benediktinerabtei San Silvestro zu Foligno, in: ALW VI,2 (1960) 339–371, hier 353 ff.
[234] Ebenso in verschiedenen bayerischen Kirchen, so in Tegernsee (Clm 1923, fol. 52r) und in Reichenhall (Clm 16401, fol. 86v); vgl. Staber 82.
[235] Gen. 1, Gen. 2, Ex. 12, Is. 54–55, Is. 4, Jon. 3. In Salzburg waren verschiedentlich nur 5 Lesungen üblich: Gen. 1, Ex. 14, Gen. 22, Baruch 3; Vgl. Drinkwelder (oben Anm. 181) 10.
[236] Vgl. K. Gamber, Die Lesungen und Cantica an der Ostervigil im »Comes Parisinus«, in: Rev. bénéd. 71 (1961) 125–134, hier 131.

Taufkapelle (»ad fontem«). In Regensburg zog man nach St. Johann, der ehemaligen Taufkapelle (vgl. oben S. 124). Vorausgingen Ministranten (»iuvenes«) mit kleinen Fahnen und Rauchfässern[237]. Die »scolares« sangen dabei den Hymnus »Rex sanctorum angelorum«[238]. Er stellt eine Paraphrase des 1. Teils der »Litania« dar und geht möglicherweise auf Niceta von Remesiana († um 420) zurück[239]. Er wird auch »Litania Norica« genannt[240]. Während des Gesanges wurde der Taufbrunnen siebenmal umschritten, wonach der Offiziant die Gebete der Taufwasserweihe sang.

Wie in Salzburg und anderswo[241], dürften auch in Regensburg bei der Weihe außer der Osterkerze zwei große, mannshohe (»staturam hominis habentes«) Kerzen verwendet worden sein[242]. Im Ritus Chori ist nämlich vermerkt: »Item bestell die Mesner die die kertzen ihn den taufstein aus und ein heben«[243].

In den gedruckten Liturgiebüchern sowie im Ritus Chori ist nicht mehr von einer anschließenden Taufe die Rede. Doch nennt diese ausdrücklich noch das Missale in der Alten Kapelle (»deinde baptizatis parvulis«). Das Wolfgangs-Sakramentar erwähnt außer der Taufe auch die Firmung durch den Bischof. Sehr geschätzt war im Mittelalter das »Osterwasser«. Der Ritus Chori spricht davon, daß das für die Taufe benötigte Wasser »ante strepitum laicorum« (»vor der Plünderung durch die Laien«) auf die Seite getan werden soll.

Bei der Rückkehr zum Chor wird die Allerheiligenlitanei gesungen und zwar jede Anrufung dreimal (»trina litania«)[244]. Dort angekommen, wendet sich der Diakon, mit einer Kerze in der Hand, zum Volk und singt, wie im Ordo

---

[237] Ritus Chori: »Finitis prophetiis itur cum processio ad S. Ioannem praecedentibus vexillis, postea scolares, Vicarii Canonici S. Ioannis: Rex sanctorum praecinentes. Et in summo iuvenes cum parvis vexillis lucibulis et thuribulo, aqua benedicta, et Acoliti cum oleo sancto, et ultimo inofficians cum ministris.«

[238] Vgl. Analecta Hymnica 50,242 (PL 87,41); Hoynck 218.

[239] Jedenfalls muß der Hymnus, wie der Vers »Ut laetetur mater sancta . . .«, nahelegt, in einer Zeit entstanden sein, als der Zustrom erwachsener Täuflinge sehr groß war, also um 400. Dazu kommen noch stilistische Beziehungen zu Niceta. Eine eigene Studie darüber fehlt noch.

[240] So in Clm 6429 (fol. 169r); vgl. Staber 82.

[241] Vgl. Drinkwelder (Anm. 181) 10; Staber 81f.

[242] Bereits das Wolfgangs-Sakramentar spricht von zwei großen Kerzen, die am neuen Feuer entzündet werden sollen (siehe oben Anm. 226).

[243] Im Missale in der Alten Kapelle lautet die Rubrik: »Hic deponantur cerei (!) in fontem et sacerdos alta voce dicat: Descendat in hanc . . .«

[244] So auch in der Passauer Agenda von 1490 sowie im Clm 2776 (aus Aldersbach); vgl. Staber 82.

Romanus I,40, mit lauter Stimme: »Accendite« (Zündet an!)[245], nämlich die Kerzen in der Kirche, worauf von den Kanonikern das Oster-Kyrie angestimmt wurde[246].

Das nun folgende Vigil-Amt unterscheidet sich nicht von dem Formular im MR. Lediglich der Ritus der Vesper am Schluß ist insofern verschieden, als auch hier der Priester (oder »minister«) nach der Kommunion den Meßkelch in die Hand nimmt und zum Chor gewendet die Antiphon »Alleluia . . .« anstimmt[247]. Nach dem Magnificat und der Complenda schließt die Messe mit »Benedicamus domino«.

6. Die Osternachtfeier

Der »Ordo in sancta nocte Paschae« hat in den einzelnen Kirchen der Diözese verschiedene Formen aufgewiesen. Es lassen sich jedoch überall drei Teile unterscheiden, die »Elevatio crucis«, die Ostermatutin und die »Visitatio sepulchri« (Auferstehungsfeier). Das Obsequiale weist auf die verschiedenen Bräuche hin, wenn es die Erlaubnis erteilt: »Poterit commemoratio dominicae resurrectionis iuxta locorum consuetudinem observari«.

Die Urgestalt der »Elevatio crucis« dürfte im alten, noch recht schlichten Ritus von Aquileja zu suchen sein; hier heißt es: »Am heiligen Ostertag, bevor man zur Matutin die Glocken läutet, möge der Herr Bischof, wenn er will, zum Sepulchrum (Heiligen Grabe) kommen. Der Prozession voraus ziehen das Kreuz, zwei Kerzen und Weihrauch. Er holt das Kreuz, das am Karfreitag im Sepulchrum niedergelegt und versiegelt worden war. Auf dem Zug zur Sakristei singt man die Antiphon: Cum rex gloriae. Und so wird (das Kreuz) feierlich zurückgebracht. Inzwischen läutet man zur Matutin[249].«

---

245 Vgl. Andrieu, Ordines II,80. Im Ritus Chori irrtümlich: »Attendite« (Merket auf!). – Dieser im feierlichen päpstlichen Gottesdienst regelmäßig gebrauchte Ruf zu Beginn der Meßfeier, hat sich in deutschen Missalien des Mittelalters nur mehr am Karsamstag erhalten; so schon im Sakramentar von Jena (= Texte und Arbeiten 52, Beuron 1962) 26.

246 Ritus Chori: »Postea redimus ad chorum cum trina letania. qua completa Diaconus vertit se ad populum vel ad chorum cum candela alta voce cantans: Attendite. Postea Canonici regentes incipiunt Kyrie pascale solemniter.«

247 Im Missale in der Alten Kapelle geschieht dies bei der Antiphon zum Magnificat »Vespere autem sabbati«.

248 »Ordo secundum morem et consuetudinem Aquilegensis Ecclesiae«, herausgegeben von B. M. De Rubeis, Dissertationes duae (Venetiis 1754) 339f.; lateinischer Text bei Gschwend 39.

Im Regensburger Dom hat die Feier nach dem Obsequiale bzw. dem Ritus Chori gegen Mitternacht mit der »Elevatio crucis« begonnen. Der Bischof oder sein Vertreter begab sich zusammen mit den Kanonikern und dem Chor zum Heiligen Grab[249]. Das Volk war, wie in Aquileja, von diesem Teil der Feier ausgeschlossen[250]. Es sollte damit versinnbildlicht werden, daß die Auferstehung Jesu in der Stille und ohne Zeugen stattfand[251].

Am Heiligen Grab angekommen, betete man die Psalmen 3, 56 und 138, zusammen mit einigen Versikeln und einer Oration. Darauf wurde das Kreuz, wie bei der »Depositio«, mit Wasser besprengt und inzensiert und dann (zusammen mit dem Allerheiligsten)[252] in Prozession an seinen Ort zurückgebracht. Dabei hat man (nach dem Obsequiale und dem Ritus Chori) das Responsorium »Dum transisset sabbatum« aus der Ostermatutin gesungen[253]. Ursprünglich war, wie wir aus dem oben angeführten Ritus von Aquileja sowie aus anderen Quellen wissen[254], die folgende sehr alte Antiphon, das sogenannte »Canticum triumphale«[255], üblich:

(Cum rex gloriae) Als der König der Herrlichkeit, Christus, als Sieger
in die Unterwelt einzog und der Chor der Engel vor seinem Angesicht

[249] Obsequiale: »Episcopus aut Praepositus aut Decanus sive Senior Canonicus indutus stola ante pulsum matutinarum congregato choro cum processione et duobus luminibus: foribus Ecclesiae clausis secretius tollat Sacramentum seu crucifixum et antequam tollat dicantur psalmi flexis genibus . . .«

[250] Auch anderswo, so in Nürnberg; vgl. X. Haimerl, Das Prozessionswesen des Bistums Bamberg im Mittelalter (München 1937) 29; dagegen nahm das Volk in Bamberg an der Elevationsfeier teil; vgl. Haimerl 26–28.

[251] Vgl. N. C. Brooks, The sepulchre of Christ in art and liturgy (= University of Illinois Studies in Language and Literature 7 Nr. 2, Urbana 1921) 42; Gschwend 42 f.

[252] Während das Obsequiale zu Beginn der Osternachtsfeier vom »Sacramentum seu crucifixum« spricht, wird ersteres im weiteren Verlauf überhaupt nicht mehr erwähnt. Dies läßt darauf schließen, daß »Sacramentum seu« eine Einfügung darstellt. Anders dagegen der Ritus Chori: »Hora duodecima minoris horologii Summissarius praesentet dominum Suffraganeum ad sepulchrum cum duobus dominis qui conducunt Sacramentum et quatuor Canonicis qui portant feretrum. et ad illam processionem subordina librum obsequiale. Stolam rubram, thuribulum, aquam benedictam, zwo Wendelkertzen. Et Suffraganeus flexis genibus cum Summissariis legit psalmos sicut in libro continetur. Finitis psalmis fit processio ad Altare S. Stephani cum Responsorio quod Summissarius incipit: Dum transisset sabbatum.«

[253] So auch im Brixener Processionale von 1615; vgl. Gschwend 122, Anm. 49. In Salzburg sang man die Antiphon »Surrexit pastor«; vgl. Gschwend 39.

[254] Vgl. Gschwend 39; ähnlich in Augsburg; vgl. Hoeynck 220 f. und in Bamberg; vgl. Haimerl (oben Anm. 250) 27.

[255] Vgl. E. J. Lengeling, Unbekannte und seltene Ostergesänge aus Handschriften des Bistums Münster, in: Fischer-Wagner, Paschatis Sollemnia (Basel-Freiburg-Wien 1959) 213–238, hier 215.

die Pforten der Fürsten (der Unterwelt) zu öffnen befahl, da hatte das Volk der Heiligen, das im Tod gefangen gehalten war, mit tränenreicher Stimme ausgerufen: Du bist nun (endlich) da, du lang Ersehnter, den wir in (unserer) Finsternis erwarteten, damit du in dieser Nacht die Gefangenen herausführst aus dem Gefängnis. Dich riefen unsere Seufzer, dich suchten die vielen Klagen. Du bist die Hoffnung geworden für die Verzweifelten, der große Trost in ihren Qualen. Alleluja[256].

Schon die Bezeichnung Christi als »rex gloriae« (vgl. I Petr 3,19) weist auf einen östlichen Ursprung des Liedes hin[257], wenn auch bis jetzt noch keine orientalische Parallele gefunden werden konnte. Dazu kommt die der Antiphon zugrunde liegende uralte Descensus-Theologie vom Hinabstieg Jesu in die Unterwelt, wie sie auch im apokryphen Evangelium Nicodemi erscheint[258]. Bemerkenswert ist in diesem Zusammenhang, daß uns die Hinzufügung »descendit ad inferna« erstmals um 400 im Symbolum der Kirche von Aquileja begegnet[259]. Im Osten ist die »Descensus«-Darstellung das älteste und zugleich eigentliche Osterbild[260].

Unsere Antiphon wurde in Benevent am Karfreitag[261], in Frankreich verschiedentlich am Palmsonntag gesungen[262]. Sie ist jedenfalls wesentlich älter als der Ritus der »Elevatio crucis«. In späteren Jahrhunderten erklang sie ne-

---

[256] »Cum rex gloriae Christus infernum debellaturus intraret et chorus angelicus ante faciem eius portas principum tolli praeciperet, sanctorum populus qui tenebatur in morte captivus voce lacrimabili clamaret: Advenisti desiderabilis quem exspectabamus in tenebris, ut educeres hac nocte vinculatos de claustris: Te nostra vocabant suspiria, te larga requirebant lamenta, tu factus es spes desperatis, magna consolatio in tormentis. Alleluia!« (Text bei Lengeling 215).

[257] Hier tragen die Bilder des gekreuzigten Herrn regelmäßig den Titel »König der Herrlichkeit« ὁ βασιλεὺς τῆς δόξης ; vgl. R. Bauerreiß, Basileus tes doxes. Ein frühes eucharistisches Bild und seine Auswirkung, in: Pro mundi vita. Festschrift zum eucharistischen Weltkongreß (München 1960) 49–67, hier 52–59; vgl. auch oben S. 200f.

[258] Vgl. Lengeling (oben Anm. 255) 220; K. Gamber, Älteste Eucharistiegebete der lateinischen Osterliturgie, in: Fischer-Wagner, Paschatis Sollemnia (1959) 159–178, hier 175–177, wo ein ähnlicher Text aus der gallikanischen Liturgie besprochen wird.

[259] Vgl. H. Lietzmann, Symbole der alten Kirche (= Kleine Texte 17/18, Berlin 1935) 12.

[260] Vgl. H. Schulz, Die »Höllenfahrt« als »Anastasis«. Eine Untersuchung über Eigenart und dogmengeschichtliche Voraussetzungen byzantinischer Osterfrömmigkeit, in: Zeitschrift für kathol. Theologie 81 (1959) 1–66; dazu K. Gamber, in: Ostkirchliche Studien 9 (1960) 56–58.

[261] Vgl. Paléographie musicale XIV (1931) Tafeln XII, XXV, LXIV nach Handschriften des 11./12. Jahrhunderts (ältere gibt es nicht).

[262] So im Antiphonale von Laon (Cod. 239).

ben anderen Gesängen nur noch zur Prozession vor dem Osterhochamt, so auch, wie das Missale in der Alten Kapelle zeigt, in Regensburg[263].

Daß die Antiphon »Rex gloriae« und nicht das im Obsequiale und im Ritus Chori angegebene Responsorium der Ostermatutin ehedem in Regensburg gesungen wurde, wird auch durch die nachfolgende Szene deutlich. In ihr werden die Gedanken der Antiphon, in der von der Ankunft des Herrn in der Unterwelt die Rede ist, aufgegriffen[264]. Wenn nämlich die Prozession mit dem aus dem Heiligen Grab erhobenen Kreuz an der Tür des Domes, die »Bischofstür« genannt wird[265], angekommen war, wurde diese von innen mit dem Kreuz berührt. Darauf stellte der Sänger draußen die Frage: »Quis est iste rex gloriae« (Wer ist dieser König der Herrlichkeit?); es wurde ihm von innen geantwortet: »Der Herr der starke und mächtige, der Herr gar mächtig im Kampf[266].«

Auch im byzantinischen Ritus »berührt der Vorsteher die geschlossenen Türen mit dem Kreuz und öffnet sie, um anzudeuten, daß uns durch das Kreuz Christi die Pforten des Paradieses geöffnet worden sind«[267]. Ähnliche Bräuche, bei denen ebenfalls der obige Wechselgesang gebraucht wird, finden sich auch in anderen orientalischen Kirchen, so bei den Syrern, Melkiten und Georgiern[268].

In der Osternachtfeier im Regensburger Dom sprach der Bischof im Anschluß an die Tollite-portas-Szene »submissa voce« den Versikel:

(In resurrectione tua) Ob deiner Auferstehung, Christus: Alleluja.
Freuen sich Himmel und Erde: Alleluja[269].

[263] Vor der Messe des Ostersonntags sind hier folgende Antiphonen notiert, die auch im PRG (ed. Vogel-Elze II,113) vorkommen: »Vidi aquam«, »In die resurrectionis«, »Cum rex gloriae«, »Salve festa dies«, »Stetit angelus«; vgl. auch Lengeling (oben Anm. 255) 236.

[264] Obsequiale: »Et antequam crux in suum locum reponatur, tangatur porta Ecclesiae cum cruce et dicatur: Quis est iste . . .«

[265] Ritus Chori: »Et circa ianuam episcopi faciunt stationem cum Sacramento. Postea Summissarius cum pede pulsat ad ianuam et componator foris dicit: Quis est iste . . .« Nicht ganz klar ist, was mit »cum pede« gemeint ist: der Fuß des Kreuzes oder der Fuß des Summissarius?

[266] Anderswo, so in Nürnberg, finden wir an dieser Stelle noch die Worte »(At)tollite portas principes vestras et elevamini portae aeternales et introibit rex gloriae«; vgl. Haimerl (oben Anm. 250) 29; Gschwend 16–19, Lengeling 225. Die Tollite-portas-Szene wurde verschiedentlich zu einem Spiel erweitert.

[267] Vgl. A. Maltzew, Fasten- und Blumen-Triodion (Berlin 1899) 669.

[268] Vgl. Lengeling (oben Anm. 255) 223 Anm. 56.

[269] Ähnlich lautet ein Gesang in der byzantinischen Liturgie, der während der Prozession zu Beginn der Osternachtfeier gesungen wird: »Deine Auferstehung, Christus,

und die Oster-Oration »Deus qui hodierna die«, worauf man sich zum Chor begab[270]. Die »Elevatio crucis« schloß hier mit einem weiteren Versikel:

(Surrexit dominus) Der Herr ist wahrhaft auferstanden: Alleluja.
Laßt uns alle fröhlich sein: Alleluja.

Mit diesen Worten hat man sich ehedem vor der Matutin den Osterkuß gegeben. Ein solcher wird jedoch im Obsequiale nicht mehr erwähnt. Er war in den orientalischen Liturgien schon früh heimisch – er spielt auch heute noch im Osten eine große Rolle[271] –, im Abendland ist er seit dem 8. Jahrhundert bezeugt[272]. So finden wir ihn in einer Handschrift mit Traktaten des heiligen Zeno, die im 8. Jahrhundert in Verona geschrieben ist, in der Form: »Surrexit Christus« – »Et illuxit nobis«[273]. Der Osterkuß kommt auch in einem Graduale aus dem 11. Jahrhundert vor, das aus dem bayerischen Raum, möglicherweise sogar aus einem Kloster in (der Umgebung von) Regensburg stammt[274]. Hier werden zum Osterkuß die gleichen Worte gebraucht, die im Obsequiale als Versikel erscheinen[275].

Der 2. Teil der Osternachfeier ist wieder dem Volk zugänglich. Er wurde mit feierlichem Glockengeläute, das unmittelbar nach dem Osterruf »Surrexit dominus« erfolgte, eingeleitet. Es begann nun die im Chor gesungene Ostermatutin. Diese hat, wie im späteren römischen Ritus, aus dem Invitatorium und 3 Psalmen sowie 3 Lesungen mit anschließenden Responsorien bestanden[276].

Beim 3. Responsorium der Matutin »Dum transisset sabbatum«, das nach dem Obsequiale auch zur »Elevatio crucis« verwendet wurde, ordnete sich

Erretter, besingen die Engel im Himmel. Auch uns auf Erden laß würdig dich mit reinem Herzen loben«; vgl. Maltzew (oben Anm. 267) 665.

[270] Ritus Chori: »Postea itur ad chorum cum Responsorio: Ubi dimissum est, et locetur Sacramentum ad locum suum. Et statim fit pulsus ad matutinas.« Dieses Responsorium wird im Obsequiale nicht erwähnt.

[271] Er lautet hier: »Christus ist erstanden« – »Er ist wahrhaft auferstanden«, vgl. Aranca, Christos anesti (Zürich 1968) 232f.

[272] Vgl. Gschwend 69, Anm. 47.

[273] Vgl. A. Bigelmair, Des heiligen Zeno von Verona Traktate (= Bibl. der Kirchenväter II, 10 München 1934) 305 Anm. 1.

[274] Jetzt in Udine, Bibl. arcivescovile, Cod. 234; (vgl. oben S. 151f.).

[275] Graduale in Udine: ». . . summo diluculo veniunt studiose omnes in ecclesiam, et mutua pace invicem se osculantes dicunt: Surrexit Christus. Gaudeamus omnes. Deinde: Domine labia mea (aperies) . . .« (fol. 1r); vgl. auch den Ordo Romanus XXXI (ed. Andrieu III, 508 Nr. 124); Gschwend 69, Anm. 47. Dieser Ordo dürfte in Ravenna entstanden sein; vgl. K. Gamber, in: Römische Quartalschrift 66 (1971) 154–170.

[276] Vgl. das Breviarium Ratisponense (Augsburg 1488) fol. 180.

abermals eine Prozession aller im Chor Anwesenden. Es folgte nun der 3. Teil, die »Visitatio sepulchri«[277], die eigentliche Auferstehungsfeier[278]. Der Zug ging zum Heiligen Grab, wo zwei Priester, vor dem Eingang stehend, ein »Obumbrale« (Schultertuch) als Symbol für das Schweißtuch Jesu in die Höhe hielten[279] und mit lauter Stimme sangen:

(Surrexit dominus) Der Herr ist vom Grabe erstanden, der für uns am Holz (des Kreuzes) gehangen: Alleluja[280].

Danach stimmte der Bischof das »Te Deum« an – »Gesang der Freude« (»Canticum laetitiae«) wird dieser Hymnus in den Regensburger Liturgiebüchern genannt – und kehrt schließlich mit seiner Begleitung in den Chor zurück[281]. Das »Te Deum« galt in der Osternacht als der Zeitpunkt der Auferstehung Jesu[282]. In vielen Orten schloß sich an dieses das deutsche Lied »Christ ist erstanden« an[283]. Im Regensburger Dom wurde es erst nach den Laudes gesungen.

[277] Die St. Emmeramer Visitatio ist im Clm 14183 (bzw. Clm 14428) aus dem 15. Jahrhundert verzeichnet, herausgegeben von N. C. Brooks, in: Zeitschrift für deutsches Altertum 50 (1908) 300–302; Young I,295–297; vgl. Bischoff, Mittelalterliche Studien II,123 Anm. 49.

[278] Zur Auferstehungsfeier vgl. G. Mildsack, Die Oster- und Passionsspiele (Wolfenbüttel 1880); C. Lange, Die lateinischen Osterfeiern (München 1887); O. Wonisch, Osterfeiern (Graz 1927); Ph. Huppert, Mittelalterliche Osterfeiern und Osterspiele in Deutschland (= Religiöse Quellenschriften 56, Düsseldorf 1929); B. Fischer, Die Auferstehungsfeier am Ostermorgen. Altchristliches Gedankengut in mittelalterlicher Fassung, in: Pastor bonus 54 (1943) 1–14.

[279] Nach dem Ritus Chori tat dies der Summissarius.

[280] Obsequiale: »Et fit processio cum toto choro ad sepulchrum ibique perficietur Responsorium, quo finito duo Presbyteri stantes ante sepulchrum acceptis obumbrali loco sudarii extendentesque illud cantent alta voce totam Antiphonam: Surrexit dominus . . .«

[281] Obsequiale: »Et cantata Antiphona Episcopus Praepositus vel Decanus aut senior Canonicus incipiat canticum laetitiae: Te deum etc. cum quo reditur ad chorum et completur matutinum ibidem.«

[282] Vgl. Durandus, Rationale c. 87: Tunc chorus audita resurrectione prorumpit in vocem altissime cantans: Te deum laudamus. Quidam vero hanc praesentationem (gemeint ist die Elevatio crucis) faciunt ante, quam matutinum inchoeat, sed hic est proprior locus, eo quod Te deum laudamus exprimit horam qua resurrexit«; vgl. Gschwend 76.

[283] So vielleicht schon ein einem Ordinarium von Augsburg aus dem 12. Jahrhundert: »Chorus autem audita resurrectione prorumpens in gaudium alta voce communiter imponat: Te deum laudamus. Populus more suo concinat et crux in altum trahitur«; ganz deutlich in einem Seckauer Ordo von 1345: »Sequitur: Te deum laudamus. Populus interim acclamante: Christ ist erstanden«; vgl. B. Roth, Die Seckauer und Vorauer Osterliturgie im Mittelalter (Seckau 1935) 34; Gschwend 76. In einer Salzburger

Ein Osterspiel, wie in vielen anderen Kirchen Baierns und des Alpenge-
biets[284], war an dieser Stelle im Regensburger Dom nicht üblich. Aus St. Emmeram sind uns mehrere kurze Osterfeiern überliefert[285], ebenso aus der Alten Kapelle ein aus der Barockzeit stammendes Osterspiel mit hauptsächlich
deutschen Texten[386].

Der Schluß des Osternachtgottesdienstes ist nicht im Obsequiale, sondern
nur im Ritus Chori vermerkt. Nach dem »Benedicamus domino« der Laudes
stimmte der Bischof das erwähnte Osterlied »Christ ist erstanden«[287] an, das
wohl vom ganzen Volk mitgesungen wurde[288] (vgl. Abb. 45). Damit schloß
die Feier der Osternacht im Regensburger Dom. Einer der Kanoniker sang
anschließend am Altar des heiligen Stephanus die erste Ostermesse[289].

Dieser Gottesdienst – das gleiche gilt für die Osternachtfeier im gesamten
deutschen Raum während des Spätmittelalters – hatte eine nicht zu überse-
hende Ähnlichkeit mit der Osternachtliturgie des byzantinischen Ritus, nur
daß in diesem das hymnische Element noch stärker ausgebildet war als im
Westen. Im Raum von Byzanz beginnt der Ritus mit einer Prozession um
die Kirche, an der sich das ganze Volk beteiligt. Vor dem Eintritt in die Kirche
singt der Priester: »Christus ist erstanden, durch seinen Tod hat er den Tod

Handschrift des 12. Jahrhunderts (Studienbibliothek M II,6, Bl. 67a) folgt das Te
deum auf das deutsche Osterlied; vgl. W. Lipphardt, »Christ ist erstanden«. Zur Geschichte des Liedes, in: Jahrbuch für Liturgik und Hymnologie V (1960) 96–114 (Tafel I). In den St. Emmeramer Handschriften Clm 14428 und 14183 aus dem 15. Jahrhundert ist das Lied mit der Sequenz »Victimae paschali laudes« (am Schluß der
Matutin) verbunden; vgl. Lipphardt 109–111; Young II,295.

[284] Allgemein: K. Young, The Drama of the Medieval Church, 2 Bände (Oxford
1933); E. A. Schuler, Die Musik der Osterfeiern, Osterspiele und Passionen des Mittelalters (Kassel-Basel 1951); R. Steinbach, Die deutschen Oster- und Passionsspiele
des Mittelalters (Köln-Wien 1970) mit Bibliographie.

[285] In: Clm 14083 und 14322 (vgl. CLLA Nr. 1318), Clm 14845 (12. Jahrh.), Clm
14741 (14. Jahrh.); herausgegeben von Young I, 590; C. Lange, Die lateinischen
Osterfeiern (München 1887) 29. 53; W. Lipphardt, Lateinische Osterfeiern und Osterspiele II (1976) 417–430, dazu: E. Hartl, Das Regensburger Osterspiel und seine Beziehungen zum Freiburger Fronleichnamsspiel, in: Zeitschrift für Altertum und
deutsche Literatur 78 (1941) 121–132; Bischoff, Mittelalterliche Studien II, 123. 156.

[286] Herausgegeben von J. Poll, Ein Osterspiel enthalten in einem Prozessionale der
Alten Kapelle, in: Kirchenmusikalisches Jahrbuch 34 (1950) 35–40.

[287] Zur Geschichte des Liedes vgl. Lipphardt (oben Anm. 283); Gschwend 73–81.

[288] Ritus Chori: »Deinde laudes agantur. Finita oratione quidam iuvenis canit: Benedicamus domino. postea Suffraganeus incipit: Christ ist erstanden, et redimus do-
mum.«

[289] Ritus Chori: »Finitis matutinis quidam Canonicus canit missam ad altare Sancti
Stephani. Item finitis Completo canitur: Christ ist erstanden«; zum Stephans-Altar vgl.
J. R. Schuegraf, Geschichte des Domes von Regensburg II (Regensburg 1849) 33.

vnſers hertze wonne/ leit in præ ſe pi o, vnd

leuchtet als die Sonne/matris in gre mi o, Alpha

es & O, Alpha es & O.

O I E S V paruule, Nach dir iſt mir ſo weh/ tröſt mir mein gemüte/ O puer optime, durch alle deine güte/ O Princeps gloriæ, trahe me poſt te, trahe me poſt te.

Vbi ſunt gaudia, Ninderſt meh: dann da / Da die Engel ſin= gen/ noua cantica, Vnd die ſchellen klingen/ in regis curia, Eya weren wir da/ Eya weren wir da.

TEMPORE PASCHALI.

Das Lobgeſang Chriſt iſt erſtanden.

Chriſt iſt erſtanden/von der marter al le/ das ſollen wir

Abb. 45 Aus dem Anhang des „Obsequiale Ecclesiae Ratisbonensis" (1570)

besiegt und denen in den Gräbern das Leben geschenkt«. Alle Glocken fan-
gen zu läuten an. Das Volk wiederholt diesen Gesang dreimal[290]. Darauf folgt
die Ostermatutin (»Orthros«) mit den feierlichen Ostergesängen, dem

Osterkanon[291], und dem bereits erwähnten Osterkuß am Schluß sowie die Liturgie (Messe).

Die abendländische Osternachtfeier war, wie noch heute die byzantinische, ohne Zweifel volkstümlich. Sie war auch in der späteren (barocken) Form bis zur neuen Karwochenliturgie unter Papst Pius XII. der meist besuchte Gottesdienst des Jahres[292]. Besonders beliebt war das Heilige Grab.

Auch als ganzes gesehen dürfte die spätmittelalterliche Karwochenliturgie, obwohl sie im Fall des Regensburger Doms eine ausgesprochene »Prälatenliturgie« war, weil sie in erster Linie »in choro« stattfand, im Volk beliebt gewesen sein, vor allem wegen der dramatischen Gestaltung des Heilsgeschens, angefangen vom Einzug Jesu in Jerusalem am Palmsonntag bis zur Auferstehung in der Frühe des Ostersonntags.

Dabei haben im Dom nicht, wie mancherorts, liturgische Spiele das gottesdienstliche Geschehen in den Hintergrund gedrängt. Die zentralen Geheimnisse des Leidens und Sterbens sowie der Auferstehung Jesu standen stets im Vordergrund. Wenn das einfache Volk auch die Sprache der Lesungen und Lieder nicht verstanden hat, so waren ihm diese doch vertraut, da es sich um jährlich wiederkehrende Texte handelte, die zudem noch durch entsprechende Zeremonien versinnbildlicht wurden.

[290] Vgl. Aranca, »Christos anesti«. Osterbräuche im heutigen Griechenland (Zürich 1968) 212 ff.; E. von Sergewsky-Lehn, Aus einem bosnischen Tal, in: Eine heilige Kirche 21 (1939) 228–234.

[291] Vgl. K. Kirchhoff, Osterjubel der Ostkirche I (Münster 1940) 1 ff.

[292] Vgl. W. Bauer, Die Depositio und Elevatio crucis in der Diözese Regensburg in Vergangenheit und Zukunft. Ein Beitrag zur Integrierung traditioneller ortskirchlicher Liturgie in die erneuerte Liturgie des Paschatriduums (Maschinenschriftl., Regensburg 1975).

Abkürzungsverzeichnis

ALW	= Archiv für Liturgiewissenschaft
Braun, Altar	= J. Braun, Der christliche Altar in seiner geschichtlichen Entwicklung. 2 Bände (München 1924)
Clm	= Codex Latinus Monacensis
DACL	= Dictionnaire d'Archéologie chrétienne et de Liturgie
Gamber, CLLA	= K. Gamber, Codices Liturgici Latini antiquiores (= Spicilegii Friburgensis Subsidia 1, ²Freiburg 1968), manchmal auch nur »CLLA« abgekürzt.
Janner, Bischöfe	= F. Janner, Geschichte der Bischöfe von Regensburg. 1. Band (Regensburg 1883)
JLW	= Jahrbuch für Liturgiewissenschaft
Kdm	= Die Kunstdenkmäler von Bayern
MGH	= Monumenta Germaniae Historica
PG	= Migne, Patrologia Graeca
PL	= Migne, Patrologia Latina
PRG	= Pontificale Romano-Germanicum
RAC	= Reallexikon für Antike und Christentum
VO	= Verhandlungen des Historischen Vereins für Oberpfalz und Regensburg
Walderdorff	= H. von Walderdorff, Regensburg in seiner Vergangenheit und Gegenwart (⁴Regensburg 1896)
Widemann	= J. Widemann, Die Traditionen des Hochstifts Regensburg und des Klosters St. Emmeram (München 1943)

Verzeichnis der Personen, Orte, Sachen

von Sieghild Rehle

279

Verzeichnis der Autoren

TEXTUS PATRISTICI ET LITURGICI

quos edidit Institutum Liturgicum Ratisbonense

Bisher sind erschienen:

Fasc. 1

Niceta von Remesiana, Instructio ad Competentes. Frühchristliche Katechesen aus Dacien. Herausgegeben von KLAUS GAMBER.

VIII + 182 Seiten. 1964. Ganzleinen DM 24.–

Fasc. 2

Weitere Sermonen ad Competentes. Teil I.
Herausgegeben von KLAUS GAMBER.

136 Seiten. 1965. Ganzleinen DM 20.–

Fasc. 3

Ordo antiquus Gallicanus. Der gallikanische Meßritus des 6. Jahrhunderts. Herausgegeben von KLAUS GAMBER.

64 Seiten. 1965. Ganzleinen DM 10.–

Fasc. 4

Sacramentarium Gregorianum I. Das Stationsmeßbuch des Papstes Gregor. Herausgegeben von KLAUS GAMBER.

160 Seiten. 1966. Ganzleinen DM 22.–

Fasc. 5

Weitere Sermonen ad Competentes. Teil II.
Herausgegeben von KLAUS GAMBER.

120. Seiten. 1966. Ganzleinen DM 20.–

Fasc. 6

Sacramentarium Gregorianum II. Appendix, Sonntags- und Votivmessen. Herausgegeben von KLAUS GAMBER.

80 Seiten. 1967. Ganzleinen DM 16.–

Fasc. 7

Niceta von Remesiana, De lapsu Susannae. Herausgegeben von KLAUS GAMBER. Mit einer Wortkonkordanz zu den Schriften des Niceta von SIEGHILD REHLE.

139 Seiten. 1969.   Ganzleinen DM 24.–

Fasc. 8

Sacramentarium Arnonis. Die Fragmente des Salzburger Exemplars. Appendix: Fragmente eines verwandten Sakramentars aus Oberitalien. Herausgegeben von SIEGHILD REHLE.

114 Seiten. 1970.   Ganzleinen DM 22.–

Fasc. 9

Missale Beneventanum von Canosa. Herausgegeben von SIEGHILD REHLE.

194 Seiten. 1972.   Ganzleinen DM 28.–

Fasc. 10

Sacramentarium Gelasianum mixtum von Saint-Amand. Herausgegeben von SIEGHILD REHLE.

142 Seiten. 1973.   Ganzleinen DM 30.–

Fasc. 11

Die Briefe Pachoms. Griechischer Text der Handschrift W. 145 der Chester Beatty Library. Eingeleitet und herausgegeben von HANS QUECKE.

118 Seiten. 1975.   Ganzleinen DM 60.–

Fasc. 12

Das Bonifatius-Sakramentar und weitere frühe Liturgiebücher aus Regensburg. Herausgegeben von KLAUS GAMBER.

122 Seiten. 1975.   Ganzleinen DM 46.–

Fasc. 13

Manuale Casinense (Cod. Ottob. lat. 145) herausgegeben von KLAUS GAMBER und SIEGHILD REHLE.

173 Seiten. 1977.   Ganzleinen DM 36.–

STUDIA PATRISTICA ET LITURGICA

quae edidit Institutum Liturgicum Ratisbonense

Fasc. 1

Die Autorschaft von De sacramentis. Zugleich ein Beitrag zur Liturgiegeschichte der römischen Provinz Dacia med.

152 Seiten. 1967.   Ganzleinen DM 24.–

Fasc. 2

Domus ecclesiae. Die ältesten Kirchenbauten Aquilejas sowie im Alpen- und Donaugebiet.

103 Seiten. 1968.   Ganzleinen DM 21.–

Fasc. 3

Missa Romensis. Beiträge zur frühen römischen Liturgie und zu den Anfängen des Missale Romanum.

209 Seiten. 1970.   Ganzleinen DM 32.–

Fasc. 4

Ritus modernus. Gesammelte Aufsätze zur Liturgiereform.

73 Seiten. 1972.   brosch. DM 6.–   Ganzleinen DM 12.–

Fasc. 5

Sacrificium laudis. Zur Geschichte des frühchristlichen Eucharistiegebets. Herausgegeben von KLAUS GAMBER.

80 Seiten. 1973.   Ganzleinen DM 18.–

Fasc. 6

Liturgie und Kirchenbau. Von KLAUS GAMBER.

158 Seiten. 1976.   Ganzleinen DM 36.–

Fasc. 7

Sakramentarstudien und andere Arbeiten zur frühen Liturgiegeschichte von KLAUS GAMBER.

189 Seiten. 1978.   Ganzleinen DM 36.–